人民币
国际化探索

刘力臻 徐奇渊 等著

人民出版社

策划编辑:郑海燕

图书在版编目(CIP)数据

人民币国际化探索/刘力臻 徐奇渊 等著;

-北京:人 民 出 版 社,2006.10

ISBN 7 - 01 - 005833 - 4

Ⅰ. 人… Ⅱ. 刘… Ⅲ. 人民币(元)-国际化-研究 Ⅳ. F822.1

中国版本图书馆 CIP 数据核字(2006)第 108976 号

人民币国际化探索

RENMINBI GUOJIHUA TANSUO

刘力臻 徐奇渊 等著

人 民 出 版 社 出版发行

(100706 北京朝阳门内大街 166 号)

北京新魏印刷厂印刷 新华书店经销

2006 年 10 月第 1 版 2006 年 10 月北京第 1 次印刷

开本:710 毫米×1000 毫米 1/16 印张:21.25

字数:341 千字 印数:0,001 - 3,000 册

ISBN 7 - 01 - 005833 - 4 定价:39.50 元

邮购地址 100706 北京朝阳门内大街 166 号

人民东方图书销售中心 电话 (010)65250042 65289539

目 录

第二篇
零距离接触现实——人民币金融版图现状考察

第三篇
感性向理性的升华——人民币国际化的理论初涉

第四篇
还需冷眼观热点——人民币国际化政策选择的理性探索

导　论

第一节　为什么关注人民币的国际化？

一、神奇的人民币

人民币自1948年12月1日诞生以来，已走过近60年的路程。在历史长河中，60年只是短暂的瞬间，然而，人民币却在这一瞬间留下了神奇的发展轨迹。

神奇之一：人民币是二战后全球最早发行的现代信用纸币

人民币从它诞生之日起，就是同黄金脱钩的，即不规定单位纸币含金量的不兑现的现代信用纸币。由于革命成功后的中国极度缺少黄金，并且实行计划经济的中国被排斥在世界经贸体系之外，因此中国经济没能纳入到二战后建立的以黄金为基础的布雷顿森林体系中。然而，这却使贫穷落后的中国反而率先实行了同黄金脱钩的现代信用纸币制度。

从现代信用纸币发展史的角度看，第一次世界大战的爆发成为现代信用纸币兴起的契机，因为第一次世界大战导致国际金本位制崩溃，西方各国政府不再规定本币的含金量，遂使现代信用纸币取代了同黄金挂钩的传统货币，但同时也给国际间的货币交换带来了混乱。由于不受单位货币黄金含量的限制，为了刺激出口、抑制进口，各国竞相贬值货币，陷入了恶性竞争的泥潭，这严重地损害了世界经济乃至各国经济的发展。二战结束后，为了稳定汇率，人们又请回黄金，通过双挂钩机制：美元同黄金挂钩即规定单位美元的含金量；各国货币同美元挂钩即各国政府规定本币的含金量并同美元建立固定比价关系，构建了新的国际固定汇率制——布雷顿森林体系。然而，汇率虽然被固定了，但影响汇率波动的各种变量却不能随之固定下来。面临着特里芬难题，并且随着美元持续超量发行导致的矛盾不断积累，至1973年，二战后建立起来的固定汇率制度——布雷顿森林体系最终走向崩溃，黄金终于同货币脱钩，彻底地退出了货币舞台，成为金属商品市场上可以自由交换的贵金属商品，各国发行的纸币终于演变为同黄金脱钩的现代信用纸币。

从二战后的时空维度看，正在西方发达国家忙于实施国际固定汇率制度而纷纷令本币与黄金挂钩之时，恰好是不同黄金建立任何联系的人民币的生成之日。从这个意义上说，人民币是二战后全球范围内最早发行的同黄金脱钩的现代信用纸币之一。可见，作为现代信用纸币的人民币比西方国家早了25年，这为中国经济后来的改革开放、为中国经济回归世界经济舞台奠定了现代货币的基础。

神奇之二：人民币在半个多世纪内经历了两个质的飞跃和三种货币形态

两个质的飞跃：一个是从计划经济下受到高度限制的货币，向市场经济下充分发挥货币和资本职能的货币转换的飞跃。这种经济体制转换的创新，带来了人民币的另一个飞跃，即从一个最大的发展中国家、经济转型国家的普通货币、一国货币，向国际区域货币过渡的飞跃。

三种货币形态：一是货币职能受到限制的维持计划经济正常运转的货币；二是充分发挥货币和资本职能维持市场经济正常运转的货币；三是越出国境成为在中国周边国家中流通的国际区域货币。

可见，人民币曾经是计划经济的货币，现在是市场经济的货币，正在成为国际区域货币，而且很有希望成为国际货币多元化体系中具有鼎足之势的国际货币。在半个多世纪内，人民币从计划经济到市场经济，从封闭经济到开放经济，从一国经济融入到国际区域经济，一路走来，不断地升级、跨越，扮演着维持不同经济运转的货币角色。如此令人目不暇接的不断转换的发展历程，在货币发展史上是绝无仅有的，因为西方国家的货币没有经历过从计划经济向市场经济转型的历程，而走过这种经济转型历程的货币，却没有进一步走向国际化的前景，只有人民币如此的多姿多彩。

神奇之三：人民币国际化路径独具特色

狭义的人民币国际化是指人民币跨出国境在中国周边国家流通，并成为部分替代当地货币和美元的能够用于作为国际投资手段、国际价值

尺度、国际流通手段、国际支付工具和国际储备资产的货币。同发达国家货币国际化的发展过程相比，人民币的国际化有其自身的特征：

1. 经济实力相对薄弱与货币国际化并存。虽然中国经济保持了持续的高速增长和良好的发展势头，经济规模和质量都有很大提高，但就人均经济实力来讲，离世界先进水平还有相当的差距；虽然自 1978 年开始的经济体制的改革还在继续深化，但金融体制改革相对滞后。目前为止，金融体制尚不健全，不规范，金融机构不够成熟，金融市场有待完善；虽然 1996 年起中国正式成为国际货币基金组织的"第 8 条款国"——人民币在经常项目项下可自由兑换，但到现阶段，人民币在资本和金融账户下尚不能完全自由兑换。然而，人民币并没有等到货币国际化条件全部具备才开始越出国境走向周边，而恰恰是在上述种种国际化条件尚不完全具备、不成熟的情况下便产生了溢出效应，开始了自身的国际化进程。

2. 经济转型与货币国际化并存。人民币经历了从高度集中控制的计划经济向市场经济过渡的发展历程，经历了货币和资本的职能受到抑制到令其充分发展的历程，没有这种经济体制的转型，中国经济不会变强，人民币亦不会走向国际。因此，人民币的国际化起始于计划经济向市场经济的转型，这一独特的起点和契机形成了人民币国际化路径同历史上发达国家货币国际化路径的根本差异。

3. 全球范围内的普通货币角色与国际区域货币角色并存。当我们置身于中国周边国家时，我们会感到人民币是多么可爱，因为人民币可以直接兑换当地货币，甚至可以替代当地货币直接流通。然而当我们置身于发达国家时，我们会感到人民币是多么无奈，因为到目前为止，你尚不能用人民币直接兑换当地货币，更不能直接流通。可见，人民币同发达国家的货币相比，仍属于普通货币，在全球范围内尚未进入国际货币的行列。然而，人民币同中国有陆地接壤的周边国家乃至东南亚地区的货币相比，则属于具有驱逐劣币能力的良币，扮演着国际区域货币的角色。在中国同周边国家的经贸往来中，人民币不断地替代当地货币和美元，弥补了当地货币的劣势和美元不足的缺口。东南亚金融危机爆发后，人民币的超稳定性、保值和升值性，更使一些东亚国家和地区的居民把人民币作为一种国际储备货币。

二、关注人民币国际化的理由

对于目前尚处在初级阶段或者说萌生阶段的人民币国际化态势，人们的关注程度不尽相同。有学者认为，人民币在中国周边国家的流量同国内的货币供求量、流量相比微不足道；中国经济远没有发达到其货币可以成为国际区域货币的程度；国际化的人民币会承担很多国际货币的义务，这会不利于中国经济的发展。上述种种观点在于说明人们不必去关注和推进人民币的国际化。笔者认为，人民币国际化是伴随着中国成为大国经济的必然产物，是国际货币发展史上最重要的事件之一，它不仅对中国经济也会对全球经济产生深远的影响，我们有足够的理由关注人民币的国际化。

理由一：适应国际货币制度发展趋势的需要。随着经济全球化、一体化的不断推进，小国、弱国货币的运行成本越来越高，抵御外部冲击的能力越来越弱，其存在价值受到质疑。有经济学家预测，现存的世界各国货币包括数十种可自由兑换货币，90%以上行将消亡。然而，人民币将属于少数能够存续下来的几种国际货币之一。这一货币淘汰的过程就是人民币国际化的过程，届时，人民币或是演变为一种国际区域货币——人民币东亚化；或是在东亚区域货币合作中作为核心货币之一融入到东亚乃至统一的亚洲货币中 ——亚元的主要构成货币；或是随着人民币在全球影响力的提升逐步成长为一种超越亚洲的国际货币。我们应该认清现代信用货币制度下"良币驱逐劣币"的货币发展规律，为适应人民币的国际化未雨绸缪。

理由二：适应东亚货币合作的需要。东亚金融危机的爆发，使东亚人形成了用区域货币合作抵御金融风险的共识，并以此为契机迈出了"货币互换"——东亚货币合作的第一步。目前，制约东亚货币合作深入发展的一个关键因素是区域内缺乏核心货币。日元虽然是区域内的强势货币，但自20世纪90年代以来，其经济长期低靡，金融体制的弊端和经济结构的失衡积重难返，以日本为首的东亚"雁形结构"开始瓦解，日元的国际化进展不畅，政治上难以取信于邻国，这些因素使得日元作为东亚核心货币的作用受到抑制。与此同时，中国的国力日益提升，人民币的国际地位越来越高，其影响力逐渐向周边国家扩展，成为具有东亚"小美元"美誉的地区结算货币，显示出人民币替代当地货币、替代美元的东亚货币合作及一体化的前景。人民币在东亚的崛起，使人民币的东亚化、国际区域化成为东亚货币合作模式的重要选择。

理由三：适应经济大国崛起的需要。一国货币的流通和投资范围越出国境向周边国家扩展直至演化为国际货币，是经济大国崛起的重要标志。现阶段人民币的金融版图已越出国境，在周边国家大规模地流通，这种状况必将对中国经济、东亚经济乃至世界经济产生深刻影响。世界需要适应人民币的崛起，中国亦需要从大国崛起的战略高度，认识和评价人民币金融版图的扩张，在总体上把握和适应人民币国际化的自然进程。

理由四：适应中华经济圈形成与发展的需要。从经贸合作的发展规律看，国家间、地区间、各个微宏观经济主体间的经贸合作，必然导致相互间的货币合作，而货币合作的深入发展，必然走向货币一体化，所不同的只是货币一体化模式上的差异。随着两岸三地经贸合作的深化，一国、两岸、三地、四币（人民币、港币、澳门币、台币）的合作，以及由此导致的货币一体化势在必行。这种由贸易合作发展而来的货币整合，既是人民币国际化的重要组成部分，又会促进大中华经济圈的形成与发展，进而形成对人民币国际化的强力推进。

理由五：加强人民币国际化风险管理的需要。货币国际化是一把双刃剑，对一国经济的发展利弊并存，随着时间的推移，承担国际货币角色的国家甚至会因此而降低自身的竞争力，因为作为国际区域货币、世界货币，需要具备为该种货币持有国提供以自身贸易收支逆差为代价的货币供给能力。可见，人民币国际化在为中国经济带来诸多好处的同时也会不可避免地带来外部冲击。因此，对于由人民币国际化带来的利弊影响、各种风险，必须有清醒的认识，研究趋利避害之法，掌握货币国际化的发展规律，规避外部冲击引发金融危机的风险，不失时机地谋划和确立人民币国际化条件下的风险防范及管理机制。

理由六：丰富和发展货币国际化理论的需要。人民币是继英镑、美元、德国马克、日元、欧元等国际货币之后新近崛起的货币，与前者的国际化进程相比，人民币的国际化既有其共性的一面，又有其自身的独特性。关注人民币国际化的进程，研究人民币国际化问题，总结人民币

国际化的经验，对人民币国际化做理论上的分析，将会丰富和发展货币理论、货币国际化理论、货币合作理论、国际货币制度理论、国际区域货币理论等。

第二节　何谓货币国际化？

一、货币国际化概念界定

对货币国际化的认识，货币国际化内涵的界定，见仁见智。从狭义的角度看，货币国际化是指一种货币的部分职能或全部职能（包括计价、流通、支付、储备等职能），从一国的适用区域或原使用区域扩张到周边国家、国际区域乃至全球范围，最终演化为国际区域货币乃至全球通用货币的动态过程。从广义的角度看，货币国际化不仅包括货币职能的国际化，还包括货币作为资本的信贷、投资职能的国际化，即货币作为资本获得利润的投资职能从一国的适用区域或原适用区域扩张到周边国家、国际区域乃至全球范围的动态过程。

二、货币国际化层次划分

（一）根据货币使用区域划分，货币的国际化可分为周边化、国际区域化、全球化三个层次

一般来说，货币的国际化常常是从周边化、国际区域化逐步走向全球化的。三个层次是由近及远、由浅入深的递进关系。如果某种国际货币转而走向衰退，其国际流通区域亦随之缩小，最终有可能还原为一国货币。需要指出的是，并不是每种货币的国际化都必须依次经历这三个发展阶段，二战后的日元并未严格地经历上述的三个发展层次便成为牙买加体系下的国际货币之一。

（二）根据货币承担的职能划分，国际货币所执行的货币职能和发挥作用的程度有所不同

当某一强国货币独立承担国际货币角色时，该种货币也独立地执行作为国际货币的全部职能，包括国际货币的资本职能。当多种货币共同

扮演国际货币角色时，在若干种国际货币中，有的执行部分货币职能，有的则执行全部货币职能；有的执行重要职能，有的则执行次要职能。某种货币在国际化的初期，通常只在较小的国际区域内执行货币的某种职能，或在某一职能方面表现突出。在货币国际化的盛期，则在更大的国际区域内，承担较多或全部的货币职能。如果该种货币转而走向衰落，会还原为执行部分货币职能的国际货币，甚至失去国际货币的角色。

（三）根据货币在世界经济中的作用和影响力划分，又可分为普通国际货币和国际本位货币

普通国际货币和国际本位货币表现为配角和主角、外围与中心的关系。从一般经验的观察上看，单一的国际本位货币常常与国际固定汇率制相组合，而普通国际货币和国际本位货币的并存则常常与国际浮动汇率制相组合。换句话说，在国际浮动汇率制度下，常常是普通国际货币与国际本位货币并存，例如，牙买加体系下，作为国际本位货币的美元和作为普通国际货币的英镑、德国马克、日元、由欧洲货币单位演化而来的欧元等并存。从国际货币制度的发展趋势上看，随着国际区域货币的崛起，国际本位货币与普通国际货币的主角与配角、中心与外围的格局，或许会被由若干个平起平坐的国际区域货币，或者说若干个国际本位货币构成的国际货币主角多元化的格局所取代。

三、货币国际化的基本条件

作为国际货币发行国，主要应具备以下条件：

（一）拥有强大的经济实力

强大的经济实力是国际货币赖以生存的坚实的物质基础。没有强大的经济实力，就没有充当国际货币的保障，就难以赢得国际社会对该国货币的普遍接受和信任。只有强大的经济实力才能造就强势的国际货币。纵观历史，每一种国际货币都是以其发行国强大的经济实力做后盾的。

布雷顿森林体系崩溃前夕，为了应对美元危机，国际货币基金组织（IMF）创造了一种新的国际储备资产——特别提款权（SDR），人们对其寄予厚望，希望 SDR 能够取代美元成为一种新的国际货币，承担

起国际货币的职能。然而，几十年过去了，SDR 就像扶不起来的阿斗，在全球国际储备中始终只占微不足道的 1%，承担国际货币重任的仍然是那些由各国国内生产总值（GDP）支持的强国货币。SDR 不能有效地成为国际货币的原因可能很多，但最重要的原因在于它没有强大的经济实力做后盾，没有实际的 GDP 做支撑。SDR 和欧元（EURO）都是国际货币合作的产物，前者没能取得的重大进展，后者却获得了巨大成功。原因可能很多，但根源仍然在于是否有强势的实体经济支撑。SDR 是空中楼阁式的合作，EURO 是实体经济的合作。欧元通过国际区域经贸合作即国际区域内国家间的经贸合作走向成功，不仅成为欧元区 11 个国家的共同货币，也是现阶段重要的国际储备资产、国际货币之一。

（二）经济具有高度的开放性

经济的高度开放性主要体现在该国、该地区对外贸易的影响力、对外贸易结构的高级化和金融业的成熟度。

对外贸易影响力与货币国际化

对外贸易的影响力主要表现在拥有开放自由的国际贸易环境：拥有巨大的进出口商品和服务市场，特别是拥有广阔的进口市场，即有能力为其他国家提供商品和劳务的出口市场；同世界各国建立广泛和密切的经贸联系，实现对外贸易的多元化。一国货币、某一地区货币能否成为国际货币，与该国、该地区的对外贸易影响力密切相关，具备了上述的对外贸易影响力，该国货币才能在国际上被广泛接受。

外贸结构的高级化与货币国际化

在一国对外贸易的出口构成中，如果以制成品的出口为主；在制成品出口中，以附加价值高的制成品为主；在附加价值高的制成品出口中，以一流产业的高新技术制成品出口为主，则该国的对外贸结构便处于一种高级化的状态中，说明该国制成品生产领域尤其是装备制造业领域和高新技术领域具有比较优势，从而为一国货币成为国际货币创造了条件。国际贸易中选择何种货币标价和结算引起了很多经济学家的兴趣。根据 Tavlas（1991）对国际发票使用状况的研究发现：①在发达国家间的制成品贸易中，在制造周期较长的差异性制成品贸易中，开具发票时大多采用出口国货币；②全球的初级产品和石油一般用美元计价；③发达国家和发展中国家间的贸易大多使用发达国家的货币。可见，一国货币的国际化程度，还取决于该国高新技术制成品的生产能力。

金融业的成熟度与货币国际化

金融业的成熟度表现为：① 拥有开放、自由、监管体制健全的金融市场，以此来保证各种金融商品的交易能够安全、便捷地运行，从而真实地反映货币、资本及外汇市场的供求，保证市场出清速度快，提高市场运作效率，增强发行国货币的流动性，使居民和非居民都很容易参与其中。② 拥有高效的现代金融结构。由独立的中央银行、高效经营和管理的商业银行、多元化的证券融资机构和法制化的金融监管体系构成的现代金融制度设计，使得金融市场拥有足够的广度（有多种金融工具）和深度（有发达的二级市场），成为辐射周边及全球的国际金融中心。③ 拥有规模庞大的货币交易网络。货币交易网络存在规模经济效应，可以称得上是"自然垄断行业"——随交易规模的扩大，单位交易成本逐渐降低，从而会有更多的人选择使用该种货币。

四、货币国际化的路径差异

（一）以国际贸易和武力开拓起家的英镑

国际贸易是英镑走出国门的主要原因和推动力，同时也是英镑进一步在世界流通，不断提高英镑国际化程度的一种重要媒介；由于当时的国际经济政治秩序尚不健全，通过武力开拓势力范围，强迫殖民地使用宗主国的货币也成为当时英镑国际化的一种途径，可以说，英镑的国际化带有"武力"色彩。

（二）在两次世界大战中崛起并随资本输出走向世界的美元

以第一次世界大战为契机美元开始走强，大有取代英镑霸权之势。1933 年美国放弃金本位制，1934 年与中南美的一些国家及加拿大、菲律宾等国组成了美元集团。1939 年建立了松散的非正式组织形态的美元区。二战期间，美国因远离战场积累了全球 4/5 的黄金，经济实力极速增强。战后建立的布雷顿森林体系，使美元的国际地位得到了法律上的追认，美元终于取代英镑成为当时唯一的国际货币。然而，美元对国际社会更深远的影响则是通过该体制下的以各种名义（经济援助、军事援助）向全球进行资本输出达到的，以资本输出深化其货币国际化程度是美元国际化的重要特征之一。

（三）以信誉赢得国际市场的德国马克

二战后在德国近 30 年高效发展的基础上，德国马克借助布雷顿森林体系瓦解后美元无力单独承担世界货币角色的机会，成为重要性仅次于美元的国际货币之一。德国马克最引人注目的就是它的信誉，正像联邦德国央行总结的那样：马克之所以成为重要的国际货币，在于其内在价值的稳定性，即它一般不会给其持有者带来损失。币值稳定是马克的主要特征，坚挺的形象是马克赢得国际市场的法宝。

（四）在被迫升值中成为国际货币的日元

布雷顿森林体系崩溃后，日元在不断升值中走上了国际化的道路。国际收支长期的巨额黑字状况，使得日元经常处于整体升值的态势中，其持续时间之长，升值幅度之大在国际货币史中是罕见的。日本是一个大出大进的开放型经济，抗升值压力的能力很强，加上一些更深层次的原因，日元升值始终没能抑制日本的对外出口和国际收支黑字的进一步积累，但却对泡沫经济的形成起到了推波助澜的作用，日本经济也在泡沫经济的崩溃中陷入长期衰退的困境，有日本学者将其称为"日元升值综合症"。尽管日元已挤进当今世界国际货币的行列，但日元更多的是承担国际货币的储备职能，很少成为国际贸易的结算货币。不仅如此，由于外部经济长期处于黑字型失衡状态，日元常常成为国际游资的投机对象和美国经济的避风港，即便是日本经济处于衰退期，只要美国经济、世界经济有风吹草动，都会令日元升值。对于日元来说，货币国际化像一把"双刃剑"，既推动了日本经济的发展，也为此付出了沉重的代价。

（五）从国际区域经贸合作中走来的欧元

从"煤钢联营"、"欧洲共同体"、"关税同盟"、"欧洲货币体系"、"欧洲货币单位"、"统一大市场"到"欧元"的诞生，欧洲的经验证明，国际间经贸合作的深入发展必然导致参与合作各方的货币合作，而国际间的货币合作最终会走向国际区域货币的一体化。欧元的诞生标志着独立国家间的货币合作、货币一体化不仅是可行的，而且预示着国际货币制度未来的发展方向，国际货币制度因此进入了国际区域货币合作和新型国际区域货币诞生和发展的新时代。

五、货币国际化的利与弊

（一）货币国际化的积极效应

获得铸币税收入

铸币税（seigniorge）原指中世纪西欧各国统治者对送交铸币厂用以制造金、银铸币的贵金属所征的税。在现代货币制度下，铸币税并非是税收体系下的一个税种，而是被定义为货币发行者凭借其发行特权（垄断权）所获得的货币面值大于发行成本之间的差额，即货币发行带来的收入。在严格的金铸币本位制下，黄金直接行使货币的基本职能，一国在国际交易中如果用黄金来支付，那么在它获得别国商品和劳务的同时，需放弃另一种实际资源——黄金，这种转移体现着实物与实物货币间的等价交换原则，所以一国相对于其他国家基本上不享有铸币税特权。然而，当货币发行从技术上脱离了金属价值束缚发展到信用货币时代后，货币发行便成为一种能为发行者带来几乎是无成本或者说是低成本（其成本仅限于设计、发行和保管货币所需要的支出）的发行收入，从而被看成是政府以货币发行特权创造的财政收入。凯文（1998）曾把现代意义上的铸币税进一步细化为自愿的和非自愿的两种类型，前者表示货币当局满足经济发展需求而增发货币所取得的收入，后者则表现为货币发行超过了实际货币需求量的增加，并导致了一定程度的物价上涨，使得原先持有的单位货币的购买力下降，福利水平下降，近似于利用通货膨胀进行征税，所以非自愿的铸币税常常被视为通货膨胀税。当一国货币演变为国际货币后，其铸币税的收入便不仅源于国内还源于境外。处于国际货币体系中心地位的国家便可以用本国纸币换取他国贸易和资本的控制权，这些货币在境外的结存可以为中心国家带来铸币税收益。

消除和规避汇率风险

货币国际化有利于规避汇率波动的风险，甚至在一定范围内消除汇率风险，一般来说，国际汇率制度的不同，一国货币国际化的程度不同，消除汇率波动风险的效果亦不同。在单一国际本位币的国际固定汇率制度下，当被固定的汇率反映的是经济基本面的均衡汇率时，货币交换的价格因为被长期地稳定在一个狭小的波动范围内，汇率波动风险随之消除。然而，汇率虽然被固定了，但决定汇率的各种经济变量却在不断变化，容易发生固定汇率与真实汇率的严重背离，从而产生固定汇率制崩溃的风险。战后创建的以美元为中心的国际固定汇率制——布雷顿森林体系的崩溃是最好的例证。在多元国际货币并存的国际浮动汇率制下，汇率随行就市，化解了固定汇率制度下供求矛盾不断积累而因制度僵化无法调整的弊端，但也为外汇市场的投机交易开了便利之门，汇率波动剧烈。为规避汇率剧烈波动风险，国际区域内的货币合作应运而生，并形成两种合作模式。其一是逐步走向货币的统一，如货币同盟的欧元模式；其二是域内强势货币替代其他货币，如拉美美元化的货币替代模式。由于域内流通统一的货币，因此，在该国际区域范围内，各国间、各个微宏观经济主体间的货币兑换随之消失，汇率波动风险以及货币交易成本自然消失。

增强国际收支赤字融资能力

当一国货币成为国际货币后便具有了货币霸权。对于承担国际货币角色的国家来说，该国货币就是其他国家的储备货币，该国的部分对外支出可以直接用本币支付，该国货币可以直接充当本国的部分国际储备货币，可以为本国的国际收支逆差融资，从而降低对其他国家货币的需求，节约本国的外汇储备以增加资金的使用效率。

提升在世界经济中的地位

国际货币为世界各国间经贸往来提供普遍接受的价值尺度、流通手段、支付手段、贮藏手段和投资工具，因此，占据世界经济的主导地位，可以最大限度地运用境外经济资源，并在汇率的波动中获得最大的经济效益，即更有效地在货币贬值时开拓国际市场，在货币升值时吸引外部投资。

（二）货币国际化的消极效应

从货币国际化的程度和货币合作模式上看，货币的国际化有国际区域化和全球化、货币同盟和货币替代之分；因此，货币国际化不良影响的程度亦不同。

管理成本上升

对于承担国际货币特别是国际区域货币角色的货币来说，货币国际化会使发行国的央行在货币发行和管理方面面临巨大的挑战。一般地

说，纸币流通广度同货币管理成本成正比关系。随着货币在周边国家及全球范围内的流通、使用，货币的境外流通量不断增多，央行的货币管理成本会随之上升。

宏观经济政策效力下降

宏观经济政策是由一国的财政政策和货币政策为主构成的以经济平稳发展为目标的宏观调控工具。对于开放经济体而言，"蒙代尔—弗莱明"模型的一个重要结论是，在浮动汇率制度下，货币政策重要，财政政策无效；在固定汇率制度下，财政政策重要，货币政策无效。在此基础上，克鲁格曼进一步提出了"三元悖论"理论，即汇率稳定、资本自由流动、独立的货币政策是三个不可调和的目标，各国充其量只能实现这三个目标中的两个。货币国际化常常导致汇率的自由化，这种情况会使该国宏观经济政策的独立性与汇率的稳定性受到约束，甚至会导致单一国家宏观经济政策失效。

国际投机冲击风险加大

对于货币国际化的国家来说，货币国际化是一个本币在境外流通数量逐渐增多的过程，当不受约束的境外货币达到一定的规模时，境外货币（多以国际游资的形态存在）的投机能力也随之增大，从而对该国货币的对外价格及全球的外汇市场的货币交换价格造成巨大的冲击，形成汇率的高估和低估，不仅直接影响该国的外部经济，甚至对该国乃至全球的金融安全和经济稳定形成威胁。

陷入"特里芬难题"

"特里芬难题"是美国经济学家 R. 特里芬（1960 年）在其发表的《美元与黄金危机》一书中所描述的一种美国贸易逆差的不可逆转性与美元币值稳定性之间二律背反的矛盾状态，即美元作为世界货币需以其自身的国际收支逆差为代价向世界各国提供国际储备资产，如果美国的国际收支都是顺差，则世界各国就会陷入国际储备不足的危机。然而，美国国际收支长期的不可逆转的巨额贸易逆差又会破坏美元的稳定性及国际信誉，而世界经济的平稳发展，又要求作为世界货币的美元保持币值的稳定。随着时间的推移，美元的世界货币地位会因此而逐渐衰退。事实上，在国际货币双重角色（既承担本国货币的职能又承担世界货币的职能）的货币制度下，国际本位货币似乎难逃这种两难的命运。

(三) 货币国际化的成本—收益比较原则

关于一个国际区域内各个宏观经济主体是否选择加入货币区，是否选择参与国际区域货币合作的研究，比较有代表性的理论分析当数克鲁格曼（Krugman，1990）的"GG-LL"模型，该模型揭示了单个国家或地区加入货币合作的成本—收益比较原则，即只要加入国际区域货币合作的收入大于成本，就会有货币间的合作，合作的利益越大，合作的欲望越强，合作的可能性越大。基于成本—效益的比较原则，作为处于国际化进程中的货币和参与国际货币合作的货币，只要利大于弊，只要货币国际化的风险能够有效地控制，货币国际化的进程就会不断地向前推进。

笔者认为，可以从两个角度比较货币国际化的成本—效益：一是站在已经成为国际货币或者正处于货币国际化、国际区域化进程中的宏观经济主体的立场上，比较货币国际化的成本—收益。一般来说，作为国际货币，或国际区域的核心货币，其铸币税收益、免除和降低货币交易费用的收益、消除和降低汇率波动风险的收益，提升吸引外部资金的能力及对外投资能力的效益，扩大国内市场及统一全球市场、国际区域市场的效益等等，远大于货币国际化的成本。同非国际货币相比，承担国际货币、国际区域货币角色的宏观经济主体在国际货币合作中的获利最大。二是站在非国际货币但参与国际货币合作的各个宏观经济主体的立场上，比较货币国际化的成本—效益。从国际货币合作的经验和趋势看，随着金融全球化、一体化的发展，随着国际游资规模不断扩大引发货币投机风险不断的增大，各个宏观经济主体因参与国际货币合作而放弃货币政策的独立性乃至让渡货币自主发行权的利益损失会逐渐减少，与此同时，各个宏观经济主体参与国际货币合作所获得的利益会不断地增大，二者间正在形成此消彼长的关系。

两个角度的货币国际化成本—收益比较，说明无论是国际强势货币，还是处于货币国际化进程中的货币，无论是参与国际货币合作的货币，还是尚未参与国际货币合作的货币，都会因有来自内部和外部两方面利大于弊的动力推进，而开启和深化各个宏观经济主体货币间的合作。

六、货币国际化研究的理论模型构建

（一）一国货币境外数量模型

在我们的研究中提出了一国货币境外数量模型，即货币境外数量的供给流量模型、需求存量模型，这是从两个角度考察的一国货币的境外数量。

货币境外存量的供给模型：

$$Q = \sum_{j=1}^{4} E_j - \sum_{k=1}^{2} I_k = (E_1 + E_2 + E_3 + E_4) - (I_1 + I_2)$$

其中，Q 代表某一时期的人民币境外流出量；E 代表人民币的流出；E_1 为边境贸易流出；E_2 为出境旅游探亲等流出；E_3 为对外投资流出；E_4 为非法交易活动流出（如：毒品走私、赌博、洗钱等）；I 代表人民币回流；I_1 为商品贸易回流（包括无形贸易）；I_2 为信用渠道回流。人民币境外流量的供给模型是从提供境外人民币的角度，将人民币流出量加总减去所有的流入量来核算人民币的境外流量。

货币境外存量的需求模型：

$$Q = \sum_{j=1}^{i} P_j R_j$$

P_j 为该种境外货币周边第 j 个国家和地区的外汇缺口总额；R_j 为该种境外货币在周边第 j 个国家和地区外汇缺口中的权重。

（二）货币国际化程度的衡量模型

选取如下指标：该种货币在世界范围内作为国际经贸往来计价单位的流通范围；该种货币充当国际清算货币及国际贸易结算中被使用的比重；该种货币充当国际投资和国际信贷工具及在其中所占的比重；该种货币作为外汇平准基金成为用来干预外汇市场的国际干预货币的比重；该种货币发挥国际储备资产的职能及在国际储备资产中所占的比重；该种货币在世界上的流通量及其所占比重等，依据上述指标体系建立货币国际度指数模型。

（三）货币国际化铸币税效应分析模型

我们的理论分析表明，一种货币在成为国际货币之后的全部时间里，其基础货币投放增速将会经历活力、成熟、冷却三个发展阶段。发币收入主要在第一、二阶段获得，第三阶段的发币收入将随着实际产出增长速度的下降而越来越趋于微弱，直至趋向消逝，而第一、二个阶段持续时间的长短和发币收入水平的高低，很大程度上取决于该货币区域内的经济人对该币增发所致通货膨胀的敏感程度，具体说来：这方面的敏感程度越低，则第一、二阶段持续的时间越长，且获得的发币收入越多；反之亦然。总之，发币收入只能在有限的时期内大量的获得，而在其后的时期里，发币方从中获得的铸币税将日趋有限直至萎缩。国际货币的发行国，必须在货币版图、实际产出增长等方面为其货币环境做出不断的努力，才能使其获得铸币收入的时间持续更为长久。

（四）货币替代过程中的自我强化模型

在 Griton 和 Roper（1981）建立的货币替代与汇率波动关系的静态分析模型基础上，我们加入了动态因素进行修正，并将货币替代成本分析中的"汇率不稳定"与收益分析中的"汇率稳定"统一起来，提出了小国弱币遭受货币替代将是不可避免的，货币替代过程具有自我强化机制的结论。依据分析结果可以用来探讨处于货币国际化进程中的一国货币对周边弱势货币替代和传统国际货币替代的自我强化现象。

（五）国际经济政策协调模型

针对 Mckinnon（1982）基于两国模型（执行国际货币职能的强势货币国与弱势货币国）所解释的70年代美国国内通胀率，主要源于全球货币供给总量的增加，而不仅是美元供给量单纯增加的结论，我们将其修正扩张至三国（相对的强势货币国、弱势货币国、成长中的国际货币国）情形，按新生国际货币成长过程的三个阶段，在理论上给出了国际货币体系更迭时期情况的动态解释，并基于修正的三国模型和新生国际货币成长的三个阶段提出国际经济政策协调的建议。

七、货币国际化一般经验总结

（一）经济体制创新——货币国际化的内在动力

一国货币成长为国际货币是以强大的经济实力和一流技术为物质基础的，而强大的经济实力和一流的技术却源于促进生产力发展的体制创新。英镑起家靠的是"看不见的手"的自由市场经济体制的创立；美元崛起在于市场与政府（看得见的手）二元调节机制有效结合的制度

创新；二战后德国马克和日元的国际化亦是以市场经济现代体制为载体的。最具竞争力的经济体制，或者说适应生产力发展的经济制度创新，会促进技术创新和金融创新，带来了完善的金融服务、系统的金融法规和一流的金融技术。伦敦、纽约、法兰克福、东京和香港因此成为当今世界的国际金融中心。虽然不能说只要有促进生产力发展的制度创新，该国的货币就一定能成长为世界货币，因为还需满足其他条件，但我们可以断定，成为世界货币国家的经济体制一定是最具竞争力的体制，其检验的标准则是促进生产力发展的能力、不断自主创新的能力和应对各种风险的能力。

（二）"逆格雷欣法则"——信用纸币制度下货币间竞争的新法则

1558年，英国伊丽莎白女王一世的顾问托马斯·格雷欣爵士曾根据金属货币制度下"如有两种交换手段一起在市面流通，价值较大的一种将会消失"的现象，提出了"劣币驱逐良币"的命题，因为当公众对货币供给的某一部分怀有疑虑时，他们会将"良币"（好货币）窖藏起来，并试图将"劣币"（劣质的货币）转让给他人。事实上，在金属货币条件下，这种不足值的"劣币"充斥商品交易市场的现象不仅古而有之，并且曾经反复地上演。早在公元前2世纪，中国大儒贾谊就将这种现象描述为"奸钱日繁，正钱日亡"。这里的"奸钱"就是指不足值的"劣币"，而"正钱"则意为足值的"良币"，这大概是世界上最早的关于"劣币驱逐良币"的表述。然而，19世纪以后的历史却为我们做着完全相反的演义：19世纪的英镑、20世纪的美元，在同时代的众多货币中，更安全、更方便、更出色地执行了货币的职能，从而成为处于支配地位的国际货币。正像蒙代尔先生所阐述的"内在一致、高度稳定、质量优越是伟大货币的共同品质，它们将在竞争中胜出而成为国际性货币"。可见，在自由竞争的国际经济环境中，在现代信用纸币条件下，国际上货币间的竞争执行的是"逆格雷欣法则"，即"良币驱逐劣币"的法则。

（三）"币值高估"——国际货币由强变弱的转折点

货币"币值高估"是指货币的交换价格超出了自身所代表的实际价值。一般来说，货币在国际交换中定价越高，越有利于低成本地利用国际资源，有利于建立货币霸权。但是货币一旦按照超出自身实际价值的高价交易，出现币值高估，也会给国内实体经济和货币经济同时带来严重的后果。在商品市场上，货币高估会使该国产品在国际上的价格竞争力随之下降，从而影响出口，刺激进口，导致其国际收支恶化，就业和投资下滑，经济发展速度放慢。在金融市场上，币值高估会引发货币贬值的预期，使原有的投资转变为投机，甚至引发恐慌性资本外逃，使该国经济遭到毁灭性的打击。英镑、美元都曾拥有过不可一世的辉煌，然而它们也都相继经历了由强到弱的历程。两种强势货币走弱的一个共同点是币值被长期高估，前者表现为一战后恢复金本位过程中英镑的定价过高，后者表现为布雷顿森林体系时代的美元高估。两种货币都为币值高估付出了沉重的代价。事实证明，"币值高估"会使发行货币的经济体丧失原有的活力，并给货币本身带来危机。无论何种强势货币均抵挡不住由币值高估带来的压力和破坏，最终会失去原有的竞争力，走向衰落。

（四）保持币值稳定——维持国际货币竞争力的保障

在现代信用纸币条件下，在国际货币的竞争中，"良币"驱逐"劣币"的能力是靠自身的币值稳定支撑的，即"良币"的同义语是币值稳定。要保持币值稳定，必然要抑制通货膨胀，并且实现低通货膨胀率约束下的持续平稳的经济增长。只有较低通货膨胀，没有持续稳定的经济增长，或者只有较高的经济增长，没有低通货膨胀，都不能完成从一国货币到国际货币的转换，不能维持作为国际货币的信誉，不能保持国际货币的地位。低通货膨胀的标准应该参照两个数据，其一是参照一国实体经济的增长率。经济增长率可细分为两种类型，即处于高速增长的发展中经济的增长率和处于低速增长的成熟经济的增长率，不同的经济增长类型其低通货膨胀率的标准亦不相同。所谓低通货膨胀率应该是一个与经济增长率保持吻合的适度空间。从经验上看，成熟经济的通货膨胀率应与经济增长率持平，或维持在实际经济增长率上下 1 个百分点之间，发展中经济由于增长率较高，通货膨胀率应低于和接近实体经济的增长率，不宜超过经济增长率，并注意提高经济增长的效率，才有利于实现赶超，有利于提升货币的竞争力，实现本币向国际货币的转换。以物价变动水平表示的通货膨胀率过低或过高，不仅都会产生通货紧缩和通货膨胀的危机，而且都会冲击国际货币的地位：通货紧缩容易引发贷币对外价格的升值，降低外部经济的竞争力；通货膨胀容易引发货币对外价格的贬值，为货币危机埋下祸根。如果该种货币已经发生较高的通货膨胀，但又不能及时向下调整，必然会造成货币高估及相应损失，而货币持续地贬值则会破坏国际货币的信誉，动摇国际货币的地位，甚至引发金融危机。其二是参照其他宏观经济主体的通货膨胀率。一国货币的对外价格是两种货币相交换的比率，所以币值的平稳与否受到其他宏观经济主体的通货膨胀率的影响。要保持自身的货币竞争力，需要使本国的实际通货膨胀率（经过经济增长率调整后的通货膨胀率，或者说是考虑了经济增长因素的通货膨胀旅）等于或略低于其他宏观经济主体的实际通货膨胀率，即本国的通货膨胀率与经济增长率的比值小于或等于外国的通货膨胀率与经济增长率的比值。

第三节　人民币怎样走向国际化？

人民币是继英镑、美元、德国马克、日元、欧元等国际货币之后新近崛起的货币，与前者的国际化进程相比，人民币的国际化既有其共性的一面，又有其自身的独特性。关注人民币国际化的成因和进程，研究人民币国际化的问题，总结人民币国际化的经验，对人民币的国际化做理论上的分析，有利于探索和把握人民币国际化的发展规律，有利于制定相关政策。

一、人民币国际化的现状

（一）地域分布

人民币的境外流通主要集中在与我国有陆上边境的国家，包括与我国西南接壤的越南、老挝、缅甸、尼泊尔，与我国西部接壤的巴基斯坦、吉尔吉斯斯坦、哈萨克斯坦以及与我国东北部接壤的俄罗斯、蒙古、朝鲜等国。此外，在东南亚等国包括没有直接同中国有陆上接壤的国家也都有不同程度的人民币流通。

（二）流出渠道

传统的合法流出渠道：边境贸易；人员往来携带（包括旅游支付、

探亲访友、留学等）；以人民币为投资工具的对外投资。

非法流出渠道：毒品走私；境外赌博；洗钱。

新流出渠道：以人民币信用卡等现代信用工具为载体的人民币流出，导致境外用人民币直接消费市场的形成和扩展。

（三）流量和存量状况

人民币在境外的流量和存量状况，其分析的思路在前文已有表述。另外，依据现有的资料、领导人讲话、专家估算，关于人民币境外流存通量有不同的具体数据报道。2004年3月间，国家外汇管理局宣称，境外流通的人民币估计超过300亿元。这个数据应该不包括港、澳、台地区，因为有专家估算，2000年，内地取消访港旅客数量限制后，访港旅客人数增长53.4%，达685.5万人次。若以旅客每人每次携带人民币6000元计，仅2000年由内地旅客带入的现钞人民币就达409.5亿元，至2003年，在港流通的人民币数量已达700亿元。2004年12月上旬，在北京、澳门由北京大学中国公益彩票事业研究所与澳门旅游博彩技术培训中心等联合举办的我国首个公开探讨博彩业的国际学术研讨会上，专家显示的数字为中国每年的赌资外流人民币6000亿元，而被疑为以洗钱为目的外汇交易也在2000亿美元的规模。随着资本项目的放开，人民币国际化的推进，人民币在境外的流通量和沉淀量会越来越高。

二、人民币国际化的成因

人民币国际化是以人民币源源不断地外流为前提的，换言之，是以满足周边国家和境外商品和货币市场对人民币的需求即中国提供的人民币供给为前提的。

（一）人民币国际化的直接动因

以人民币计价的国际贸易、边境贸易导致的人民币在中国周边国家和地区流通。

以人民币支付出境游导致的人民币在中国周边国家和地区流通。

以人民币为投资工具的对外投资导致的人民币在周边国家和地区的流通。

其他方式，即以现钞及各种信用工具为载体的人民币流出。

非法途径（"毒、赌、洗"）流出并构成在中国周边国家的流通。

（二）人民币国际化的深层原因

上述的人民币国际化的直接原因隐含着人民币在东亚地区迅速崛起的更深刻的因素，可归纳为十大动因。

国际间货币竞争法则使然

在现代信用纸币制度下，货币间的竞争法则已由金属货币制度下的"劣币驱逐良币"转为"良币驱逐劣币"。对于小国、弱国来说，在经济全球化、一体化日益推进的条件下，由于经济规模过小，其货币的运行成本在日益增高。克鲁格曼（Krugman，1980 年）曾从交易成本的角度入手，得出货币交易网络的建立存在固定成本，因此就一种货币而言，其交易规模越大，单位交易成本就会越低的结论。1993 年，凯文·多德与戴维·格里纳维在其《论货币竞争》一文中，进一步论证了货币交易网络的规模效益。在金融自由化条件下，小国、弱国货币的汇率风险亦随之增高。由于小国、弱国的货币与国际游资间的实力不对等和信息不对称，特别容易遭受国际游资的恶意冲击，因为国际游资冲击小国、弱国货币的成功概率更高。有经济学家预测，在国际间的货币竞争中，现存的90%以上的货币将趋于消亡。不久前，欧元区国家的原来流通的货币，甚至是非常著名的货币已经成为历史，这是一种在市场经济高度发展、货币合作不断深化和货币间优胜劣汰竞争中的货币消亡。伴随着大批弱势货币消亡以及由货币合作引发货币消亡的同时，是少数强势货币以及在货币合作中诞生的新国际区域货币的扩张。在这一货币淘汰的历史进程中，人民币属于能够存续下来的少数几种国际货币之一，因为人民币不仅存在规模经济效应，而且正在成长为一种有驱逐劣币能力的良币。稳定的币值使人民币正在一定程度上替代周边国家货币，在东亚区域范围内部分地替代国际本位货币。人民币的规模效应和良币效应会使更多的人选择使用人民币，这一过程也是人民币的扩张过程，即人民币的国际化过程。

现行国际货币制度变革提供的机遇

二战后，国际货币制度经历了固定汇率制、浮动汇率制以及介于二者间的中间汇率制的危机，在三种汇率制度安排均遇到危机后，国际货币制度出现了国际货币区域化的变革趋向。现行的国际浮动汇率制的牙买加体系经过三十多年的发展，内在矛盾日益尖锐，弊端逐渐显现：如汇率波动过度且缺少稳定机制、国际游资投机过度且监管失控、金融风险的预警、防范能力脆弱，国际金融危机频繁爆发、"特里芬难题"难以化解等等。为克服这些弊端，化解矛盾，以美元为中心的国际本位币制度正在向多元化的国际区域货币制度演变，并逐步形成了货币同盟的欧元区、货币替代的拉美美元化、处于探索中的东亚货币合作的三足鼎立的国际区域货币格局，而人民币正崛起于这一国际货币制度波澜不惊的变革时期，同时人民币在东亚金融危机中及危机后超稳定性的出色表现，亦为自己赢得了国际信誉。难得的机遇加自身的崛起，使人民币有机会演变为一种新的国际区域货币。

东亚货币合作对区域内强势货币的呼唤

东亚金融危机的爆发催生出东亚货币合作的共识，因为人们意识到在金融自由化、全球化条件下，单个国家难以有效地抑制国际金融风险，而货币合作是抵御外部冲击、降低交易成本、获得重大经济效益的有效途径。然而，有效的国际区域货币合作的重要条件之一是区域内拥有信誉好的强势货币、核心货币。应该说自 1973 年布雷顿森林体系崩溃以后，日元一直是域内强势货币，但日元最初的国际化不在亚洲，而是在全球范围内更多地承担国际货币的国际储备（包括份额有限的国际投资功能）功能，以弥补美元贬值时储备功能的不足。这种不完整的国际货币角色使日元常常成为国际游资投机的对象和美国经济的避风港。20 世纪 90 年代，当日元有意要回归亚洲时，日本经济却遭到泡沫经济崩溃的严重打击，经济长期低靡，结构失衡，金融体系脆弱，日元的国际化进展不畅。这些因素使得日元作为东亚核心货币的作用受到抑制，甚至失去了这种可能性。与此同时，以中国国力日益提升为根基和后盾的人民币，其经济规模越来越大，国际地位越来越高，影响力逐渐向周边国家扩展，从而有可能化解东亚地区无核心货币的困境，为东亚货币合作创造了具备区域内强势货币的条件，显示出国际区域内货币替代的东亚货币合作的发展前景，即人民币逐步替代当地货币、替代美元成为东亚地区共同使用的统一货币。人民币的东亚化成为东亚货币合作模式的重要选项，也是最现实的选项。

中国周边国家外汇缺口构成的外部需求

同中国接壤的周边国家均为发展中国家和计划经济转轨国家，因此

几乎都是外汇缺口较大的国家。由于这些国家和地区市场经济发展相对滞后，外贸出口换汇能力较弱，由此形成了外汇需求和供给间的严重失衡。一方面经济发展构成对外汇的大量需求，另一方面获得外汇的能力又十分有限，外汇缺口长期难以填补。随着人民币源源不断地流出，市场对人民币的认同，中国周边国家对人民币的强盛需求，人民币开始在周边国家部分地替代国际本位货币——美元，从而缓解了这些国家和地区严重的外汇缺口和资金不足的压力。境外市场为吸引和持有人民币，鼓励人民币不经过兑换在当地直接消费，从而使人民币的流通版图随之扩大，事实上等于把中国的国内市场扩大到境外。

经济体制创新的内在动力

如前所述，经济体制与一国货币版图的扩展具有深层次的联系。而自从改革开放以来，人民币历练经过了一个从计划经济下受到高度限制的货币向市场经济条件下充分发挥货币和资本职能的现代货币转换的制度创新过程，以及由此带来的质的飞跃。正是这种适应和促进生产力发展的制度创新和经济转型，使得人民币正在经历另一个质的飞跃，即从一个最大的发展中国家、计划经济转型国家的弱势货币、普通货币、一国货币，向东亚区域的强势货币、国际区域货币乃至国际货币过渡的飞跃。

大国经济崛起的溢出效应

如前所述，一国货币的流通和投资范围越出国境向周边国家扩展直至演化为国际货币，是大国经济崛起的重要标志。伴随着大国经济的崛起，维持该国经济运转的货币不仅会成为强势货币，而且会从单一国家货币逐步演变为世界普遍接受的新的国际货币。经过 20 多年的改革开放，和年均 9% 的持续增长，以及资源配置的不断优化，让中国拥有了较高的经济总量、足够大的经济规模和充足的国际清偿手段。无论是按照由 GNP 构成的经济数量指标来衡量，还是按照由经济结构构成的经济质量指标来衡量，中国经济都步入了工业化的中后期与信息化兴起并存的发展阶段。从经验上判断，这个阶段的特点是，现有的人均收入水平将使中国步入长期的并以较高速度增长的新一轮发展时期。所以有学者预测，如果不出意外，中国的经济增长将会打破持续 27~30 年的长期高速增长极限，继续高速增长 20 年。由此也可以断定，维持这种长达半个世纪经济增长的拥有 13 亿人口规模经济运转的货币，一定会成为地区通用的强势货币乃至成为世界货币。创建多年的特别提款权（SDR）始终没能独立地承担起世界货币的职能，关键在于没有坚实的物质基础，没有经济发展的根基。只要以人民币运行的经济平稳发展，实力不断增强，达到一定质和量的积累，人民币就具有国际化的物质基础。现阶段人民币的金融版图已越出国境，人民币在周边国家较大范围和规模的流通已相当普遍。人民币的国际化是大国经济崛起所产生的溢出效应的必然结果，是以人民币运转的国内市场向外扩延的表现。

金融业国际化的趋势为人民币国际化创造了外在条件

改革开放以来，我国的金融业开始跨出国门谋求海外发展，同时，国际收支的两大实质性项目——经常项目和资本项目都在逐步走向开放。从银行业的海外开拓状况看，中国各商业银行在海外设立了很多的分支机构和代表处，它们在海外经营的主要业务是对外筹资。近年来中国对外投资特别是以人民币为载体对外投资发展迅猛。同时，外资金融机构在华业务也不断拓展。目前，允许外资银行经营人民币业务的地域已扩大到 13 个，在这些地域，允许符合法定条件的外资银行向外资企业、外国人、港澳台同胞、中国企业提供与人民币有关的金融服务。从外部经济开放的情况看，1994 年 1 月 1 日，我国实行汇率并轨的体制改革，人民币自由兑换迈出了第一步。1996 年 12 月 1 日，中国实现了经常项目下的人民币自由兑换。资本项目虽然还处于总体管制状态，但各种有关资本项目的限制都在适度放开中。2001 年 3 月起，建立了为中国境内外币资产持有者提供以外币资产做证券投资的 B 股市场，并逐步放开了外资购买国有大中型企业股权的限制，2002 年推出合格境外机构投资（QFII）的资本流入模式。2005 年元旦开始，中国和外国公民出入中国国境时，每次最多可携带的人民币由 1993 年规定的 6000 元增大为 20000 元。2006 年我国将允许外商独资银行经营零售业全方位服务项目，对外资银行实行国民待遇。

中华经济圈形成与发展的内在要求

改革开放以来，两岸三地的经贸活动日益深化，由一国、两岸、三地、四币（人民币、港币、澳门币、台币）构成的中华经济圈已经形成。只要两岸三地的经贸合作不断深化，由贸易合作而引发的货币合作就不可避免，而货币合作的深化，又必然导致货币的一体化，因为货币合作、货币一体化会带来经济发展的规模效益，会有效地规避国际游资的恶意冲击，会大大降低交易成本。会提高经济主体自身的竞争力。当中华经济圈的发展产生对单一货币的需求；当实施货币一体化的经济效益远远高于"一国四币"下的经济发展；当"一国四币"的持币成本远远大于单一货币的持币成本时，中华经济圈的统一货币就会应运而生。事实上，"一国四币"的合作已经开始并在不断地向纵深发展，而中华经济圈统一货币的形成必然会更加强力地推进人民币的国际化。

人民币升值的推动

2005 年 7 月 21 日中国人民银行就完善人民币汇率形成机制等有关事宜发表公告，宣布即日起实行新汇率制度，从而使这一天成为人民币汇率制度改革的又一个里程碑。此次汇率体制改革的主要内容可以概括为三方面：一是人民币从钉住汇率制——同美元建立固定比价关系——转为以市场供求为基础、参考一篮子货币进行调节的有管理的浮动汇率制度；二是允许人民币同美元的汇率上调，美元对人民币的交易价格由 1 美元兑 8.28 元降为 8.11 元，人民币升值 2%；三是现阶段每日美元对人民币波动幅度限定在 3‰。随着新汇率体制的实施，人民币进入了渐进的缓步升值期。人民币升值会对中国经济乃至全球经济产生深远的影响，其中最直接的影响是进一步推进人民币的国际化。人民币升值的利益驱动，一方面会使人民币的境外需求旺盛，另一方面也产生了人民币对外投资的动力，从而进一步增大人民币的对外供给。总之，境外人民币的数量会随着人民币的升值而不断增大。

管理体制上的缺陷为人民币非法流出带来可乘之机

产权制度改革滞后、资本项目的管制及经济管理思路的保守，成为人民币非法流出的制度因素。国有产权制使掌管资源的国企和政府官员能够利用手中的权力侵占国有资产并转移国外，导致每年因隐蔽性的洗钱活动和官员境外赌博的人民币资产大量流出（随着国有企业彻底改制，这种状况会得到遏制）；资本项目的管制、对博彩业的限制及无序、无诚信无规则经营刺激了一些国内资金包括民间资本的外流，增大了人民币的海外数量。

三、人民币国际化的特色

同发达国家货币国际化的发展过程相比，人民币国际化有其自身的特征。概括地说，是以经济转型的体制变革为动力，以周边化为主要路径，以国际区域经贸合作为纽带，在尚未完全具备成为国际区域货币的经济发展的基础和条件的情况下，便开始了自身的国际化进程。进而表现出不可思议的三个并存：一是经济转型与货币国际化并存；二是经济基础特别是人均经济技术指标相对薄弱与货币国际化并存；三是全球范围内的普通货币角色与国际区域货币角色并存。

四、人民币国际化的成本与收益

（一）人民币国际化的成本支付

管理成本上升。人民币国际化后，央行在货币发行和管理方面面临巨大的挑战。一般地说，纸币流通广度同货币管理成本成正比关系。随着人民币在周边国家和地区的流通，境外人民币流通量的增多，央行和各商业银行的货币管理成本会上升。

货币政策包括汇率政策效力下降。同一般货币国际化的成本分析，人民币国际化意味着境外人民币数量在不断加大，同时意味着不受央行货币政策控制的人民币数量在增大，当境外人民币达到一定量时，会在一定程度上弱化货币政策的效力。在汇率政策方面，人民币国际化将使汇率政策的自由性受到约束。例如通过人民币贬值改善国际收支的汇率政策，将同促进人民币国际化，保持人民币币值稳定形成矛盾。

国际投机冲击风险加大。人民币的国际化将使境外人民币数量逐渐增多，当达到一定的规模时，容易形成以投机为目的的国际游资，从而增大了在我国经济出现困难或有机可乘时发动货币攻击以攫取风险利润的可能性。在防范能力有限和防范机制不健全的情况下，有可能对我国金融安全和经济稳定形成威胁。人民币国际化不仅需要支付防范货币冲击的管理成本，如果处理不当还会支付国际游资冲击造成的损害。

（二）人民币国际化的收益

铸币税收益。人民币国际化后，其他国家政府和居民手中持有的人民币是通过向我国出口商品和劳务获得的，随着以人民币兑换的外部资

源的流入，将为中国带来源于境外的铸币税收入。据测算，2002 年人民币区域化带来的国际铸币税收入可能为 152.8 亿美元，到 2015 年约为 224.6 亿美元，到 2020 年约为 300.2 亿美元，我国将因人民币的国际化获得的年均铸币税收入至少可稳定在 25 亿美元左右（钟伟，2002年）。

降低交易成本和汇率风险的收益。人民币被接受的范围越广，中国的商人、投资者、旅游者从事国际经济交易的风险就越低，交易就越便利，而且还会消除货币交易的成本。当人民币成为该国际区域共同的货币符号时，域内各经济主体会获得两个方面的收益，一是国际经贸往来中的货币交易成本随之消失；二是汇率波动风险随之消失，这种既降低费用又消除风险的双重收益，无疑会促进中国的对外贸易，进而使人民币的金融版图进一步扩大，形成良性循环。

节约外汇储备的收益。人民币国际区域化后，中国部分对外支出可以直接用人民币支付，这会降低对美元等其他国际储备货币的需求，而用人民币对外支付的部分，便构成了对外汇储备的节约。一般来说，人民币国际化的程度越深，范围越广，功能越全，能够节约的外汇储备会越多，从而间接提高资金的利用率。

增强国际收支贸易逆差的融资能力的收益。同普通的一国货币相比，国际货币具有天然的逆差融资能力。如果亚洲国家和地区对中国的贸易顺差是通过接受人民币的流动性结算的，不仅会减少亚洲贸易伙伴对美元的需求，对中国来说，也会形成来自境外的人民币供给，即人民币的回流。由于人民币的国际区域货币的地位，即便是中国在对亚洲贸易逆差的情况下，中国周边国家人民币的外汇储备会仍然流回中国，存入中国央行，并通过资本项目的顺差弥补贸易项目的逆差。

提升人民币在国际货币体系中的地位。随着中国经济在亚洲地位的增强，亚洲市场整合程度的提高，人民币能够为亚洲国家提供普遍接受的价值尺度、流通手段、支付手段、贮藏手段，将会帮助亚洲新兴市场经济国家解决汇率制度选择的难题。有亚洲市场的支持，人民币将会成为东亚乃至亚洲的共同货币符号，从而极大地改进目前不平衡的国际货币体系，提升人民币在未来货币体系中的地位。这一优势对提高中国在世界经济中的地位有重要作用，它将增加中国在国际经济事务中的发言权。人民币的崛起将成为本世纪国际金融领域中最重要的事件。

货币政策的独立性增强。人民币国际化近期可预见的目标是人民币的东亚化，人民币作为区域内的强势货币，将会使我国货币政策的独立性发生两个方面的变化：其一，在东亚区域范围内我国货币政策的独立性会相对强化，我国货币政策的对外影响将加大。其二，在国际范围内，人民币既受其他强势货币国家的货币政策的影响，同时也会逐渐产生作为地区的强势货币，国际区域货币对国际商品货币市场、国际外汇市场、资金市场的影响力，从而产生开放经济条件下强化货币政策独立性的效应。

五、人民币国际化面临的问题

（一）非法流出问题

人民币的非法流出主要是"毒""赌""洗"三个途径。由于毒品走私量成倍增长，人民币因毒品走私的流出量倍增。据 2004 年中国公安部禁毒局的一份报告指出，地处"金三角"的缅北地区当年的罂粟种植面积大幅度反弹，达 9 万公顷，预计可产鸦片 900 吨左右。近年来，由于"金三角"毒品南下通道（从缅北进入缅甸南部或泰国，从印度洋海上信道运往其他国家）受阻严重，大量毒品囤积在缅北靠中国边境一侧，毒品交易呈现出向中国"多头入境，全线渗透"的趋势，加大了中国打击毒品的压力，查获案件和缴获毒品数量同比分别增长 100% 和 86%（见程刚：《长篇特写：中国西南边境遭遇"毒""赌"挑战》2004 年 6 月 25 日环球时报）；由于中国周边国家赌场数量和规模猛增，人民币因境外赌博的流出量剧增。周边国家在靠近中国边境地区建立起大大小小以人民币为赌资的赌场，最初只限于云南边境。由于开办赌场收益颇丰，亦是吸纳人民币的最好的方式，周边国家相继出现了专门为中国人开办的赌场，其规模和数量均处在上升态势，形成了包围中国的赌博圈。目前这个赌博圈正在向外扩展，发展成为一个从日本、泰国、马来西亚，到菲律宾、新加坡、印尼，并一直延伸至澳大利亚及欧美的庞大的旨在套取人民币的"境外赌博网"。这张在中国周边编制的赌博大网正在侵蚀中国经济的健康成长，对中国的金融市场构成严重威胁，情景非常危急；由于跨国"洗钱"更加复杂和隐蔽，人民币因非法洗钱的流出量剧增。在经济全球化、资本流动国际化的情况下，洗钱活动越加猖狂，对国际金融体系的安全、对国际政治经济秩序的危害极大。据国际货币基金组织统计，全球每年非法洗钱的数额约占世界生产总值的2%至5%，介于6000亿至1.8万亿美元之间，且每年以1000亿美元的数额不断增加。据国家外汇管理局局长郭树清介绍，仅2003年3月至10月期间，外汇管理局就收到全国各外汇指定银行报送的大额和可疑外汇资金交易信息202.13万笔，金额达4900.35亿美元，这些大宗、可疑的外汇交易被疑视为是以"洗钱"为目的的外汇交易。目前，人民币非法流出状况的统计及监控相当困难。更为严峻的是现阶段我们对人民币非法流出的总体状况既难以统计又缺少有效的抑制手段。由于"毒"、"赌"、"洗"均为非法的地下经济活动，当事人相当谨慎和隐蔽，政府很难全面掌握和了解这方面的真实情况。一般来说，只能通过案发后的总结，掌握和了解相关情况，而这很可能只是挂一漏万的冰山一角。

（二）"特里芬难题"化解问题

在一国货币执行双重角色（既是本国货币又是国际货币）的国际货币制度下，承担国际货币角色的货币成为其他国家的国际储备资产，然而，这种状况常常是通过自身国际收支地位的削弱（国际收支逆差）来实现的。如果人民币成为占主导地位的国际储备货币，中国则需要通过国际收支赤字来提供人民币资产，而中国越是通过赤字方式提供人民币资产，其国际收支的地位就会越加脆弱，从而影响人民币币值的稳定。人民币币值稳定性的下降将使持有人民币流动性资产的国家减少持有人民币资产的数额，从而削弱人民币作为储备货币的地位。可见，如果人民币替代其他货币，成为执行双重角色的单一的国际区域货币或国际本位货币，也会面临如何化解"特里芬难题"的挑战。目前的状况是，正在走向国际区域化的人民币，已经承担起为周边国家提供国际储备货币的职能，中国市场已经成为东亚国家的出口市场，成为东亚经济发展的火车头，中国同几乎所有的东亚国家和地区的贸易逆差证明了这一点。也就是说人民币作为东亚的强势货币，已经显现出"特里芬难题"的作为国际货币不可避免的国际收支逆差的一面，但人民币还没有遇到因币值不稳而威胁其作为国际区域货币地位的"特里芬难题"另一面，因为人民币还不是国际货币，中国在东亚贸易中的逆差是靠同美国的贸易顺差平衡的。

（三）货币国际化风险防范问题

铸币税的风险。从理论上说，执行国际货币职能的政府可以通过财政赤字货币化的方式，最大限度地征收铸币税。短期来看，这是一种最方便、成本最低的赤字融资方式。然而，这又是一种非常危险的游戏和饮鸩止渴的获利方式，历史上，曾几乎无一例外地给实行这种政策的国家最终造成经济灾难。从实践上看，以赤字货币化的方式征收铸币税，最终会丧失国际货币的地位。即便是不以赤字货币化的方式获取铸币税收益，铸币税也有一种递减的趋势；国际游资冲击的风险。人民币国际化必然伴随着人民币的大量流出，而境外人民币流量的增大会使市场投机因素随之增大，容易造成对国内市场冲击；宏观经济政策失效的风险。人民币国际化也是人民币全面开放的过程，人民币境内外的自由流动会在一定程度上或一定时期内消弱国内宏观经济政策的效用，甚至造成宏观经政策的失效和失误。

（四）人民币国际化的内部约束问题

人民币尚未完全具备国际货币条件便开始了国际化的进程，是因为在中国周边国家大多是市场经济发展滞后的发展中国家和经济转型国家，相比之下，中国市场经济推进得更顺利、经济增长的速度更快，经济规模效应更大，但这并不说明一国货币成长为国际货币可以缺少必备的条件。人民币能否成长为真正的国际区域货币、国际本位货币，关键在于化解内部约束问题。

约束一，缺少现代产权制度下的国际化程度和管理水平较高、总体竞争力较强的银行系统。我国银行系统的主体是四大国有银行，其产权结构与市场经济相悖，并持有居高不下且不断剥离不断产生的巨额不良资产。其他股份制银行的规模较小，海外投资刚刚起步。值得欣慰的是四大国有银行目前正处在改制攻坚阶段，成功与否直接影响人民币的国际化进程，因为承担国际货币角色的国家须具备健康的现代化运营和法律规范的货币供给、回笼、宏观调控和风险监控的银行体系。承担世界货币职能的美国不仅拥有最先进的全球性的现代银行体系，而且银行业的不良资产率极低，长期控制在3% ~5%以下。

约束二，缺少具有相当广度、深度和成熟度的金融市场。从广度看，我国金融市场无论是资产总量、交易规模还是交易品种、金融产品的创新能力都处在较低的层次上。从深度看，受金融业及整个经济发展水平的制约，我国金融市场的开放度还不能适应货币国际化的要求，货币兑换的自由度有限。站在境外人民币资产持有者的立场，人民币兑换的自由度越高，持有人民币的风险越小，因为持有者可以自由迅速地进出以该种货币支撑的市场。可见，货币自由兑换是货币国际化的一个重要条件。然而，对中国来说，金融深化只能是一个伴随着金融风险防范机制建立健全的渐进过程。从成熟度看，我国金融资产质量、金融风险消化能力、金融市场进出机制等都与发达国家存在巨大的差距；一级和二级市场、城市和农村市场、商品和货币市场、货币和资本市场、全国和地方市场等都存在不同程度的分割现象；全国统一的票据市场尚未形成；同业拆借利率尚未成为引导整个利率体系的货币市场的基准利率。目前中国还没有一个高度开放、规模巨大、品种繁多、赢利性和安全性达到规范的适应货币国际化要求的金融市场。

约束三，缺少市场化的利率和汇率。利率是资金的使用价格和时间价格，汇率是货币的交换价格，应该由资金市场的供求和外汇市场的供求决定，否则会被压制、被扭曲，从而导致对经济发展的压制和经济运行的扭曲。如果利率不能反映真实的货币借贷市场的供求，并以真实的市场利率引导其他金融商品的价格，如果汇率不能反映真实的本币和外币的供求，并以真实的市场汇率参与国际经贸往来，该国货币就难以成长为国际货币，难以承担国际货币的职能。对于具有转型经济特征的中国来说，利率市场化要与商业银行的自我约束能力及央行对利率的宏观调控能力相适应；汇率的市场化要与国际收支、国际储备的均衡发展，资本项目开放的风险防范能力相适应。目前的中国正处于利率、汇率市场化的进程中。

约束四，缺少系统防范国际金融风险的机制。我国已于1992年、1998年、2003年分别建立了证监会、保监会和银监会，初步形成了金融风险的监管体系，但主要针对的是国内金融风险的防范，且监管的效果不尽如人意。从开放经济风险防范角度看，无论是微观经济主体、金融业，还是政府宏观调控体系，针对外部冲击、国际金融风险防范的意识、机制、经验、工具手段明显不足，适应世界经济变化的能力，金融动态信息的采集、分析研究、有效利用、风险预测报警的能力不强。

约束五，市场化的微宏观经济主体还处于初级阶段。从产权结构上看，国有企业、国有商业银行、国家财政联系在一起的产权结构，缺少市场经济要求的产权明晰的制度机制，最易产生低效、浪费、垄断和腐败，形成企业经营亏损、银行资产不良、政府财政补贴的恶性循环。此外，国有企业占经济总量过大，还容易产生对民营经济的挤出效应。改革开放二十多年我国民营经济从无到有，不断发展壮大，但大多规模小，现代企业制度尚未确立或不健全，国际经营和风险意识差。总体看，缺少建立在现代制度上的实力雄厚的跨国公司。从要素市场化的程度看，商品、生产资料、劳动力等要素市场化程度较高，或者说已基本市场化，但资金交易、土地交易的市场化还有相当长的路要走。

约束六，财政体系相对脆弱。普通货币演变为国际货币的重要条件是保持币值稳定。如果一国财政支出规模过大，会导致政府的财政赤字增加，负债比例提高，成为引发通货膨胀的诱因之一，而货币的对内贬值，最终会影响货币的对外价格，影响币值的稳定。自 1997 年东南亚爆发金融危机对中国宏观经济增长造成打压而大量发行国债后，中国经济的发展逐步形成了用国债平衡财政赤字，刺激经济增长的倾向，赤字规模不断扩大，财政和经济的债务依存度（当年债务/当年财政支出、当年债务/当年 GDP）不断增大，在一定程度上患上了赤字依赖症，而脆弱的财政体系会抑制人民币国际化进程。

总之，人民币国际化遇到内部制约因素很多，但有一点是肯定的，即随着中国市场经济改革的深化，这些内部约束大多在得到缓解，走向弱化。

六、人民币国际化的趋势

在可预见的将来，人民币国际化将出现三大趋势：

"亚洲人民币"资金市场兴起。随着人民币流出境外的数额不断增大，境外人民币市场，或者说"亚洲人民币"市场的形成将是不可避免的。只要人民币海外有一定规模的留存，经营境外人民币的业务就会兴起，从而以境外人民币为币种发行的亚洲债券市场会随之兴旺发达。

人民币逐步成为东亚地区的核心货币乃至唯一的核心货币。目前在东亚有两种强势货币，一是20世纪70年代开始走向国际化的日元，二是20世纪90年代后期，以东亚金融危机为契机，引起世人关注并加快国际区域化进程的人民币。由于人民币的国际化是以周边化、东亚区域化为起点的，人民币已经在一定程度上成为东亚的区域货币。日元的国际化虽然早于也强于人民币，但从未发挥东亚区域货币的角色。进入21世纪以来，日本经济对中国经济的依赖度在不断增加。如果中国经济能够继续保持高速高质的发展，人民币势必要独立承担东亚区域货币的角色，人民币的东亚化乃至亚洲化是不可避免的。

人民币将成为具有全球影响力的国际货币。当人民币成为东亚区域货币，形成与欧元、美元的鼎立之势时，人民币自然演化为一种全球性的主要货币。

七、人民币国际化的发展战略

(一) 渐进式战略

起始阶段：以边境贸易和边境旅游带动人民币在周边国家和地区的流通，执行计价和结算货币的职能。

修炼内功阶段：以人民币自由兑换及中国金融业国际化为近期目标，制定和完善金融法规，建立香港和上海国际金融市场体系及国际金融中心，为人民币全面国际化建立制度基础。

东亚区域核心货币形成阶段：在东亚区域范围内，全面执行国际区域货币的职能，成为东亚区域内广泛使用的国际货币，基本完成区域内人民币对美元和各种弱势货币的替代。

成为国际货币的阶段：在美元、欧元、日元三足鼎立的国际货币格局中，占一席之地。

(二) 自由贸易区战略

中国可同时发展、开拓如下几个自由贸易区，并以自由贸易区的合作为动力，深化区域内的货币合作：推进已经组建的中国—东盟自由贸易区（10+1之CAFTA）的发展，创建首个以人民币为流通、结算货币的自由贸易区；以"上海合作组织"为平台，创建中亚自由贸易区，借鉴10+1之CAFTA的经验，不失时机地启动人民币的货币替代进程，形成第二个以人民币为媒介的自由贸易区；启动中国—韩国自由贸易区（1＋1 之 CKFTA），创建中日韩自由贸易区。考虑到中日政治关系的敏感及日本对此持有的疑虑和冷漠，可先行 CKFTA，并以其两国贸易合作的效应吸引日本加入其中，最终实现东北亚的货币合作；推动大中华的自由贸易合作。包括建立粤港澳自由贸易区、海峡自由贸易区（厦金自由贸易区、两岸自由贸易区），并以此为动力推进一国四币的统一。

（三）创建新型金融市场战略

当人民币的流出达到一定规模时，以人民币为金融商品、融资工具的货币和资本市场的兴起是不可避免的。随着人民币国际化进程的推进，东亚及中国需要创建一系列的新兴金融市场，需要为此做好准备。创建亚洲债券市场。亚洲债券市场应该是主要以亚洲国家货币计价的债券市场，这对利用亚洲的高额储蓄，满足长期投资需求，帮助亚洲国家和企业建立多样化融资模式和替代方案，防止经济和金融风险具有重要现实意义。发展以本地货币结算的债券市场，不但能提升债券发行者的责任感，而且也有助于为购买者提供更高的透明度。因此，发展亚洲的债券市场将有助于将部分本地资金引回到本区域来。人民币的国际化，将会使亚洲债券市场上以人民币计价的债券融资占据绝对优势。创建亚洲人民币市场。当人民币资产大量地存放于亚洲国家和地区时，即相当数量的人民币被存入中国境外银行中时，亦是境外人民币市场形成之时。这不仅为东亚的经济主体提供脱离中国央行控制的巨大的离岸人民币资产，也为中国公司提供了从离岸人民币金融市场上融资的渠道。对于持有超额流动资金、提供短期贷款以及进出口融资而言，亚洲人民币市场将是一个新的财富中心；创建香港和上海的人民币离岸市场。如果能推动香港成为人民币离岸金融中心，就能够逐步推动人民币成为准硬通货；建设上海国际金融中心。在我国建立国际金融中心，是人民币进行国际兑换和调剂的重要渠道，也是人民币国际化的重要保障。

（四）四币整合战略

四币整合的价值：现阶段中国处于一国四币同时流通的状态，但同时两岸四地相互间的经贸往来密切。随着中国经济的崛起，中华经济圈的形成，四币的整合直至货币的统一成为大势所趋，而四币的整合会进一步推进人民币国际化的进程，提升人民币的国际地位，增强抵御金融危机的能力，促进两岸政治分歧的和平解决，使得人民币成为东亚区域的核心货币，进而有可能成为世界货币格局中引人注目的"第四极"货币。

四币整合的原则：四币整合是一个顺其自然、顺势发展的自愿选择过程，需遵循成本和效益比较原则，利益最大化和风险损失最小化原则，双赢、多赢、共赢原则，因为只有参与货币合作的各方都能在其中获利，都能产生利大于弊的效应，货币的统一才能成为现实。

四币整合的路径："四币"合作应考虑由易到难、从简到繁、水到渠成的推进路径，即先实施港币和澳元的整合（一个现实可行方案），然后开展港币与人民币的整合（一个较长过程但最为关键的步骤），最后将新台币纳入"中华货币圈"，完成中国的货币统一（存在一定的曲折性）。GG－LL模型分析表明，未来台湾加入统一货币区及两岸四地货币一体化的收益将远远大于成本，其巨大的经济规模和市场容量足以抵御国际游资的冲击，包容各种不稳定因素。

八、人民币国际化的实施对策

（一）推进对策

从流通地域分布和流出渠道看，人民币的境外（周边）流通已初具规模，但层次较低。

合法流出渠道比例较小，非法流出比例较大，且具体数据难以掌握。人民币正处在走向区域化的一个初始阶段。随着人民币国际化的不断深入，我国有关的法律、法规、制度还有许多需要做出相应的改进和加强。

增大人民币在贸易结算中的比例。虽然以人民币结算的边境小额贸易数额都逐年增长，但从以人民币结算的金额占整体的比重来看，边境小额贸易出口以人民币结算的份额从2001年到2003年呈逐年下降趋势。为促进边境小额贸易出口以人民币结算，2003年财政部、国家税务总局下达了《关于以人民币结算的边境小额贸易出口货物试行退免税的通知》，并于2004年1月1日在云南省试行。据云南省外汇管理局的有关负责人员介绍，2004年年初，云南省各经营边境小额贸易的企业对该试行通知的反应不是很强烈，毕竟已有约85%的出口在用人民币结算，剩下的部分企业与出口，同用美元结算可以全额退税相比，用人民币结算的出口退税政策吸引力不大。除非用人民币结算是贸易双方都需要的，并能带来更大的方便或更大利润。所以，从推进人民币国际化和规避人民币大幅升值的角度看，有必要取消或重新考虑用美元结算的出口全额退税政策。

鼓励边境银行机构开办跨境人民币业务。边境银行开办跨境人民币业务，一方面有利于吸收境外闲置的人民币资金用于国内经济建设，另一方面有利于商业银行积累跨境经营人民币业务的经验，为经营国际化的人民币奠定基础。

不断放宽出入境人民币携带限额以适应人民币国际化进程。从人民币出入境的规定变化看，人民币走过了从禁止到允许携带出入境、从允许携带限额很小到携带限额不断扩大的发展轨迹，"预示了人民币将成为世界货币的前景"（赵海宽）。人民币诞生不久的1951年，我国宣布禁止公民携带人民币出境。改革开放以后，随着经济和双边贸易的发展，限制人民币出境的规定已不能满足经济发展的需要。1987年，我国公民被允许携带人民币出入境为个人一次携带200元人民币。1993年，人民币携带限额调整为6000元。2004年12月2日，中央银行宣布，并从2005年元旦开始，中国和外国公民出入中国国境时，每次最多可携带20000元人民币，此举被认为是对人民币升值压力的释放。我们的研究认为，应该有步骤地继续放宽人民币出入境的携带限额，为人民币最终的自由流出入、人民币最终成为国际货币做好准备，积累管理经验。此外，随着人民币在境内外流动需求量的增大，超出法定限额的携带行为难以掌控，与其无法控制通过隐瞒等方法携带人民币出入，不如放弃对人民币携带数量的限制，并对其进行真实有效的统计，以便对人民币的携带出境状况有真实准确的把握。

提升经济合作层次，增强人民币影响力。从边境贸易的交易内容看，我国的进口主要是原材料等初级产品，出口的是轻工、日用、纺织、建材等中低档工业加工品。与我国接壤的国家和地区，经济相对落后，短期内很难通过边境贸易来进一步提升人民币的影响力。要把经济合作的重点向东南亚及其他相对发达的国家进行适当的转移，向有高科技附加值的项目上转移，以此为基础，扩大人民币的影响力。

开展人民币国际化的试点工作。人民币国际化的近期目标是实现人

民币的完全自由兑换，中国政府应加强和周边各国政府的合作，改善贸易、投资和金融合作的环境，为双边和多边银行开展合作提供政策支持。

鼓励商业银行与境外金融机构合作，拓展业务范围，增加结算、兑换等服务。随着东盟和中国"10＋1"自由贸易区的启动，人民币国际化的进程将进入新的发展阶段，东南亚将是人民币作为国际区域主导货币的起点，"10＋1"不仅是一个国际合作的自由贸易区，也将是国际区域货币合作的试验田。

（二）风险防范对策

建立人民币境内外流通的统计体系和监测体系。由于人民币处于国际化的初级阶段，尚不具备区域主导货币和霸权货币的支配地位，容易遭到外部冲击，因此有必要建立以中央银行为主导，各类金融机构参与的有关人民币国际化的统计系统，通过各种统计指标对人民币的内外流量有所掌控。边境海关和边检部门应会同主管部门做好统计工作，银行间应加快建立双边贸易结算协议的磋商与签订，将各种渠道的人民币流出入纳入金融统计体系，为推进人民币国际化和国际化的人民币总量调控提供基础分析数据；有必要建立以国家外汇管理局为主导，中央银行及金融管理机构参与的监测体系，并通过制定有关外汇汇率、外汇储备、外汇流量等方面的风险预警指标体系实施有效的监控；以疏导的方式抑制人民币的非法流出。鉴于目前对巨额人民币非法流出防范不利的现状，应树立以疏导为主的治理思路，通过创建利己与利他统一的利益驱动机制，配合法律上的打压堵截的手段，从源头上遏制人民币的非法流出有三种可操作的疏导方法，即以毒攻毒法——创建法律严格规范下的中国博彩业，抑制赌资外流；源头切断法——既要切断毒品交易的供给，更要切断毒品交易的需求，抑制毒资外流；根基消除法——根除"黑钱"生成的制度基础。

建立适应人民币国际化的宏观经济政策的调节体系。现阶段，人民币国际化主要表现为两个发展进程，一是人民币的对外开放进程。即逐渐实现人民币交易的自由兑换、人民币汇率的自由浮动、资本境内外的自由流动。二是人民币的国际区域化进程。即在中国周边国家和东亚地区扮演国际区域货币角色。随着人民币国际化的推进，中国也面临着开放经济固有的宏观经济政策效应锐减、失效甚至是负效应的挑战以及外部冲击的挑战，并且需要为承担国际货币的角色支付代价。当人民币走向开放，人民币的货币职能越出境外后，影响人民币的各种经济变量就不仅源于国内还源于国际，宏观经济政策的制定不仅要考虑国内经济变量还要考虑人民币的境外供求、国际游资对人民币投机等境外因素的干扰。因此，有必要建立适应人民币国际化的宏观经济政策的调节体系。

实施稳定的货币政策。国际资本的"大进大出"会对东道国经济活动产生剧烈震动，并对其宏观经济政策尤其是货币政策产生不利影响：中央银行货币调控面临困难；对人民币汇率产生大幅偏离的压力；利率对宏观经济的调控效应受到干扰；容易导致国内资产价格剧烈变化；外汇储备的结构调整难度加大；大量短期资本的流出流入将成为金融危机爆发的导火线。

消除资本自由流动的不利影响。主要措施有：第一，注意保持基础货币增长的基本稳定。第二，根据资本流动期限的差异性，采取相应货币政策工具进行"对冲"。第三，保持利率政策的合理性。第四，要关注资本流动对国内实体经济的影响，适时调整政策安排。第五，实行灵活的汇率安排。第六，建立对国际游资大量进入的阻挡机制及能够在危机时刻及时启动阻挡机制的程序，避免国际游资对人民币的恶意攻击。第七，加强与各国宏观经济政策的协调配合，尤其是与各国中央银行加强货币政策之间的协调。

（三）防止资金恐慌性外逃的对策

人民币的国际化，为人民币替代外币和外币替代人民币提供了可能。过度的货币替代会扰乱正常的金融秩序，削弱一国货币当局对金融体系的控制权，妨碍货币政策的独立性并影响货币政策对宏观经济的效用。如货币数量的衡量发生困难；货币政策的中间目标变得不易确定；本国货币政策的独立性遭到削弱。针对资金外逃式的货币替代对策有：第一，实施有效的利率政策。高利率政策是防范货币替代的有效手段之一，但从长期来看，高利率政策常常抑制国内投资和消费的增长，不利于国民经济的持续增长，因而它更适合作为一种短期内抑制通货膨胀和货币替代的政策工具，而不应作为一种长期的政策手段加以使用。第二，实施高效的财政政策。抑制过度的货币替代需从根本上改变财政预算的软约束状况，有意识地实施适度从紧的财政政策，减少财政扩张对社会总需求施加的膨胀性影响。第三，实施灵活的汇率政策。本币汇率的扭曲和汇率制度的不合理是引发货币替代的重要因素。一般来说，本币汇率的持续高估会引发本币暴跌的危机——资金恐慌性外流的危机。本币的持续低估会产生货币升值的压力，甚至是急剧升值的危机——外需紧缩、国内失业增加、经济增长受阻、货币在升值中出现高估的危机，进而再次转化为本币暴跌的危机。需要指出的是，本币汇率的适度低估，会产生提高出口产品价格竞争力、刺激出口的效应，但需有一定的掌控，否则会产生国际摩擦，引发贸易保护、货币升值带来的损失。价格上的竞争力是一种低层次的竞争力，一国货币演变为国际货币，最根本的竞争力，是适应生产力发展的体制创新的竞争力，是商品技术上的竞争力，是宏观经济持续平稳发展的竞争力，是经济增长质量和效率决定的竞争力。强势货币是靠健康强大的实体经济和货币经济支撑的货币。

（四）外汇储备上的对策

在开放经济下，外汇储备变动必然影响本币信贷资金的供给规模，从而对国内经济产生影响；外汇储备过度增加，等同于国内资源出口而没有换回相应的物资资源，必然破坏原有的供求关系，诱使本币升值。外汇储备不足，则会危及国民经济的安全，引发本币贬值的危机。国际上有一套外汇储备的预警指标体系，但未必适应其货币国际化进程中的中国国情。因此，有必要测定一个适应人民币国际化进程的外汇储备的最优规模和最优结构，并且创建实现这种优化的调整工具和机制。目前，中央银行主要是通过控制或收回再贷款来抵消外汇占款对基础货币的影响。但随着外汇交易越来越频繁，短期冲击对本国货币供应量的波动影响也越来越大，因此，中央银行应该积极开拓新的金融工具，如通过公开市场业务、外汇市场的掉期、回购协议和远期外汇交易来控制外国资产对本国货币市场的短期冲击。

（五）体制变革

人民币国际化对我国的外汇管理体制提出了使之符合作为一种新的国际区域货币的要求。借鉴美、日、英的经验，同时考虑人民币作为一种新的国际区域货币的特点，外汇管理体制应做如下变革：第一，人民币汇率生成机制的市场化运作；第二，设立外汇平准基金维持汇率稳定；第三，建立限制国际游资大量流入的机制，并且能够在危机时期顺利启动；第四，加强对人民币流进和流出的掌控；第五，放松对无形贸易项目的管制。

（六）国际协调对策

积极组建东亚区域内的自由贸易区；积极参与东亚货币合作，并在其中发挥主导作用；建立各个层次的对话协调机制；通过国际协调推进东亚经济一体化的进程。

第一篇

跨越时空的视角——
　　货币国际化的基本理论

货币国际化一般规律探析及其启示

本章首先明确了货币国际化的内涵，在此基础上对主要国际货币的成长历程做了一个比较性的回顾和分析，并进而对货币国际化进程中的一些共性和规律做了抽象性的概括。

第一节　货币国际化的内涵

一、货币国际化的含义

目前对货币国际化的含义，学界各执一词，尚无统一的说法。在此，作为下面讨论的基础，且将其定义为：一种货币的部分或全部职能由原使用区域扩大到周边国家或地区乃至全球范围，最终演化为国际区域直至全球通用货币的动态过程。

在货币国际化的含义中，对"国际货币"的理解是关键。从货币职能的层面看，国际货币是在世界市场上被普遍接受并使用的货币，是承担国际结算中的计价标准、流通手段、支付手段和贮藏手段等全部货币职能或部分货币职能的货币。在此强调"部分或全部货币职能"，是因为有些国际货币只承担货币的部分职能①；从货币投资力的层面看，国际货币不仅是能够在一国范围内进行投资的货币，而且是能够在国际

---

① 如：日元作为一种国际货币，其主要承担贮藏手段的职能。

区域乃至全球范围内进行各种投资的货币。

二、货币国际化层次的划分

从各种货币国际化的过程及其结果来看，存在着层次上的区别，我们可以根据不同的标准对货币国际化层次进行划分：

1. 根据货币的使用区域划分，货币的国际化可分为周边化、国际区域化、全球化三个层次（如图 1–1 所示）

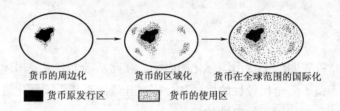

货币的周边化　　　货币的区域化　　货币在全球范围的国际化

■ 货币原发行区　　　▨ 货币的使用区

图 1–1　货币国际化在地域上的发展进程

货币的周边化是指货币的流通跨越国境，在原使用国的周边国家和地区广泛流通。这是由于该种货币所代表的经济体实力明显强于周边国家和地区，同时又与周边国家和地区有着密切的经贸往来，为节约货币兑换成本、弥补外汇缺口，人们会在区域内的各种货币中选择一种信誉较好、数量充足、被普遍接受的货币部分甚至全部地替代本国货币，因此该货币的使用便会超出其国家的版图，开始周边化。一般来说，这是货币国际化的初级阶段。目前的人民币在周边国家和地区（如朝鲜、韩国、蒙古、俄罗斯、越南、缅甸、柬埔寨及新加坡、马来西亚、泰国等国）的大量流通，便属于人民币的周边化。

货币的国际区域化是货币国际化的中级阶段，当一种货币在一个国际区域内替代当地货币成为共同使用的货币时，该货币的国际化便进入国际区域化的层次。如拉美地区的美元化亦可视为美元的国际区域化。货币国际区域化的另一种表现是通过货币间的长期合作最终整合为一种新型的统一的国际区域货币，如欧元。

货币的全球化表现为货币的国际区域化在地域上进一步扩展，最终成为在全球范围内广泛使用的主要货币。英镑和美元都曾是这种称霸全球的国际货币。

货币的周边化、国际区域化、全球化是货币国际化在地域上由近至远的扩张过程，但并非每种货币的国际化都必须依次经历以上三个过程。如图 1 - 2 所示，欧元的起点便是国际区域化货币，特别提款权（SDR）[①] 是人为创造的一种国际储备资产，日元在初登国际舞台之时其部分职能（国际储备职能）便达到了全球化，而当日元进一步国际化进程受阻后，又产生了回归亚洲区域的倾向。

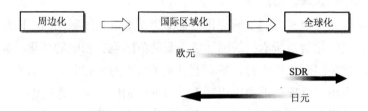

图 1 - 2　货币的国际化未必依次经历三个过程

2. 根据货币职能划分，国际货币有执行部分职能和全部职能的差异

马克思认为货币具有价值尺度、流通手段、支付手段、储藏手段和世界货币五大职能[②]。当一种货币国际化后，其职能便进一步扩展为国际结算的计价标准、国际经贸往来的流通手段、支付手段和国际贮藏手段。然而，从国际货币发展的历史和现状上看，并不是每种国际化的货币都承担上述四种职能。由于各种货币都有其本身的特性和不同的国际化过程，这就决定它们在国际舞台上将有不同的表现，承担的货币职能范围也不同。如美元和历史上的英镑便是执行全部货币职能的国际货币。而有些货币生来便具有某些缺陷，使其不能承担国际货币的全部职能。比如说国际货币基金组织（IMF）为成员国提供的特别提款权

---

① 特别提款权对应于普通提款权。后者是成员国在国际货币基金组织（IMF）的储备头寸，即 IMF 普通账户中成员国可以自由提取使用的资产，包括成员国向 IMF 所缴份额中的外汇部分与基金组织用去的本国货币持有量部分，以及成员国对 IMF 的贷款。而特别提款权则是由 IMF 于 1969 年创立的一种记账单位，其向成员国无偿分配，成员国无条件享有其分配额作为对普通提款权的补充，主要用于成员国间和成员国同基金组织之间的支付。特别提款权由美元、欧元、日元、英镑共同定值，由于它不受任何单独货币的影响而贬值，所以被认为是一种价值比较稳定的资产。

② 马克思：《资本论》（第一卷），经济科学出版社 1987 年版。

SDR，它只是一种账面资产，其特点决定它主要承担国际货币的储备职能，部分承担价值尺度和支付手段的职能，基本上不执行货币最主要的流通职能，有人将之称为"准国际货币"①。事实上 SDR 是一种既不依赖于黄金又不依赖于单一国家的新型世界货币的雏形，是一种职能不健全的世界货币。欧元的前身——欧洲货币单位（ECU）也只是一种账面资产，在最终演变为欧元，并于现金发行流通后，才成为具有全部货币职能的国际区域货币。

此外，货币实力的不断变化会推动货币本身在国际化的不同阶段上发展，国际化货币所承担的国际货币职能范围也有相应的变化。如黄金在最初成为国际化货币时，基本上承担了货币的所有职能。随着经济的发展，出现了兑现纸币和信用纸币。与纸币相比，黄金在运输、流通和储存方面存在诸多不便，这种过高的交易成本以及黄金数量的不足，使之逐渐失去了作为流通手段的货币职能，并最终在 1976 年形成的"黄金非货币化"的牙买加体系之后彻底脱离了货币角色。就目前来看，黄金仍是世界各国保存资产的一种形式，然而，此时的黄金已经同货币的价值尺度和流通手段完全脱钩，只是一种具有国际储备功能和部分地承担国际支付功能的社会资产，是可以在黄金市场上自由买卖的贵金属商品。

货币在国际化的初期由于在某一职能方面表现突出，因而该职能的发挥首先扩大至原流通版图之外；在国际化的鼎盛时期，货币一般都会承担较多甚至全部的货币职能；随着实力的衰落，执行较多职能的国际货币又会失去一些职能而成为执行部分货币职能的国际货币，最终还有可能退出世界货币的舞台，失去国际货币的角色。可见，在货币国际化过程中，货币所执行的职能范畴是可以相互转化的，这就是货币国际化过程中货币竞争力转化的规律。

3. 根据货币的影响力，国际化货币又可分为普通的国际货币和国际本位币

货币通过各自不同的国际化过程，有的可能成为普通的国际货币，即在世界经济、金融市场上承担国际货币的角色，但却不是其中的主

---

① 孙兆康：《人民币国际化的一种理论解释》，《金融教学与研究》1998 年第 1 期。

角；而有的货币则因为其对世界经济的影响力巨大而演化为国际货币中的核心角色——国际本位币。普通的国际货币与国际本位币两者的角色也是可以相互转化的，一般来讲，前者是后者的"候补者"或"退化品种"①，其关系如图1-3所示。在世界货币史上，黄金、英镑、美元都曾是国际本位币，美元至今仍处于国际本位币的地位；日元、德国马克、法国法郎、瑞士法郎等均为普通国际货币；欧元是新生的国际区域货币；英镑的衰落则使其从国际本位货币沦为普通的国际货币。

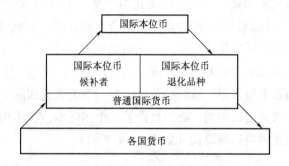

图1-3 普通国际货币与国际本位币的相互转换

普通的国际货币与国际本位货币的区分同国际汇率制度密切相关，国际汇率制度不同，国际货币体系亦不同。从一般规律上看，国际固定汇率制与单一国际本位货币制相组合，即在国际固定汇率制下，只有一种货币承担国际货币的角色，例如国际金本位制度下的英镑和布雷顿森林体系下的美元。从这个意义上说，国际固定汇率制可视为单一国际本位币制的同义语。国际浮动汇率制则与多元国际货币制相组合，即在国际浮动汇率制下，常常是世界若干强国的货币共同承担国际货币的角色。由于每种国际货币在世界经济中的作用不同、影响力不同，亦有普通国际货币与国际本位货币的区别。在现行的国际浮动汇率制——牙买加体系下，美元是国际货币的主角，仍然扮演着国际本位货币的角色，其他国际货币则是配角。

从国际货币制度的发展趋势上看，欧元的诞生，标志着国际货币制度进入了国际区域货币发展和合作的新阶段。因为欧元作为人类货币发

---

① 孙兆康：《人民币国际化的一种理论解释》，《金融教学与研究》1998年第1期。

展史上第一个成功启动的既不依赖黄金又不依赖单一国家的国际区域货币，对其他国际区域货币的创立与实践具有重要的仿效效应和借鉴价值。长期以来，美元一直充当世界货币的角色，然而，随着欧元的崛起、东亚货币合作的启动、拉美地区美元替代的深化，美元将从国际化的全球化阶段走向国际区域化。原因在于：（1）美元的世界货币角色将会更多地由欧元来承担；（2）拉美一些国家，为了减少汇率波动的风险，放弃本国货币，在本国市场上直接流通美元的倾向越来越明显，从而形成拉美美元化——美元拉美化的趋势；（3）东亚的金融危机成为东亚货币合作的契机，随着东亚货币合作的发展，东亚的美元本位制最终将被亚洲的区域货币所取代，从而促使美元进一步蜕变为国际区域货币。一旦国际货币体系出现欧元、美元、亚元三币鼎立之势①，那么以美元为国际本位货币，欧元、英镑、日元等为普通国际货币的主角与配角、中心与外围的格局，必将被由若干个国际本位货币构成的国际货币主角多元化的格局所取代（如图1-4所示）。

a 主角与配角模式   b 国际本位币多元化模式

图1-4 国际货币体系构成模式

三、货币国际化程度的衡量标准

货币在国际化进程中，除了存在层次上的不同，在程度上也有差异。一般来说可通过以下指标②，对货币国际化程度进行衡量：

1. 该种货币是否在世界范围内发挥价值尺度的职能，被广泛作为国际经贸往来的计价单位；

---

① 史焕平：《加入WTO与人民币国际化问题的思考》，《江西社科》2002年第12期。
② 王建华：《谈谈货币国际化问题》，见景学成主编：《亚太经济发展与中国周边金融》，中国金融出版社1996年版。

2. 该种货币在国际贸易结算中被使用的比重；

3. 该种货币是否充当国际清算货币[1]；

4. 该种货币在国际投资和国际信贷活动中被使用的比重；

5. 该种货币是否具有国际干预货币的作用，即能否为各国政府中央银行所持有，并作为外汇平准基金来干预外汇市场；

6. 该种货币是否发挥国际储备资产的职能，以及其在国际储备资产中所占的比重；

7. 该种货币在世界上的流通数量。

在以上指标中，我们选取一国货币境外流通范围、流通数量，该货币在国际投资、国际信贷以及国际官方货币储备中所占比重等五个指标，在参照李瑶的货币国际度指数模型[2]的基础上进行修正和发展，得出新的货币国际度指数，即：

$$I = \lambda_1 I_1 + \lambda_2 I_2 + \lambda_3 I_3 + \lambda_4 I_4 + \lambda_5 I_5 \qquad (1.1)$$

上式中 λ_i（$i = 1,2,3,4,5$）为各指数的权重，且有：

$$\lambda_1 + \lambda_2 + \lambda_3 + \lambda_4 + \lambda_5 = 1 \qquad (1.2)$$

此外，我们将 I_i（$i = 1,2,3,4,5$）的含义分别表述如下：

（1）I_1：某种货币的境外流通范围指数

$$I_1 = \sum A_i / A \qquad i = 1,2,3,\cdots,n \qquad (1.3)$$

其中：

A_i 表示流通或持有该货币的第 i 个国家，A_i 是逻辑变量，即 $A_i = 0$ 或 1，$A_i = 0$ 表示第 i 国不流通该国货币，$A_i = 1$ 表示第 i 国流通该国货币；

A 表示世界所有国家数。

（2）I_2：某种货币的境外流量指数

$$I_2 = \sum Z_i / B_0 \qquad i = 1,2,3,\cdots,n \qquad (1.4)$$

其中：

Z_i 表示该国货币在境外第 i 国的流通或持有量；

B_0 表示该国基础货币的发行量。

---

① 于中琴：《试论人民币走向国际化的必要条件》，《当代经济研究》2002 年第 10 期。

② 李瑶：《非国际货币、货币国际化与资本项目可兑换》，《金融研究》2003 年第 8 期。

（3）I_3：某种货币的国际信贷指数

$$I_3 = \sum C_i/C \qquad i = 0,1,2,\cdots,n \qquad (1.5)$$

其中：

C_i 表示第 i 国使用该国货币作为信贷货币的数量，其中当 $i = 0$ 时，C_0 表示该国以本币作为国际信贷货币的数量；

C 表示同期国际信贷的总量。

（4）I_4：某种货币的国际投资指数

$$I_4 = \sum I_i/I \qquad i = 0,1,2,\cdots,n \qquad (1.6)$$

其中：

I_i 表示第 i 国使用该国货币作为投资货币的数量，其中当 $i = 0$ 时，I_0 表示该国以本币作为国际投资货币的数量；

I 表示同期国际投资的总量。

（5）I_5：某货币的国际储备的占比指数；

$$I_5 = \sum R_i/R \qquad i = 0,1,2,\cdots,n \qquad (1.7)$$

其中：

R_i 表示第 i 国官方及企业使用该国货币作为国际储备货币的数量，其中当 $i = 0$ 时，R_0 表示该国官方及企业以本币作为国际储备货币的数量；

R 表示世界各国官方及企业所拥有的国际储备总量。

一般来说，一种货币的境外流通的范围越广、流量越多、用于直接和间接国际投资规模越大、在国际储备资产中占比越大，该种货币的国际化程度越高。

通过对货币国际化内涵的理解、层次的划分和程度衡量，就可以对货币国际化的状态加以合理地把握和充分地认识，并在质与量上进行描述。

第二节　主要货币国际化历程回顾及特征分析

考察世界主要货币国际化的发展进程及各自的货币国际化路径，有利于我们更深刻地认识货币国际化的一般规律。但这又要求对各种货币

成长发展的历史背景有所把握，因此我们使用图 1-5 直观地展示了 19 世纪以来与国际货币成长有关的历史背景，下文将结合该图来对主要货币国际化的历程进行回顾及分析。

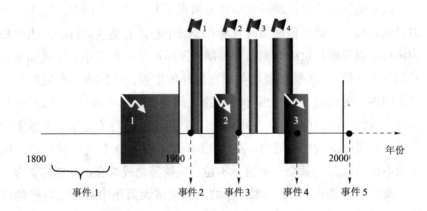

图 1-5　19 世纪以来的国际货币成长历史背景示意图

一、以国际贸易和武力开拓起家的英镑

随着工业革命首先在英国的完成，生产力水平的迅速提高带来了产品的极大丰富。当国内市场无法销售时，英国的资产阶级开始用商品和大炮寻找、开拓国外市场，并在全球范围内建立了人类历史上著名的"日不落帝国"，从而逐步形成了统一的世界市场。

随着经济的不断发展，国际贸易的规模不断扩大，世界市场上不同国家间物物交换的不便呼唤着统一的交换媒介——统一货币的出现。黄金以其天然的优势和其内在的价值被不同国家的人们所接受，并在全世界流通。1821 年英国首先以法律的形式在本国确立了金本位制。同时英国的繁荣和强大鼓励了其他国家的效仿①，在其后的半个多世纪中，世界各主要工业国相继采用了金本位制，于是黄金便成了统一的世界货币。国际货币体系也走入它的第一个阶段——国际金本位时代。

此时的英国通过巨额的贸易顺差积累了大量的黄金储备，国内生产力迅速发展，伦敦也位居当时贸易和金融中心，英格兰银行通过当时广为流行的以英镑计价的票据贴现控制着国际汇兑，在实际上操纵和领导着国际金本位②。英镑则通过英国在海外的扩张，在国内、殖民地及全球范围内大量流通，成为当时唯一的与黄金拥有同等地位的兑现纸币。国际金本位下的自由兑换、自由输出、自由输入都与英镑发生着紧密的联系，在实际的货币流通中，英镑在国际范围内成为黄金的替代物，国际金本位演变为"黄金—英镑"本位，英镑随之成为真正的纸质黄金。

英国的强盛在 1873～1896 年的欧洲经济大萧条中减弱，英镑的地位开始动摇，到 1914 年第一次世界大战爆发，金本位被迫中断。战后，为了缓解浮动汇率风险，规范国际经贸秩序，国际社会商定恢复金本位。英国于 1925 年恢复了金本位，但由于黄金的不足，战后恢复的金本位已是一种变形的金本位即金块本位制。在恢复金本位制的过程中，英镑的高估，导致英国的国际收支困难和黄金大量流失，英国经济遭受了致命的打击。到了 1931 年，英格兰银行再也无法承诺英镑与黄金的兑换，宣布放弃金本位，从此一个英镑主宰世界的时代宣告结束。但英镑并没有完全退出国际货币舞台，在这之后相当长的一段时间，英镑作为一种重要的国际货币，在国际经贸中特别是在英联邦国家中扮演着重要角色③，并在此基础上形成了英镑集团。第二次世界大战以后，美元取代了英镑的地位，但伦敦仍然是国际金融中心之一④。牙买加体系确立后，英镑成为普通的国际货币。

英镑的国际化与国际贸易有着紧密的联系，国际贸易是英镑走出国门的主要原因和推动力，同时也是英镑进一步在世界流通、不断提高国

---

① 何帆：《美元国际化的历史及启示》，http：//www.doctor-cafe.com，2004 年 6 月 22 日。
② 吴富林：《货币国际化研究》，博士学位论文，复旦大学 1997 年。
③ 何泽荣：《入世与中国金融国际化研究》，西南财经大学出版社 2002 年版。
④ 何泽荣：《入世与中国金融国际化研究》，西南财经大学出版社 2002 年版。

际化程度的一种重要媒介。同时在那个国际经济、政治秩序还不健全的时代，通过武力开拓势力范围，在其殖民地和附属国推行英镑的流通，强迫殖民地使用宗主国的货币①也成为当时英镑国际化的一种途径，所以说英镑的国际化带有"武力"色彩，这也是其国际化的一大特点。英镑是历史上最早的国际化程度最高的纸币，它还具有的一个突出特点就是，在其国际化鼎盛阶段，英镑可以与黄金完全地自由兑换，而不受任何的限制，这一点是以后各种国际货币所不具备的，因此也只有英镑才可以称为是真正意义上的纸质黄金。

二、在两次世界大战中崛起的美元

1776 年美国建国。之后 1787 年的新宪法实施使美国拥有了中央银行和美元，但由于最初的法律赋予各州均具有发行货币的权利，到内战之前，美国的货币体系仍极度混乱。在此期间，随着国内交通的改善，各州之间的贸易迅速发展，经济往来日益密切，国内市场开始出现统一的趋势。内战的结束和政府的有力推动使得美国国内的统一市场逐步形成。与此同时，货币体系的统一与国内市场的重新整合相互促进，加之美国企业主要采用资源和资本密集型的生产方式，随着科技水平的提高，美国的经济实力迅猛增强。大约在 1870 年以后，美国的实际收入和生产率就已经超过了西欧，之后欧洲经济与美国相比差距越来越大，美国的经济实力在全球范围内遥遥领先②。

但是，由于美国长期实行的是金银并存的"跛行本位"制度，它导致了其国内货币体系的不稳定；美国政府在 19 世纪末 20 世纪初又忙于国内民主运动、民族主义问题的处理；加之英镑虽然正在衰落，但国际货币体系中地位的"粘滞性（inertia）"③或者说"惯性"④使英镑仍

---

① 陈全功、程蹊：《人民币国际化的条件和前景》，《华中科技大学学报》2003 年第 1 期。

② 何帆：《美元国际化的历史及启示》，http：//www. doctor - cafe. com，2004 年 6 月 22 日。

③ 黄梅波：《货币国际化及其决定因素——欧元与美元的比较》，《复旦大学学报》2001 年第 2 期。

④ 何帆、李靖：《美元国际化的路途、经验和教训》，http：//www. doctor - cafe. com，2002 年 1 月 26 日。

然处于自然垄断的地位。因此，在二战之前，美元的地位一直没有超过欧洲的各主要货币。可是这对美元来说未尝不是一件好事，在他国忙于战争的时候，美国在不断地积累；战争的爆发成为美元国际化的契机，帮助美元迈出国际化坚实的步伐：

1. 一战期间，美元的国际地位开始上升。一战爆发之后，欧洲官方机构持有的流动性美元资产大幅度增加；同时由于大部分欧洲国家的货币价值不稳，又存在外汇管制和汇率低估，使得按固定价格保持与黄金兑换的美元更具吸引力，国际经济更多地以美元计价，私人部门也开始持有更多的美元资产来减少交易风险。

2. 二战期间，迅速崛起的美元可以与黄金媲美。二战爆发之后，由于对欧洲稳定性的怀疑，以英镑计价的国际储备急剧下降，美元更多地成为国际储备，持有者更多地看重美元的稳定性，而不是去兑换黄金，美元已成为安全的国际储备资产，美元和黄金一样好（as good as gold）。

可以说，除了两次世界大战之间那场席卷全球的经济大危机，未受重大战争创伤的美国经济在此期间继续发展。由于欧洲在战争中将美国作为供给方，为筹集购买物资的美元，欧洲将其在美国的一半以上的投资和欧洲自己发行的 30 亿美元的有价证券卖给了美国，同时各国政府也将大量的黄金卖给美国以换取武器和必备物资，欧洲不自觉地就成为了美国的消费市场。由此美国积累了巨额的财富，美国经济也因"消费"的刺激而迅速发展，特别是其重工业和军事工业发展迅猛。在 20 世纪的前 40 个年头里，靠战争发财的美国拥有了大量资金和黄金，其经济实力在积累中不断跨越新的高度。

1944 年，布雷顿森林体系——以美元为中心的国际金汇兑体制的确立，表明了掌管世界经济的霸权从衰落的英国正式转移给强盛的美国，为美元达到国际化的最高程度在法律和制度上开辟了道路。同时，战后各地的经济恢复又为美元国际化创造了更大的空间。随着美元国际化高潮的到来，美元显示出不可阻挡的强势：

1. 更自由更稳定的美元。由于战争的因素，战后的大部分欧洲国家仍然实行较为严格的、广泛的外汇管制，美元相比之下拥有更多"自由"；战争带来的物资奇缺使欧洲各国处于高通货膨胀时期，美国经济的持续发展和低通货膨胀率使美元成为全球范围内的硬通货。

2. 美元被更多地作为储备资产。外国的官方机构持有了更多的美元资产作为国际储备；私人部门则为了降低在国际贸易交易中的风险和成本，更多地选择美元作为外汇储备。美元在世界范围内的需求量上升，甚至在一段时间内出现了美元荒（dollar shortage）[①]，而在美元荒过后，美元被作为国际储备的比重跃居世界首位。

3. 美元大量流入国际市场。大批美国游客的境外支付使美元在很多地区像当地货币一样被接受并存留；为支援战后当地经济的恢复，对欧洲以"马歇尔计划"为主和对日本以"道奇计划"为主的"美援"使美元资本集中并大量地输出到世界各地，取代了英镑作为资本输出第一货币的地位；随着美国经济的进一步发展，跨国公司成为战后经济发展的一股浪潮，世界各地子公司、分公司纷纷建立，美国的对外直接投资迅猛发展；国内金融业的饱和促使跨国银行的触角伸向世界各地，建立了遍布全球的金融网络，对外提供大量的美元贷款并进行证券投资。

4. 使用美元更加方便，成本更低。跨国银行的迅速发展，使得在任何地方都可以便利地兑换美元或是以美元兑换其他货币；美元在世界范围内的大量流通使其被广泛地作为计价单位；美元的普遍使用使得其使用成本不断下降，成为全球最廉价的外汇。

战后的 20 多年里，美元以其自身的优势，通过各种方式在世界经济的每一个角落流通，至此美元的国际化达到顶峰。

可以说布雷顿森林体系最终确认了美元的货币霸权地位，其框架既是对美国和美元国际地位的一种维护，但也对包括美国在内的世界各国造成了一种束缚。该体系巧妙的"双挂钩"旨在将各国货币的价值用黄金来表示，从而使各国货币的地位具有对称性，但在实践中这一体系逐渐演变成固定汇率美元本位制。随着时间的推移，布雷顿森林体系建立的经济环境在不断地改变，隐藏在布雷顿森林体系内部的矛盾也开始显露，并逐步激化：（1）美元以国别货币的身份充当国际本位币的角色，其流动性和稳定性存在矛盾，即存在难以解决的"特里芬难题"；（2）为将本币与美元的汇率波动控制在最小范围内，维护相对稳定的

---

① 钟伟、张庆：《美元危机和人民币面临的挑战》，《国际金融研究》2003 年第 4 期。

汇价，多数国家需放弃本国货币政策的自主权，而在长时间内维持这种关系必然会引起多数国家的不满。20 世纪 50 年代至 60 年代中后期，由于朝鲜战争和越南战争，美国的黄金开始大量流失①，同时美国财政赤字激增。为解决眼前的问题，美国政府选择了扩张性的货币政策，由此引发了严重的通货膨胀，美元的实际含金量下降，而美元与黄金的固定官价又造成了美元人为的高估，从而导致美国国际收支由顺差转入逆差，并且由最大的债权国变为最大的债务国。美元的超量发行最终导致布雷顿森林体系彻底崩溃，美元一统天下的单一国际货币格局被打破，国际货币制度进入了以美元为主的国际货币多元化的时代。

由于美国强大的经济实力和两次世界大战的契机，美元早在 1944 年以前就达到了较高的国际化水平，布雷顿森林体系只是对美元已有的国际地位进行法律上的追认，而美元对国际社会更深远的影响则是通过这之后以各种名义向全球进行的资本输出达到的，所以以资本输出深化其国际化程度是美元国际化的一大特征。

三、以信誉赢得国际市场的德国马克

二战后，德国的经济开始复苏，其发展速度超过英美和所有西欧国家②，在 1950 年以后的那段时间里，德国创造出的经济奇迹，使欧洲乃至世界为之震惊，德国成为世界经济中一颗令人瞩目的新星。随着经济实力的迅速增长，德国马克开始积极地升值，加之联邦德国早在 1956 年就在贸易顺差和经济增长的基础上实现了贸易自由化和资本自由化，德国马克的国际化道路越走越宽。

20 世纪 70 年代，借助国际货币体制的变革——牙买加体系取代布雷顿森林体系的契机，以及德国马克币值稳定的良好信誉，马克的国际化势头迅猛发展。以战后最稳定的物价为基础，德国央行以"稳定币值"为最高目标，马克超过了以稳健著称的瑞士法郎，成为最坚挺的货币，跻身于国际货币的舞台。在法郎、美元和英镑等货币波动的时候，德国马克成为人们抢购的对象，马克对国际金融市场的影响与日俱增。

① 蒙代尔：《宏观经济学与国际货币史》，《蒙代尔经济学文集》第四卷，中国金融出版社 2003 年版。

② 金德尔伯格：《世界经济霸权 1500－1990》，商务印书馆 2003 年版。

在布雷顿森林体系瓦解、美元逐渐走向衰落时，德国马克自然而然地成为重要性仅次于美元的三大国际货币之一。

随着欧共体一体化进程的推进，币值稳定的德国马克成为欧洲货币单位的重要价值基础。欧元的正式启动虽然使德国马克退出了流通领域，但作为支撑欧元的中坚力量，德国马克的生命在欧元的流通中得以延续。

德国马克一路走向国际舞台，最引人注目的就是它的信誉。正像联邦德国央行总结的那样：马克之所以成为重要的国际货币，首先不能归因于德国国际收支地位的提高，这方面日本超过德国；也不能归因于国际政治相关的因素，这方面西方首领国的美元才具有这样的重要性。马克的重要性在于其内在价值的稳定性，即它一般不会给其持有者带来损失[1]。币值稳定是马克的主要特征，坚挺的形象是马克赢得国际市场的法宝。如图1-6和1-7所示，与对内价值相应的马克通胀率指标和与对外价值相应的马克—美元汇率指标，都显示了马克的稳定和坚挺。

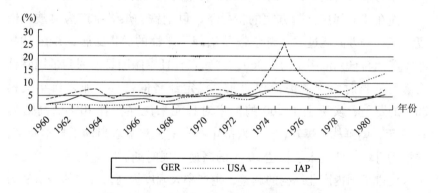

图1-6　德国、美国、日本的通胀率（1960～1980年）

数据来源：Richard Jackman，Charles Mulvey，and James Trevithick：*The Economics of Inflation*，2d，ed.，Martin Roberston，1981，Table 1.1.P5

———————————

① 冯肇伯：《西德马克40年：经验启示借鉴》，《经济学家》1989年第1期。

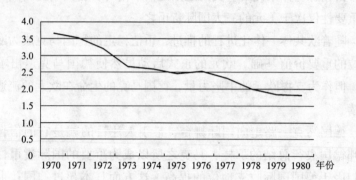

图 1 - 7　马克兑美元的直接汇率走势

数据说明：为各年市场汇率均值。

数据来源：http：//ifs．apdi．net，IFS，IMF。

四、在被迫升值中走向世界的日元

作为第二次世界大战的战败国，日本的经济满目疮痍。战后的日本一方面在"有泽广已"方案的指导下，以钢铁、煤炭生产为突破口恢复生产；一方面通过"道奇整顿"治理了恶性的通货膨胀，并在 1949 年将美元与日元汇率定为 1∶360，这标志着日本跟随日元回到了国际社会。但是当时由于考虑治理通胀、稳定经济的需要，加之当年英镑 30% 的贬值，实际上 1∶360 的汇率对日元来说存在着 10% 的高估[1]。1950 年，朝鲜战争爆发，美国对战争物资的大量需求启动了日本经济，并推动日本从此进入了长达 20 年的高速发展时期。旺盛的近代投资热浪，促进了国内产业结构的调整，生产率大幅度提高，日本的经济实力得到不断的充实。到 1970 年，日本的经济水平已经是战前的 13.7 倍[2]。

在此期间，日本政府对日元的管制也逐渐放松。1964 年 4 月 1 日，日本宣布接受 IMF 协定第八条的承诺，实现了日元在经常项目下的自由兑换[3]。从 1965 年开始，日本的贸易收支开始出现顺差，并且幅度越来

---

① 荒木信義：《日元的知识》，中国财政经济出版社 1982 年版。

② 谢育新：《日元美元欧元大"会战"》，山西人民出版社 1999 年版。

③ 何泽荣：《入世与中国金融国际化研究》，西南财经大学出版社 2002 年版。

越大。同年长期资本收支中资本输出明显增加，日本成了资本输出国，日元的软货币印象开始消失，从此日元走上它的硬通货之路。1965～1970 年，连年的顺差积累了巨额财富，且顺差幅度不断扩大。在这种情况下，国内外提出了"日元汇率是否评价过低了"的意见，围绕日元的议论开始活跃的同时也给日元带来了升值压力，并且这种压力迅速增加。不过在布雷顿森林体系下，美元与日元的汇率直到 1971 年一直保持在 1:360，波幅为上下 10%。

　　刚刚进入 1971 年，要求日元升值的压力便急剧加强。1971 年 8 月 15 日，尼克松总统宣布美元与黄金停止兑换。一时间，国际社会一片混乱，日本政府经过再三的考虑，终于在 8 月 29 日宣布日元开始浮动，这样日元走向升值的序幕便被揭开了。当年日元对美元就升值了 16.88%，从 1 美元兑 360 日元变为 1 美元兑换 308 日元。然而日元的升值并未影响到其国际收支，1971、1972 两年，日本的经常账户收支继续保持大额顺差，到 1973 年，不断升值的日元被认为是"与马克不相上下的硬货币"[①]。9 月，"石油危机"爆发，整个西方世界陷入萧条，日元也受到一定的影响，而随后不久，日元又开始升值。到 1978 年 11 月，日本被迫实行"卡特支持美元计划"，美元兑日元汇率突破了 1:200 大关。随着 1979～1980 年第二次"石油危机"的爆发，日元汇率有所回落。1980 年日元实现资本项目下可兑换，资本流动实现了自由化。之后至 1985 年，日元汇率一直在 200～300 之间浮动。从第一次石油危机到此期间，面对全球性的经济萧条和衰退，日本及时进行产业结构调整，推广"减量经营"方针，发展第三产业，很快收到实效。日本不但未受到多大的冲击，而且利用其他国家陷于危机造成困境的这个时机，发了一笔"横财"，20 世纪 80 年代中期，日本对外贸易连年出现巨额顺差，与此同时美国的国际收支逆差幅度也越来越大，日本取代美国逐步成为世界最大的贷款国和债权国，国际社会对此震惊的同时反响也愈加强烈，要求日元升值仿佛成了"全球的呼声"。

　　终于，感到严重威胁的美国，在 1985 年召开"广场会议"，迫使日

---

　　① 荒木信义：《日元的知识》，中国财政经济出版社 1982 年版。

元大幅升值①。此后，在国际收支巨额黑字的压力下，日元开始了 10 年的升值历程②。1987 年，卢浮宫协议后，日元升值的势头丝毫不减，一路高歌，到 1995 年日元汇率达到1:79.75的历史最高点。

20 世纪 80 年代初期，日本真正开始推进"国际化"③。80 年代中后期起，随着升值日元大量流出日本，日元的使用范围逐步扩大，国际化程度大幅度提高。1986 年年底东京离岸金融市场正式创立，日元的国际化向纵深发展：日元在国际结算、国际储备、国际投资与信贷，以及国际市场干预方面的作用全面提高。特别是由于日本对外直接投资数量的增长（如图 1 - 8 所示），日元在国际投资中的作用日益上升。在特别提款权的定值篮子中，日元的权重两次被提高，达到 21%，日元的地位得到了国际社会的充分肯定。

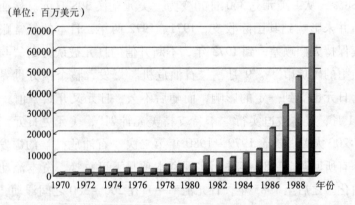

（单位：百万美元）

图 1 - 8　日本对外直接投资的数量（1970～1989 年）

数据来源：[日] 大藏省《对外直接投资申报实绩》、《对内直接投资申报实绩》。转引自宋绍英：《日本经济国际化》，东北师范大学出版社 1997 年版。

然而，日本经济也为日元国际化付出了沉重的代价。由于日本的国际收支长期处于巨额黑字状况，日本的外部经济亦长期失衡，日元随之

---

① 陈虹：《日元国际化之路》，《世界经济与政治》2004 年第 5 期。
② 麦金农，大野健一：《美元与日元》，上海远东出版社 1999 年版。
③ 孙志毅：《日元升值奏响日本经济国际化进行曲》，《经济论坛》2003 年第 15 期。

处于长期升值状态，给日本经济带来巨大的创伤[1]，造成严重的"日元升值综合症"：出口受到打压；引发资产泡沫；日元真正价值常常迷失在货币投机中，成为国际游资的投机对象，只要美国经济一遇风吹草动，不论日本经济是繁荣还是萧条，都会引发国际外汇市场上的日元升值和美元贬值。上述情况是目前日元面临的最大危机。

日元的国际化是在升值中进行的，其升值时间之长、升值幅度之大在国际货币史上是罕见的；日元受到的巨大外部压力以及日元国际化的代价，都是其国际化过程的与众不同之处。

五、从国际经贸合作中走来的欧元

欧元是世界货币史上第一个既不依赖黄金又不依赖单一国家的国际区域货币。欧元的出现是一种全新的国际经济、政治现象，为国际货币制度安排提供了崭新的发展空间，同时也推动世界经济在一体化的同时更深入地向国际区域化发展。有学者认为欧元的产生是特定力量交互作用的结果，并将欧元的生成归结为是欧洲历史发展的惯力、国际环境的压力、欧盟成员的推力和倒退成本的阻力这四种力量共同作用的结果，是欧洲谋求发展利益的一种工具[2]。

无论人们怎样看待欧元产生的背景，欧元的诞生及成长则是源于欧洲的国际区域内的经贸合作。从"煤钢联营"、"欧洲共同体"、"关税同盟"、"欧洲货币体系"、"欧洲货币单位"、"统一大市场"到"欧元"的诞生[3]，统一的经济环境会形成统一的市场，统一的市场需要统一的货币作为媒介，从而既方便交易又提高了透明度。欧洲的经验证明：国际间的经贸合作必然导致国际间的货币合作，国际间的货币合作会走向区域货币的一体化。欧元的诞生标志着独立国家间的货币合作、货币一体化不仅是可行的，而且预示着国际货币制度未来的发展方向，国际货币制度因此进入了国际区域货币合作和新型国际区域货币诞生的

---

① Kuroda，Haruhik：The "Nixon Shock" and "Plaza Agreement"：Lessons from Two Seemingly Failed Cases of Japan's Exchange Rate Policy. China & World Economy，2004，12（1）：3 - 10.

② 杨伟国：《欧元生成理论》，社会科学文献出版社2002年版。

③ 赵秀臣、汤传锋：《欧元解析》，对外经贸大学出版社2000年版。

时代①。

欧元已成功启动运行了四年多的时间，作为一种国际货币，它的成长、发展与以往的任何一种国际货币都有着绝对的差异，它源于国际区域经贸合作，是为保证区域内经济、政治利益而进行货币合作的产物，从诞生之日起它便直接获得国际货币的角色，这是欧元国际化的最大特征。

第三节 货币国际化的共性分析

英镑、美元、马克、日元和欧元，这五种货币的国际化具体路径虽然呈现出各自的特征，但在其国际化的全过程中，也存在着一些相同之处，这正是货币国际化的共性所在。

一、强大的经济实力——货币国际化的基础

考察货币国际化历程，可以发现，货币的国际化是以强大的经济体实力为支撑的。处于货币国际化进程中的货币，与同时期的其他国家的货币相比都具有不可比拟的经济优势：无论是英国还是美国，在其货币走出国门走向世界时，都曾是当时世界经济的枢纽，他们所积累的经济实力令当时其他任何一个国家或经济体相形见绌，所以由他们支撑的货币——英镑和美元——也都曾称霸世界，成为国际货币舞台上的核心角色；相比之下二战后迅猛发展的德国和日本经济在 20 世纪 50、60 年代成为世界经济的亮点，大幅度的经济增长使得两国经济实力迅速跻身于世界前列，由此其货币的国际地位也不断上升，成为世界经济中的主要国际货币；欧元这个由国际经贸合作带来的国际货币史上的新产物同以往的货币一样有着强大经济实体的支撑②，因此强大的经济实力是货币国际化的物质基础。

只有支撑该货币的经济体的实力达到一定量和质的积累，其发行的

---

① 王鹤：《欧洲经济货币联盟》，社会科学文献出版社 2002 年版。
② 详细数据请参见书末的附录 1。

货币才具有可靠的基础。这是因为货币之所以与普通商品不同，是因为它具有与一切商品交换的能力，即货币的购买力。而对于不具有实际价值的信用纸币来说，这种购买力是由一国政府强制赋予的，而这种"强制"一方面是靠国家机器，更多的则是根据经济发展需要，依据纸币发行原则来使纸币真正与实际存在的物质水平相适应，来保证其币值稳定，从而避免通货膨胀。

当一国货币流出本国国境，它也就自然失去了该国政府对其购买力的强制性保护。它们之所以可以在更广泛的地域上继续执行货币的角色，则是靠纸币本身所代表的资产（物质），即发行国的经济实力和物质积累[1]。当一国经济实力强大或持续上升时，则该国发行的货币就具有了强有力的支撑，该货币在国际市场上将会走出强势，逐步成为强势货币。强势货币因为代表了实际的物质资料，也就拥有了十足购买力，拥有了信用。可以说无论是在国际上还是在国内，纸币要健康地存在就必须具有实际资产的支撑。因此，强大的经济实力是货币国际化的基础。

"强大的经济实力"是一个综合的指标。对于一国货币能否具备国际货币的能力应该主要从两个方面考察：一是拥有高效的世界一流的经济总量和经济规模，经济在资源合理配置的基础上具有持续健康的发展潜力；二是该国拥有充足的国际清偿手段，即广义上的国际储备以及拥有强有力的吸引外资的能力。

二、发达的金融市场——货币国际化的支撑

当英镑称霸世界时，伦敦是世界贸易金融的中心；当美元崛起时，纽约的金融市场便与伦敦平分天下[2]，直至独占鳌头；马克的国际化以法兰克福、卢森堡的金融市场作为依托；日元后来居上，其称雄亚洲的东京金融市场功不可没；在欧元的诞生及成长过程中，欧洲央行的成

---

① 赵海宽：《人民币可能发展成为世界货币之一》，《经济研究》2003 年第 3 期。

② 何帆、李靖：《美元国际化的路途、经验和教训》，http://www.doctor-cafe.com，2002 年 1 月 26 日。

立、欧洲银行业的重组①，使欧洲的金融体系一体化程度不断加深，原已发达的金融市场前所未有地向纵深发展②。可以说，在货币国际化过程中，发达的金融市场是不可或缺的支撑。

随着国际经贸的不断发展，货币不仅是商品交换的媒介，它还作为一种"货币商品"成为交易对象本身，金融市场作为资金融通的市场为货币提供了流动的场所和空间。货币的国际化意味着将有大量的该种货币在国外流通，这便要求该国的金融市场在国际上为货币的流动提供服务。只有健全完善的金融市场的支持，货币才可能在全球范围内无障碍地顺畅流动，可见发达的金融市场是货币国际化的前提保障，更是货币国际化的制度支撑和运行载体。

首先，发达的金融市场必须是开放的。只有开放的、不受限制的金融市场，才能使各种交易者和各种资金得以自由出入，为他们特别是为非居民提供价值储藏和投资增值的场所，从而进一步提升使用该种货币的安全性③，解决了非居民的后顾之忧，也确保了该种货币在经济交往中能够充分发挥国际货币的职能。

其次，发达的金融市场还应是高效的，具有一定的广度、深度和弹性。广度是指有大量的、种类繁多的金融工具④；深度是指发达的二级市场⑤；弹性是指应付突发事件及大额成交后价格迅速调整的能力，即对供求的突然变动有迅速灵活的调整及恢复能力。由大量的金融工具带来多种多样的投资途径，使该种货币显示出极大的活力，提高各国人们持有和使用该种货币的意愿；金融市场规模大，交易量频繁，使该种货币流动性增强，提高了安全性，降低了交易成本，从而使国际上对该种货币的需求增加。

---

① 陈亚温、胡勇：《论欧元现金正式流通以来的货币效应》，《中国经济问题》2003年第2期。

② 孙晓青：《欧元的国际化与欧美地缘经济之争》，《现代国际关系》2000年第6期。

③ 袁宜：《货币国际化进程规律的分析——对人民币国际化进程的启示》，《武汉金融》2002年第6期。

④ 黄梅波：《货币国际化及其决定因素——欧元与美元的比较》，《复旦大学学报（哲学社会科学版）》2001年第2期。

⑤ 黄梅波：《货币国际化及其决定因素——欧元与美元的比较》，《复旦大学学报（哲学社会科学版）》2001年第2期。

最后，发达的金融市场还应是规范的，从而创造出信息快捷、集中、透明的公平、公正、公开的投资环境。

总之，只有高度发达的金融市场所带来的完善的金融服务，才能使国际上更多的结算和融资通过该国金融市场利用该国的货币，从而为该国货币的国际化创造机会，并促进其国际化程度的提高。

在货币国际化进程中，成熟的离岸金融市场显得尤为重要①。作为为非居民提供金融服务而又不受税收、外汇管制及国内金融法制约的自由交易市场，离岸金融市场拥有更多的自由，这使其资金流动的速度和数量都是国内金融市场无法比拟的②。成熟的离岸金融市场会大大加快该国货币在国际市场上的流通，远离各种制约使得该国货币可以更为自由地被利用，从而最大限度地发挥其货币职能。虽然并非是建立了离岸金融市场，该国的货币就能成为国际货币，但几乎每种国际化货币均在本国离岸金融市场建立后大大提高了其国际化程度。

三、"逆格雷欣法则"——信用纸币制度下货币竞争法则

"劣币驱逐良币"（bad money drives out good）是格雷欣爵士在 16 世纪提出的一个著名的通货原理，被后人称为"格雷欣法则（Gresham's Law）"。根据《新帕尔格雷夫经济学词典》的记载，对其陈述为：如有两种交换手段一起在市面流通，价值较大的一种将会消失。这个原理最概括的形式如下：一国政府通过法律的强制对内在价值不同的两种或更多一些的流通手段形式规定同样的名义价值，一切支付总是尽可能地用生产成本最低的那种流通手段去完成，更大价值的流通手段将从流通中消失。③ 通过这段叙述，我们了解到格雷欣法则所描述的，是在流通领域中价值量小的"劣币"取代价值量大的"良币"。格雷欣爵士是根据当时大量存在的"劣币驱逐良币"的现象提出的"格雷欣法则"，因此看似奇怪的"劣币驱逐良币"法则得到人们的认同。

为什么在当时的英国以及其他国家里会出现并大量存在这种现

---

① 莱维奇：《国际金融市场：价格与政策》，中国人民大学出版社 2002 年版。

② 郑木清：《论人民币国际化的道路》，《复旦大学学报（社会科学版）》1995 年第 2 期。

③ 伊特韦尔：《新帕尔格雷夫经济学大辞典》（第二卷），经济科学出版社 1996 年版，第 608 页。

象呢？

我们注意到"劣币驱逐良币"的现象出现在 16 世纪流通铸币的时代。当时的铸币虽有良莠之分，但无论是良币还是劣币其自身都存在着内在价值，即除了被当做货币之外，其本身还可以作为贵金属（至少是金属）使用。双重性质使其既可作为统一的交换媒介流通，又可作为财产的保存形式被储藏起来。因此当"一国政府强制对内在价值不同的两种或更多货币规定同样名义价值"时，为确保个人拥有的财产保值增值，流通中的良币因其贵金属的性质被作为财产储藏起来而退出了流通领域，劣币反而以胜利者的姿态占领了整个流通领域。于是"劣币驱逐良币"蔚然成风，特别是在金银跛行本位时期。

随着经济的发展，纸币以其自身的优势登上并逐步占领了整个货币舞台，货币间竞争的法则也有了改变。纸币时代的来临使货币流通舞台上的主角由铸币转换为纸币。纸币是由国家发行并强制使用的货币符号，其本身没有价值。这使得原来货币所具有的双重性质出现了分离：一方面纸币作为交换的媒介取代了铸币的流通职能；另一方面由于纸币本身不具有实际价值，作为价值的保存形式的贵金属性质则仍属于金、银本身。纸币的优劣则取决于纸币所代表的价值的稳定性。当纸币取代铸币执行货币职能乃至资本职能后，"劣币驱逐良币"的法则便不复存在了。

在国际市场上，纸币成为了代表其发行国国家财富的商品，其价格随其发行国的经济实力变化而变动。19 世纪的英镑、20 世纪的美元，因其发行国具有的强大经济实力使其具有十足的购买力和十足的信誉，在同时代的众多货币中，它们使用起来更安全、更方便，使国际贸易顺利完成并促进了其规模不断发展扩大，可以说相对于其他货币，它们更出色地执行了货币的职能，从而成为了处于支配地位的国际货币。正像蒙代尔先生所阐述的"内在一致、高度稳定、质量优越是伟大货币的共同品质，它们将在竞争中胜出而成为国际性货币"[1]。以目前人民币在我国周边流通的情况看，就是一个在一定的国际区域内"良币驱逐劣

① 蒙代尔：《国际货币：过去、现在和未来》，《蒙代尔经济学文集》（第六卷），中国金融出版社 2003 年版。

币"的例证。

所以，在自由的国际经济环境中，在现代信用纸币条件下，优势的货币总是能够战胜劣势货币，取得最终的支配地位。因此，我们提出货币间竞争的新法则——"逆格雷欣法则"，即"良币驱逐劣币"。良币，是指能够较好地完成货币职能的货币；相反则为劣币。在国际经济环境中，只有"内在价值稳定，兑换性好"的良币符合作为国际货币的内在要求，能够完成国际货币的各种职能，从而战胜并淘汰劣币成为国际货币[1]。这是因为：

第一，国际货币必须拥有稳定的内在价值。对于现行的货币来说，1973 年以后，黄金非货币化，各种货币不再具有含金量，由发行货币的国家依据其经济体所拥有的物质基础而赋予货币的信用和购买力成为货币的内在价值，所以实际上国际货币是要求货币拥有稳定的信用和购买力。"稳定"要求货币不仅在目前拥有稳定的币值，而且在未来也能保持持续的坚挺；不仅在国内由于本国物价稳定从而使货币拥有稳定的购买力，而且在国际外汇市场上的汇率也因其信誉良好而相对稳定。这是因为在国际交易中，要成功地执行货币的职能就必须被不同国家的交易者所认可并接受。只有币值长期稳定、汇率长期稳定的货币才会使人们在国际交往中减少传递和获得信息的时间和费用，降低保持资产价值而付出的成本，减少货币持有者不必要的损失。因此，在国际市场上，只有稳定的货币才会取得世界各国公众的信赖，从而被普遍使用。

第二，国际货币必须兑换性良好。在国与国之间的贸易活动中充当流通手段和支付手段的国际货币，必须能够方便地与各国货币进行兑换，以确保交易的顺利完成。同时对于目前作为货币的信用纸币来说，人们持有的纸币实际上是持有了由一国政府信用作保障的购买力。当该国的经济或是国家信用出现危机，良好的兑换性就使该种货币能够顺利地兑换成他国货币，以减少货币持有者损失，从而增加以该种货币保持资产的安全度。

"价值稳定，兑换性好"的"良币"特性成为公众选择该种货币的缘由，那么不被认可和选择的劣币自然被淘汰出局。所以在信用纸币制

---

① 虞群娥：《论区域货币一体化与人民币国际化》，《浙江社会科学》2002 年第 4 期。

度下的国际自由经济氛围里，"良币驱逐劣币"才是货币竞争的准则。

四、"币值高估"——国际货币由强变弱的转折点

正像所有的事物不能永远处于盛世的状态，在历史上，任何曾经一度支配世界的货币也会由强盛走向衰落。曾经是纸质黄金的英镑和作为黄金符号的美元，都曾拥有一段不可一世的辉煌，然而，它们却都相继走出了那段辉煌的历史。

一战结束后，英国急于稳定国内经济状况，于1925年恢复金本位。然而恢复旧平价的英镑却由于已经上涨的物价而被高估，随后而来的国际收支困难和黄金的大量流失使英国经济陷入困境，英镑也由此走向衰落；由布雷顿森林体系确立的美元霸权曾给世界经济带来了一段令人难忘的繁荣，然而从20世纪60年代中后期起，由于债务的不断积累，黄金储备的相对下降，美元与黄金的固定官价便造成了美元人为的高估，持续的美元高估，使运行了近30年之久的布雷顿森林体系崩溃，美元也告别盛世走向衰落。从以上的简要回顾中，我们不难发现昔日无限辉煌的强势货币走弱的一个共同点是"币值高估"。虽然，一种强势货币走向衰落是由多种因素共同造成的，但"币值高估"则是不同时代的不同强势货币由胜转衰的关键因素和转折点。

这里我们所指的币值高估是货币的名义价值或是官方价值高于其所含的内在实际价值。1976年以前在国际范围内，币值高估通常是指一国货币当局或是国际协定所规定和商定的货币的含金量（即货币的名义价值）高于货币的实际含金量（即实际价值）。在1976年以后，各货币不再规定含金量，货币的价值则是指货币的实际购买力，此时币值高估则是指货币的官方价格或市场上货币名义价格高于货币的实际购买力，但货币的兑换却按高于货币实际购买力的价格进行，从而提高了货币高估国家出口商品的价格。因此，长期的本币高估必然降低该国的国际竞争力。

英镑主宰的金本位和美元主宰的金汇兑本位实质上都是固定汇率制。英镑的高估是由于完全按旧平价恢复其价值，而没有考虑物价已经上涨的因素。战后物价上涨意味着英镑已经贬值，而按原来的平价恢复含金量，对英镑来说就造成了高估。可以说英镑的高估是由于英国希望

抑制通货膨胀，找回英镑昔日的辉煌，重新树立英镑的货币霸权而造成的人为高估。

确立美元地位的布雷顿森林体系规定了美元与黄金的固定比价，同时美国政府按照协定的要求承诺按该比价保证美元与黄金的兑换。在20世纪60年代以前，美元的发行量与其黄金储备及国民财富保持着平衡，而在此之后，一方面由于越南战争导致了军费的激增，扩张性的货币政策使货币发行量大增，美国的财政赤字不断扩大，由此引起了严重的通货膨胀；另一方面，从1971年起美国国际收支开始出现逆差，并且逆差的幅度不断扩大，这两个主要因素造成美元的发行量与其国家的黄金储备量严重的不平衡，对应其储备的黄金，美元的实际含金量下降，而美元与黄金的固定官价要求美元的含金量不变，美元因此被高估。从中我们了解到：美元的高估，一方面是由固定汇率制度本身造成的，另一方面也是由于美国政府希望通过扩大美元发行量掠夺世界资源，实施对外援助，以维护美元的货币霸权，所以美元的高估也有人为的因素。

虽然造成"币值高估"的背景各不相同，但长期的"币值高估"都会给国内实体经济和金融经济同时带来严重的后果：通常来说，当一种货币被高估，该国的产品在国际上的价格就会上涨，出口必然会受到一定的影响；一般来说，货币高估在提升出口商品价格的同时也会降低进口商品的价格，如果出口企业生产的原材料来源于国际市场，货币高估恶化国际收支的作用会在进口原材料价格下降中有所抵消；如果出口企业的原材料不是来源于国际市场，或者进口原材料的国际市场价格普遍上涨，该国的国际收支必然恶化，此外，货币高估带来的进口商品价格普遍下跌的效应，还会增大该国的对外支付。出口下降，进口增加，该国的国际收支会进一步恶化，从而对国内经济造成一定的压力。此时，出口量的下降一方面可能会使该国的出口企业缩小生产规模，进一步影响到该国的就业情况；另一方面则会打压国内企业扩大再生产的势头，从而使国内投资量下降，并最终导致该国经济发展速度放慢。在金融市场上，一国货币的高估常常会使原有的投资转变为投机。投机性购买货币行为的大量存在会推动该种货币在已经高估的汇率水平上继续上升，引发资产恶性膨胀。投机性的汇率上升越高，其潜在的货币危机、金融危机的风险就越大，一旦货币的投机性升值结束，会出现大量的恐慌性资本外逃、有价证券的资产价格和房地产价格暴跌以及该种货币的疯狂贬值，从而使该国经济遭到毁灭性的打击。正因为"币值高估"会使发行货币的经济体丧失原有的活力，并给货币本身的信誉带来潜在的危机，所以，一般来说，强势货币均抵挡不住由币值高估带来的压力和破坏，最终失去原有的竞争力，走向衰落。

五、小结：关于货币国际化的一般规律的认识

由上述分析我们得到货币国际化过程中的共性所在，从而形成对货币国际化的一般规律的认识：一种货币只有拥有足够强大的经济实力的支撑才有国际化的可能，强大的经济实力是货币国际化的基础；发达完善的金融市场为货币在国际范围内自由流通提供必要的服务，是货币国际化的支撑和运行载体；在信用纸币制度下，特别是在自由开放的国际经济环境中，货币间竞争的法则已由"格雷欣法则"的"劣币驱逐良币"转化为"逆格雷欣法则"的"良币驱逐劣币"；"币值高估"在货币国际化进程中对货币的发展有着巨大的不利影响，甚至会成为国际货币由盛到衰的转折点。

货币在国际化扩张中的政策行为

——基于最优铸币收入的动态分析

　　货币国际化为其政策主体带来的重要收益之一就是铸币收入。我们从考察一种抽象的国际货币出发，在建立了相关收益及成本约束的基础上，得出了该货币铸币收入行为的一般性路径规律，即：其基础货币发行速度变化的最优（各期铸币收入现值最大化）动态路径，并对该路径模型做了从单周期到多周期的扩展性描述。

第一节　基本概念及理论与现实背景

　　当今各国政府已经把征收铸币税（seigniorage）作为一项经常性的收入，但不同国家的铸币税数量差别迥异。按一般估算，铸币税通常仅占一国 GDP 的 0.2%[①]，但由于国际货币在国际流通及储备领域有着特殊地位，所以其铸币税的绝对量和相对量都大大高于一般货币：在1975 ~ 1985 年间，美国每年的铸币税占 GDP 的比重为 1.17%，英国为 1.91%，法国为 2.73% 左右[②]；同时，这些国家的 GDP 总量都相当庞大，从而其铸币税的绝对量也很可观。近些年来，伴随着美元化潮流和

---

　　① Paul Krugman：*The Return of Depression Economics*，*Foreign Affairs*，1999，78（1）：56 - 74.

　　② 杰弗里·萨克斯，费利普·拉雷恩：《全球视角的宏观经济学》，上海人民出版社 1997 年版，第 493 页。

欧元的酝酿及实现，对于铸币税理论的关注和研究也越来越多，并且对其研究的角度也逐渐转向世界范围。

铸币税理论最初源于 Cagan（1956）的开创性研究成果，其在货币增长率不变情形下展开了通货膨胀收敛性问题的考察，并基于此对通货膨胀和铸币收益的获得进行了分析[1]。Dornbusch 和 Frenkel（1973）则将给定的铸币税与 Cagan 模型中的铸币税最大值进行比较，按大小关系分三种情况对通货膨胀的动态性质进行了分析[2]。Sargent 和 Walace（1981）以及 Drazen 和 Helpman（1988）则考察了以铸币税填补财政赤字的不同做法对通胀的影响[3][4]。传统理论认为，政府通过提高货币增速来解决赤字，会减少经济单位所持有的实际货币余额，从而降低该经济体的福利[5]。而 A. Macro（2002）则在一个内生增长模型的框架下，分情形讨论了政府筹资对经济的影响效应及程度，并指出：政府通过提高货币发行速度的筹资来抵偿其边际支出的增加是最有效的[6]。基于此结论，本文将对政府筹资渠道中的铸币行为进行分析：考察一种抽象国际货币，在下文所述的收益成本约束下，其在国际化扩张过程中基础货币发行速度变化的最优动态路径。

现代信用货币制度下，铸币税指政府通过发行货币所获得的收益。在以往的研究中，关于铸币税内涵及外延的看法主要分以下几种：（1）铸币税是中央银行在创造基础货币过程中，通过其资产负债业务所获得的、上缴政府的净收益。（2）铸币税范围应更宽泛地包括另外两种情况：央行由公开市场业务买进国债而向财政提供的资金；在由财政负责发行通货的国家，还包括财政直接发行通货所获得的净收益。（3）铸

---

① Phillip Cagan: The Monetary Dynamics of Hyperinflation, In: Milton Friedman, eds. Studies in the Quantity Theory of Money. Chicago: University of Chicago Press, 1956. 101 – 104.

② R. Dornbusch , J. Frenkel: Inflation and Growth: Alternative Approaches, Journal of Money, Credit and Banking, 1973, l5 (1): 141 – 156.

③ T. Sargent, N. Wallace: Some Unpleasant Monetarist Arithmetic, Federal Reserve Bank of Minneapolis Quarterly Review, http: //minneapolisfed. org/research/qr/qr531. html, 1981. 5 (3).

④ Allan Drazen, Elhanan Helpma: Inflationary Consequences of Anticipated Macroeconomic Policies; Review of Economic Studies, 1990, 57 (1), 147 – 164.

⑤ 谢冰、王烜：《关于铸币税的理论研究进展》，《经济学动态》2002 年第 9 期。

⑥ 谢冰、邹伟：《铸币税与金融风险相关性的理论与实证分析》，《财经理论与实践》2003 年第 6 期。

币税是新增的基础货币量本身，而不是通过新增基础货币所获得的净收益。铸币税既包括在没有财政赤字的正常情况下所增加的基础货币量，也包括在有财政赤字的情况下，为弥补财政赤字所增加的基础货币量。（4）铸币税与政府赤字融资相联系，因此只有在弥补财政赤字的情况下，新增的基础货币量才是铸币税。（5）铸币税常与国际金融相联系。在这种情况下，铸币税是指一国因其货币作为国际储备货币被其他国家所持有从而获得的净收益①。

　　综上并结合国际货币的特点，我们认为应将其铸币收入做如下描述：

　　1. 它是一个成本与收益相抵的净值。

　　2. 其收益部分体现为铸币税，即新增基础货币数量。但因物价水平提高的伴生性，所以需要剔除其伴随的物价因素。而其中新增的基础货币数量，一部分源于没有财政赤字情况下的正常增长，通常是为了满足实际产出增长而导致的真实货币需求增长；另一部分则源于为弥补财政赤字而产生的增长。其中，后者被认为将导致物价水平的上升。但是，政府作为一个宏观主体在与微观经济个体进行铸币收益博弈时，其可以渐进地制造微弱水平的通货膨胀，从而在每个微观经济个体不易察觉变化的情况下获得可观的铸币税。

　　3. 其成本部分，除了一般货币发行所面临的成本约束②之外，还有其作为国际货币所面临的各种成本制约：（1）国际货币市场中，各强币之间存在着激烈竞争。在此条件下，某国际货币若企图通过超量发行从而在短期内获取高额铸币税的行为，则无异于杀鸡取卵，进而会导致长期内更高的持续收益流的损失。而在国际货币市场竞争条件下，这种有失谨慎的行为将导致的机会成本，是任何非国际货币所没有面临的。（2）一种国际货币对其铸币税收益的攫取行为，即使能够保持在不影响其地位的范围内，也会随着对货币供给增速调整力度的增大而面临更高的政策融资成本，直至其政策行为真正影响到其货币的原有地位。

　　基于以上对铸币收入的描述，本文将在一些假设所限定的框架内，

----

① 刘树成：《现代经济辞典》，江苏人民出版社 2005 年版。
② 包括货币的印制、保管、投放、残币处理等方面。

展开如下的分析：国际货币的发行国，对货币供给量——当货币乘数一定时，就转而考察基础货币——选择执行怎样的政策路径，才能在维持巩固其货币原有国际地位的同时，实现铸币收入各期现值的最大化。

第二节　假定及引入变量的说明

一、相关假定的说明

1. 不考虑技术进步。这意味着忽略了技术进步对现金—存款比率，从而对货币创造乘数的影响，也意味着忽略了技术进步对总产出等其他变量的影响。

2. 除了适应实际产出的增加之外，货币供给量增长的变动被限定在合理范围内，因此利率及物价水平的变化微弱从而是相当稳定的，人们感觉不到这两者的明显变化，因此政府在居民不易发觉的情况下获得铸币税。同时，我们也假定同时期的国际利率及物价水平也同样是相当稳定的。故下文中，从此角度将利率及物价水平都看做稳定不变的常数。

3. 由于货币供给量的变动是合理的，而且为了考察方便的缘故，我们假定该国际货币（下文简称 W 币）的流通版图在整个考察期间内不发生变化。在后文中，我们将放宽此假定以对该模型进行修正。

4. 基于前一条假定，我们还认为，在长期中，该国际货币流通版图区域内的总产量在每个时期以一个相同的总量递增。

5. 一切发币政策行为都从长远理性考虑到其国际货币地位的维持和巩固。

6. 为简化讨论，假设政策行为及对应的各个变量在时间上连续。

7. 本文考察的对象虽然是国际货币 W，但并未涉及汇率因素，理由为：假定汇率由购买力平价和利率平价构成的平价体系决定，那么汇率仅取决于利率及物价因素，再结合假定2，我们可以知道汇率也被间接决定为常数，从而在此我们并不考虑其变动。从这一点看来，本文的分析在一定程度上也适用于仅在某国内部流通货币的情形。

8. 考察的货币供给量（M）为 M_1 口径，即流通中的现金和活期存款。

二、相关变量及常数

在此列出下文将涉及到的一些变量及常数，如下：

m：基础货币的数量；

t：时期变量，讨论的时期范围是 $[0, +\infty)$，其中 W 币在 $t=0$ 时成为国际货币；

S：铸币税，来自于基础货币的投放；

L：真实货币需求，下文中将其根据时间表示为 $L(t)$ 的动态形式；

$c(v')$：货币供给量增速变化调整带来的成本函数；

v：基础货币投放增速 $\left(v = \dfrac{\Delta m}{m}\right)$，下文考察的 $v(t)$ 即该变量的时间路径。

以下为相关的常数：

ρ：贴现率，下文将通过该变量将各期铸币收入折现并加总；

P：物价水平，根据假定 2，被看做常数；

k：货币创造乘数，在这里被假定为常数①，其与 m 相乘得到货币供给量 M。

第三节 基础货币供给增速 $v(t)$ 的 动态最优路径：单周期分析

由于货币创造乘数 k 被假定为常数，所以货币供给量 M 的变动只取决于基础货币 m 的变动，而且 M 和 m 两者的变动率也是相同的。而铸币税又直接表现为基础货币的投放收益，所以要考察的是 m 的变动率，即 $v(t)$ 的最优时间路径。

---

① 货币创造乘数取决于法定存款准备金率、现金—存款比率和超额存款准备金率，而前者为外生的政策变量，在此视其为常量，后两者由于假定 1、2 的考虑也视做常量，所以货币创造乘数被假定为常数。

首先对于铸币税给出下式[①]：

$$S = \frac{\Delta m}{P} = \frac{\Delta m}{m} \cdot \frac{m \cdot k}{P} \cdot \frac{1}{k} \tag{2.1}$$

上式表明：铸币税 S 是由增加投放的基础货币除以物价水平而得到的。而这一等式又可以进一步通过变形表示为第二个等号后面的形式。又因为：

$$\frac{\Delta m}{m} = v \tag{2.2}$$

和

$$\frac{m \cdot k}{P} = \frac{M}{P} \tag{2.3}$$

根据假定 2，真实货币需求只取决于实际总产出；又由假定 4，实际总产出在每个时期以相同的绝对总量递增，这里进一步设定实际货币需求也按比例以一个正常数 n 递增，故有：

$$\frac{M}{P} = L(t) = l + n \cdot t \tag{2.4}$$

再将 (2.2)、(2.3)、(2.4) 代入到 (2.1) 式，得到：

$$S = v(t) \cdot \frac{L(t)}{k} \tag{2.5}$$

其中 $v(t)$ 为基础货币增速，下面求解其最优动态路径，以满足：

$$\text{MAX.} \quad \int_0^{+\infty} \left[\frac{dS}{dt} - c(v') \right] \cdot e^{-\rho t} dt \tag{2.6}$$

$$\text{s. t.} \quad 0 < c(v') \leqslant c_0 \tag{2.7}$$

$$v(t) \geqslant \theta(t) \tag{2.8}$$

约束条件 (2.7)，表示为了维持 W 币原来的国际货币地位，调整 $v(t)$ 引起的成本有一个可承受范围，而 c_0 就表示这个可接受调整成本的上界，超出该值的调整成本是不可接受的。我们对 $c(v')$ 采取常用的二次成本函数形式，即：

$$c(v') = av'^2 + bv' \quad (a > 0, \ b > 0) \tag{2.9}$$

同时，约束 (2.7) 变为：

$$c(v') = av'^2 + bv' \leqslant c_0 \tag{2.10}$$

约束条件 (2.8)表示，为了维持 W 币在其不变的货币版图内正常

---

① 这里 (2.1) 式采用的是 Blanchard & S. Fischer (1989) 的相关表述。

的执行国际货币的职能，其货币供给的增速 $v(t)$ 必须大于各期所要求的最低货币增速 $\theta(t)$，而 $\theta(t)$ 又可以认为是真实货币需求的增速[①]，并有：

$$\frac{n}{L(t)} = \frac{n}{l + nt} = \theta(t) \qquad (2.11)$$

显然，$\theta(t) > 0$，且有 $\lim\limits_{t \to +\infty} \theta(t) = 0$。此时，约束条件（2.8）变为：

$$v(t) \geq \frac{n}{L(t)} = \frac{n}{l + nt} = \theta(t) \qquad (2.12)$$

通过以上说明，约束条件（2.7）、（2.8）转化为约束（2.10）和（2.12），其中（2.12）是对路径解的约束。

考察需要最大化的目标函数（2.6）式，根据经验及约束条件，我们认为：$\left| \dfrac{dS}{dt} \right|$ 及 $|c(v')|$ 是有界的，所以 $e^{-\rho t}$ 确保了（2.6）式作为无限计划水平的积分是收敛的。

回到（2.4）、（2.5）式，我们可以得到：

$$\frac{dS}{dt} = v' \cdot \frac{L(t)}{k} + v \cdot \frac{n}{k} \qquad (2.13)$$

再将（2.9）、（2.13）式代入到（2.6），得到目标函数的具体形式为：

$$\int_0^{+\infty} \left[v' \cdot \frac{L(t)}{k} + v \cdot \frac{n}{k} - (av'^2 + bv') \right] \cdot e^{-\rho t} dt \qquad (2.14)$$

结合约束条件（2.10），得到拉格朗日被积函数为：

$$F = \left[v' \cdot \frac{L(t)}{k} + v \cdot \frac{n}{k} - (av'^2 + bv') \right] \cdot e^{-\rho t}$$
$$+ \lambda(t) \cdot (c_0 - av'^2 - bv') \qquad (2.15)$$

得到欧拉—拉格朗日方程为：

$$F_v - \frac{dF_{v'}}{dt} = 2a \cdot v'' \cdot e^{-\rho t} + \rho \cdot \left(\frac{L(t)}{k} - 2av' - b \right) \cdot e^{-\rho t}$$
$$+ \lambda'(t)(2av' + b) + \lambda(t) \cdot 2av'' = 0 \qquad (2.16)$$

又由互补松弛关系：

[①] 如果名义货币供给的增速小于真实货币需求的增速，则会出现货币紧缩现象，所以 W 币的发行者更有正当的理由使得 $v(t) \geq \theta(t)$，尽管这可能并不是全部的理由，甚至只是借口。

$$\lambda(t) \cdot (c_0 - av'^2 - bv') = 0 \qquad (av'^2 + bv' \leq c_0)$$

得：

约束集 I：$\lambda(t) \neq 0$，$av'^2 + bv' = c_0$

约束集 II：$\lambda(t) = 0$，$av'^2 + bv' < c_0$

其中，约束集 I 要求：

$$\lambda(t) \neq 0 \text{ 和 } \tilde{v}'(t) = \frac{-b \pm \sqrt{b^2 + 4ac_0}}{2a}$$

再结合解的约束条件（2.8），得到：

$$\tilde{v}_1(t) = \frac{-b + \sqrt{b^2 + 4ac_0}}{2a} \cdot t + v_1^* \qquad t \in [0, +\infty) \qquad (2.17.1)$$

$$\tilde{v}_2(t) = \begin{cases} \dfrac{-b - \sqrt{b^2 + 4ac_0}}{2a} \cdot t + v_2^* & t \in [0, t_0] \qquad (2.17.2) \\ \theta(t) & t \in (t_0, +\infty) \qquad (2.17.3) \end{cases}$$

其中 v_1^*、v_2^* 分别代表可行初始值 $v(0)$ 的最大、最小值，事实上我们有 $v_2^* = \theta(0)$。上述两解在坐标系中表示出来，如图 2 – 1 所示，根据其位置，可将其分别称为上、下边界路径解。

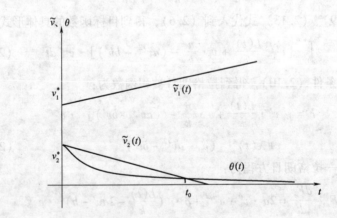

图 2 – 1　两个路径解的图示

其中上边界路径解 $\tilde{v}_1(t)$ 在 t 趋于无穷时发散，这不符合经验，故剔除。而下界路径解 $\tilde{v}_2(t)$ 以 t_0 为界分成两段，如（2.17.2）、（2.17.3）所示。故得有效路径解为 $\tilde{v}_2(t)$，形如图 2 – 2 所示：

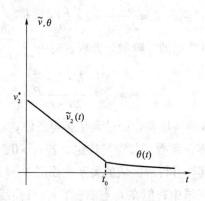

图 2 - 2　下边界路径解的有效部分

下面是基于约束集 II 的分析：按其要求，结合约束集 I 的分析结果，可得约束集 II 限定的路径解集为 $\tilde{v}_2(t) < v(t) < \tilde{v}_1(t)$，即图 2 - 3 所示的阴影区——（2.17.1）、（2.17.2）、（2.17.3）围成的开放区间，该阴影区不包括其上、下边界。且上界发散，下界收敛（极限为 0）①。

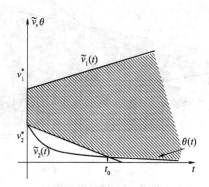

图 2 - 3　基于约束集 II 的可行解区

再将两种约束集分析所得的可行解集合并，得到新的可行解区域。又因为满足这些约束集时，欧拉—拉格朗日方程（2.16）可变形为标准式如下：

---

① 由（2.11）式的说明可知。

$$v'' - \rho \cdot v' = \frac{\rho \cdot n}{2a \cdot k} \cdot t + \frac{\rho}{2a} \cdot \left(b - \frac{l}{k} \right) \qquad (2.18)$$

解上面带有可变项的二阶微分方程,得:

$$v(t) = c_1 \cdot e^{\rho t} + \frac{n}{4ak} \cdot t^2 + \left(\frac{l - b \cdot k + \dfrac{n}{\rho}}{2a \cdot k} \right) \cdot t + v(0) - c_1 \quad (2.19)$$

检验可知,该解满足勒让德最大化必要条件。

其中 c_1 为非零常系数,其符号待定。若 $c_1 > 0$,则由 (2.19) 给出的路径解 $v(t)$ 及其与可行解区域的关系有如图 2 −4 所示:在 B 点左侧,$v_1(t)$ 曲线处于该区域中;但在 B 点右侧,$v_1(t)$ 曲线则越过了同期的 $\tilde{v}_1(t)$ 曲线从而超出可行解的范围;因此在 B 点右侧,$v_1(t)$ 只能在阴影区域中选取具有无限接近 $\tilde{v}_1(t)$ 趋势的边界渐近曲线解。但 $\tilde{v}_1(t)$ 在 $t \in [0, +\infty)$ 上单调递增,并趋于无穷,这不符合实际情况,故该路径解被舍去。

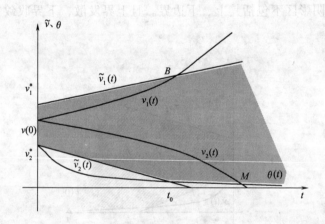

图 2 −4　路径解的取舍

而当 $c_1 < 0$ 时,由 (2.19) 式给出的路径解 $v(t)$ 及其与可行解区域的关系有如图 2 −4 中 $v_2(t)$ 的情况所示:$v_2(t)$ 曲线在 M 点左边都处于路径可行解区域中,但在 M 点右侧,$v_2(t)$ 曲线则位于 $\theta(t)$ 曲线下方,这就违背了约束条件 (2.8)。因此,在 M 点右侧,$v(t)$ 只能选取阴影区域下边界曲线 $\tilde{v}_2(t)$ 作为该区间的路径解。现在得到了 $v(t)$ 如下的路

径解（如图2－5所示①）：

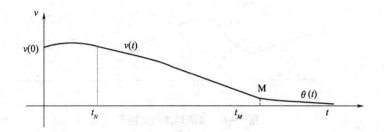

图2－5 单周期路径解图示

$$v(t) = \begin{cases} c_1 \cdot e^{\rho t} + \dfrac{n}{4ak} \cdot t^2 + \left(\dfrac{l - b \cdot k + \dfrac{n}{\rho}}{2a \cdot k} \right) \cdot t + v(0) - c_1 \\ \qquad\qquad\qquad\qquad t \in [0, t_M] & (2.20) \\ \theta(t) \qquad\qquad\qquad\qquad t \in (t_M, +\infty) & (2.21) \end{cases}$$

第四节　基础货币供给增速 $v(t)$ 的动态最优路径：多周期情形的扩展

图2－5描述的基础货币增速路径受到前文所列诸假定的约束，如：货币版图不变、实际产出增量恒定、不考虑技术进步以及关于利率和通胀率的假定等。若经济环境的变化或 W 币发行国的某些政策导致以上某个或若干个假定不成立，则图2－5所描述的 $v(t)$ 曲线将根据情况进行修正，变为图2－6所示的情形。例如：W 币的版图从某个时期 t_1 再次开始得到扩张，并在 t_2 时停止，则同一时期内，其面临的真实货币需求会有一定的增长；然后，从 t_2 时刻起 $v(t)$ 曲线又出现新一轮的下降趋势，并在之后的 $[t_3, t_4]$ 时间段内，由于同类性质的原因而使 $v(t)$ 曲线又得以上升……如此往复循环，构成该国际货币周期性的 $v(t)$ 曲线波动路径。

---

① 图2－5是其大致的描述，精确的图示分为五种相仿的情形，详见书末的附录2。

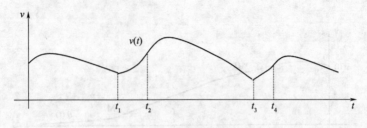

图 2-6　多周期路径解图示

第五节　模型的结论分析

结论一

从图 2-5 看，W 币在成为国际货币之后的全部时间里，基础货币扩张增速 $v(t)$ 将经历以下三个阶段：（1）活力阶段：在图 2-5 中表现为 $t \in [0, t_N]$ 区间的 $v(t)$ 曲线，其中 $v(0) = v(t_n)$。该阶段的 $v(t)$ 曲线先升后降，或相对维持在一个较高水平且较稳定。（2）成熟阶段：在 $t \in (t_N, t_M]$ 区间，$v(t)$ 曲线一直呈下降趋势，但其每一时刻的水平仍大于真实货币需求的增长速度 $\theta(t)$。（3）冷却阶段：在 $t \in (t_M, +\infty)$ 区间，$v(t)$ 曲线与 $\theta(t)$ 完全重合，基础货币增发速度降到最低的维持水平。

结论二

在上述三个阶段，铸币收入最主要地将在第一、二阶段获得；而到第三阶段，铸币收入的获得将随着实际产出增长水平下降而越来越微弱，直至趋向消逝。而第一、二个阶段持续时间的长短和铸币收入水平的高低，很大程度上取决于该货币区域内的经济人对该币增发所致通货膨胀的敏感程度，具体说来：这方面的敏感程度越低，则假定 2 将在越大程度上成立，则第一、二阶段持续的时间越长，且获得的铸币收入越多；反之亦然。总之，铸币收入只能在有限的时期内大量地获得，而在其后的时期里，发币方从中获得的铸币收入将日趋有限直至萎缩。

结论三

从 $v(t)$ 的最优路径解中还可得出以下结论：（1）贴现率常数 ρ 值越大，表示经济人越注重现期收入，不耐心理越强，则 $v(t)$ 中 $c_1 \cdot e^{\rho t}$ 项下降越快，从而 $v(t)$ 曲线的第一、二阶段结束得越快。（2）n 值越大，则按比例计，实际产出的增速越快，真实货币需求增加越快，并且人们对通货膨胀越不敏感，所以活力阶段和成熟阶段越可能维持较长时间。在 $v(t)$ 表达式中，这体现为 t^2、t 项系数正向增大，从而使得 $c_1 \cdot e^{\rho t}$ 的下降趋势在开始阶段得到更多的抵消或推迟。（3）货币创造乘数 k 越大，则 $v(t)$ 路径的前两个阶段可维持力度将下降，这是由于货币乘数 k 越大，则相同的基础货币供给量 m 就能创造出更多的货币供给量 M。反之，亦有相应的结论。这在 $v(t)$ 表达式中体现为：k 值越大，则 t^2 项系数越小，从而 t^2 项为抵消 $c_1 \cdot e^{\rho t}$ 项的下降趋势所能做的贡献越少，所以 $v(t)$ 会较早出现下降趋势。

结论四

从长期来看，国际货币的发行国，必须在货币版图、实际产出增长等等方面为其货币环境做出稳定性的改进努力，并实施稳健的货币政策①才能使其持续不断地获得铸币收入的好处（如图 2 – 6 所示）；否则，货币国际化带来的铸币收入在长期内将逐渐消失（如图 2 – 5 所示），以赤字货币化的方式征收铸币税，最终会丧失国际货币的地位。

---

① 如假定 2 所描述。

第二篇

零距离接触现实——
人民币金融版图现状考察

人民币周边流通态势：三地十四国情况概览

在历史上，尤其是唐、宋时期，中国铜钱作为国际支付手段，就已经成为东南亚许多国家和地区的流通货币，并且大量外流。如今，随着我国经济实力的日益强大，对外开放程度的不断加深，与世界其他国家的经贸和人员往来的不断紧密，中国的现代货币——人民币也走出了国门，开始为其他国家和地区所接受，逐渐在我国周边国家和地区流通使用起来。在中国香港和澳门、蒙古和俄罗斯的南部、越南、缅甸、老挝和其他东亚、东南亚的国家和地区，可以使用人民币在当地自由消费，在有些国家和地区甚至出现了货币替代现象——当地人接受和使用人民币作为流通和交易手段而不使用其本国货币。在美国、法国和德国等发达国家也出现了人民币兑换点。这些现象都表明人民币已经在部分地行使作为国际货币的职能——人民币的国际化进程已经悄然开始。

人民币流出入周边国家和地区的具体情况和相应的流通量、沉淀量有所不同。对于人民币在各周边国家和地区的流通量和沉淀量，我们将首先给出第一节中的估算方法，然后所行使在下文中分国别和地区对人民币在周边国家和地区的流通态势进行描述和分析。

第一节　人民币流通量和沉淀量估算模式

我们把人民币流出和沉淀渠道按贸易和非贸易项进行区分，有如下公式：

一、人民币流出量 A

贸易项下：从人民币流出指向国家进口的以人民币计价结算的商品价值 I。

非贸易项下：中国赴该国人员（一般主要是游客）在该国直接使用人民币的消费额 T。用 n_1 表示中国公民赴该国人次，用 c_1 表示人均消费额，则 $T = n_1 \cdot c_1$。

人民币总流出量为：$A = I + T = I + n_1 \cdot c_1$

二、人民币回流量 B

贸易项下：以人民币计价结算的中国出口到该国的商品价值 X。

非贸易项下：该国赴中国人员在我国使用人民币的消费额 F。用 n_2 表示该国赴我国人次，用 c_2 表示人均消费额，则 $F = n_2 \cdot c_2$

人民币总回流量为：$B = X + F = X + n_2 \cdot c_2$

三、人民币在该国的沉淀量 C

$$C = A - B = (I + T) - (X + F) = (I + n_1 \cdot c_1) - (X + n_2 \cdot c_2)$$

由于资料不全，加上贸易项下的结算并不都是以人民币为结算货币的，并且我们很难得到用人民币进行贸易结算的比例，非贸易项下（比如旅游消费）也不都使用人民币，所以我们难以完全应用上述模型进行估算，只能以模型为基础，依据现有资料，考虑到各国和地区的实际情况进行估算。而且，上面的计算模式并没有包括非法活动导致的人民币流动，比如：洗钱、赌博、毒品交易、走私等。这些非法活动下的人民币流动量则更加难以统计和估算。针对这些问题，本书第九章还将采取非传统的方法以试图对人民币境外流量进行参考性的估计。

第二节　人民币在港澳台三地的流通情况

一、香港的第二货币——人民币在港流通态势

人民币在香港的流通和现钞兑换由来已久。内地与香港从古至今都

有着千丝万缕的联系。早在改革开放以前的 20 世纪 50、60 年代，内地与香港就有经贸往来。比如：到 2004 年 3 月，广东省已经向香港供水整整 37 年，供水量达 130 多亿吨①；香港每年进口蔬菜 45 万至 50 万吨左右，其中从内地进口蔬菜一直保持在 28 万至 33 万吨，约占市场供应量的七成左右。因此有理由推断：作为交换媒介和支付工具的人民币在香港的流通使用早在新中国成立后不久就开始了。但那时我国外汇非常紧缺，人民币管制严格，所以贸易货币多数为美元、港币等，人民币使用量很少。

随着两岸经贸往来和人员流动的日益增多，人民币在香港的流通规模不断增大。从贸易和投资上看，1978 年——改革开放刚刚开始，两地的贸易额为 108.45 亿港元，到 1993 年两地贸易额为 7400 亿港元，贸易额增加了 60 多倍，年均增长率为 35%②。据香港海关统计，1997年——香港回归年，两地贸易额为 507.7 亿美元③。自 1979 年以来，香港的投资一直居于吸引外资的首位。虽然大宗贸易货币主要是美元和港币，但以人民币结算可以避免汇兑损失，且方便直接，所以以人民币结算的小额贸易数额和投资数额在不断增加。

表 3－1　香港与内地的贸易状况（1997～2002 年）　（单位：亿美元;%）

年份	贸易总额	内地出口	内地进口	贸易差额	贸易额占内地总外贸额比重
1997	507.7	437.8	69.9	367.9	15.6
1998	454.1	387.5	66.6	320.9	14.0
1999	437.8	386.9	68.9	318	12.1
2000	539.5	445.2	94.3	350.9	11.4
2001	559.6	465.4	94.2	371.2	11.0
2002	691.9	584.6	107.3	477.3	11.1
2003	873.9	762.7	111.2	651.5	10.3

资料来源：1997～2000 年，《中国对外经济贸易白皮书》1999～2001 年。

2001、2002、2003 年，《中国海关统计年鉴》2003、2004 年，贸易差额和比重为计算所得。

---

① 新华社广州 3 月 14 日电（记者王攀）。

② 陈小蓓：《香港与大陆经济一体化趋势》，《港澳价格信息》1997 年 10 月。

③ 参见表 3－1。

　　从人员流动上看，人员双向往来导致大量人民币流往香港。随着两地关系的日益密切，尤其 1997 年香港回归以后，两地人员互动越来越频繁。香港是旅游和购物者的"天堂"，吸引了大批内地游客。近年来，内地访港旅客人数平均增幅达 20.8%。2000 年，取消访港旅客数量限制后，访港旅客的人数增长 53.4%，达 685.5 万人次。据统计，在 1996 年到 2002 年之间，香港共接待了内地游客 2573 万人次，香港特区政府旅游发展局预计，2004 年内地访港旅客达到 1120 万人次。内地客源已成为香港旅游业增长的"火车头"。而香港人到内地旅游、探亲访友乃至工作的"北漂"现象也引人注目。香港统计处的最新数字显示：从 1994 年至 2004 年，香港居民到内地旅行的总人次，平均每年增长 9.2%①。2004 年香港居民前往内地旅行达 5970 万人次②。有人甚至每天都要往返在香港和内地之间工作与生活，因此使用单一人民币比较方便③。

　　人民币在香港的流通使用范围也在逐渐扩大。最初主要是中环、湾仔、铜锣湾等地的金店及首饰行的商家，试验性地提供人民币付款服务。最近，一些连锁便利店也加入了收兑人民币的行列，如遍布港岛的 seven - eleven 便利店及诸多的屈臣氏连锁店内，会看到"欢迎使用人民币"的告示。目前，人民币在香港已经成为仅次于港币的第二大交易货币。

　　人民币在香港流通的规模和范围的扩大，表明了香港人由最初的担心有风险而不愿接受人民币到主动欢迎人民币的态度转变，表明了香港与内地包括经贸和人员在内的各种交流和联系的日益密切。

　　但是，在 2003 年年底之前，香港的人民币流通一直以来都纯属于民间行为，几百亿的人民币现金在香港银行体系之外运行，找换店和地下钱庄等非官方渠道在这其中发挥着主要作用。还有一部分人民币通过贩卖毒品、赌博、走私和洗钱等非法渠道流入香港。有从事洗钱研究的律师认为，目前香港客观地成为了全球人民币的洗钱天堂，大量现金存在状态为洗钱提供了便利条件。监控资金流动的政府官员称，实际上，

---

①　中国网，http：//www. china. org. cn/chinese/TR - c/922413. htm 。
②　新华网，http：//news. xinhuanet. com/newscenter/2005 - 05/20/content_ 2981967. htm。
③　参见图 3 - 1。

每年都有数十亿美元被走私到香港和澳门。据查，震惊中国的厦门远华走私案主角赖昌星通过地下钱庄"洗"到加拿大的黑钱总计120亿元人民币，其中部分与香港的跨境洗钱集团有关。他们以每次100万港元的方式将赖的黑钱偷运至香港宝生银行，而后汇至其子在加拿大的银行账户。

人民币在港流通规模和范围的不断扩大，客观上要求政府出面将在港人民币纳入正常的货币流通渠道。2003年11月19日，中国人民银行与香港金融管理当局签订了合作备忘录，批准香港银行在港办理人民币存款、兑换、汇款和银行卡四项个人人民币业务。中国人民银行发布《公告》，宣布将为在香港办理个人人民币存款、兑换、银行卡和汇款业务的银行提供清算安排。内地居民可以持内地银行发行的个人人民币银行卡在香港消费和少量提现，可每次在香港银行柜台兑换等值6000元人民币的港币或人民币。2004年2月25日，中银香港等香港银行正式推出个人人民币存款、兑换和汇款业务，至3月底，人民币存款已达50亿元。内地旅客自1月18日在香港使用人民币银行卡以来，至4月3日，也已累积消费2.19亿港元。香港金融管理局8月31日公布，人民币存款达72亿元人民币，较6月份增加4亿元人民币①。香港特区政府财经事务及库务局局长马时亨透露，目前人民币卡在香港签账消费平均每周达到2300万港元。他预测，整体人民币业务量将会稳步增加。

对于人民币在港流通的规模，香港和内地有不少机构和研究者曾做过经验性的粗略估计；另外，本书第九章将以专门篇幅详细介绍这方面的估计方法和结果。不过为了对此有个直观的印象，我们在此先进行初步的估算。

估算一：人民币流入香港数量的粗算

由本文上述相关数据，在1996年到2002年之间，香港共接待了内地游客2573万人次，2003年接待931.01万人次②，预计2004年内地访港旅客将达到1120万人次，则从1996年到2004年之间香港共接待内

---

① 来源：国际金融报2004年9月1日。

② 国家统计局：《2003年中国旅游业统计公报》，《中国旅游报》2004年8月2日。

地游客：2573 + 931.01 + 1120 = 4624.01 万人次。从 1993 年开始，中央政府实施规定，内地居民允许携带不超过 6000 元的人民币出境。如果内地游客出境后，仅将规定允许携带的不超过 6000 元人民币中的一半钱花在香港，则 2004 年流入香港市场的人民币数量为：4624.01 × 3000 = 13872030 万元 = 1387.2 亿元。

但是，我们以上的估算还没有考虑人民币以地下方式出境的数额。如果把以地下方式流到香港的人民币计算在内，再考虑到香港银行开始办理个人人民币业务以来，人民币储蓄和消费的增长额，人民币在港的流通规模将会更大。同时，也应认识到，以上估算的数据只是人民币在香港的累计流通量，有一部分人民币通过香港中转经洗钱后流出香港，还有一部分以到内地旅游、探亲、消费等形式又回流到内地。如图 3-1 所示：港澳居民入境人次和携钞数逐年递增。所以，在香港的人民币实际沉淀量相对要小，但是随着香港银行个人人民币业务的开展，沉淀量将会越来越大。

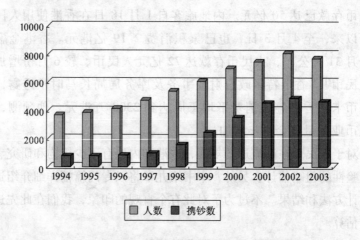

图 3-1 港澳入境内地的人数及携钞数量（1994～2003 年）

数据说明——单位：人数为万人次，携钞数为千万元人民币。

资料来源：环亚经济数据库公司，2003 年。

估算二：人民币在香港沉淀数量的粗算

以 2002 年的相关数据做基础，我们可以测算出 2002 人民币在港沉淀量占港币供应量的 11.26%，占全港总货币供应量的 9.88%。

其测算过程如下：在 1996 年到 2002 年之间，香港共接待了内地游客 2573 万人次，按内地游客出境后平均花费 3000 元人民币计算，2002 年香港市场上的人民币累计流通量为 2573×0.3＝771.9 亿元。

2002 年港澳居民进入内地携钞量为 486.5 亿元，2002 年香港的年中人口为 678.7 万，而澳门 2002 年的年中人口为 43.9 万[1]，只占香港当年人口的 6.5%，而且香港与内地的人员流动更加频繁，所以，我们假定香港居民进入内地携钞量占港澳居民入内地携钞量的 95%，即 462.2 亿元。

则 2002 年香港人民币沉淀量为 771.9－462.2＝309.7 亿元。

2002 年港币的供应量为 2594.11 亿港元，即 2751.57 亿元；总货币供应量为 2956.50 亿港元，即 3136.0 亿元（按照 2002 年全年累计平均值人民币 106.07 元/100 港币计算），[2] 则 2002 年人民币在港沉淀量占港币供应量的 309.7/2751.57＝11.26%，占全港总货币供应量的 309.7/3136.0＝9.88%。

可见，无论怎么估算都足以说明人民币在香港的流通规模已经相当可观，客观上已经具备了把在港人民币纳入正规流通渠道的必要性。在这种情况下，香港成为人民币离岸金融中心，在港人民币成为离岸人民币的问题应时浮出了水面。目前，香港银行已经开始办理个人人民币业务，使得在港流通的人民币有合理、公开的流通渠道，减少了地下钱庄以及"洗钱"事件的发生，从而推动香港的人民币业务健康发展。

当然，香港开办的个人人民币业务不涉及人民币的贷款和投融资业务；因此，与人民币离岸中心的业务还有明显区别。不过，其意义仍是全面且深远的：首先，经营存款业务可以扩大人民币在港的功能；其次，开拓了汇款和信用卡业务的发展空间；再次，为建立人民币境外清算体系奠定了基础。近年来中国的经济实力迅速增长，人民币的国际信用地位日益提高，但人民币之所以没成为真正的离岸货币，一个重要原因就是人民币仍不是自由兑换货币，境外要经营人民币业务尚无从结算。目前中国人民银行已委任中银香港作为在港人民币业务的清算行，

---

① 数据来源：《中国统计年鉴》2003，中国统计出版社 2003 年版。

② 数据来源：《中国统计年鉴》2003，中国统计出版社 2003 年版。

这意味着中国已经开通了离岸人民币局部兑换的渠道，同时也显示香港已经捷足先登，建立了全球第一个离岸人民币清算体系，这为香港日后成为人民币离岸中心奠定了基础和优势。

二、赌城的吸引力——人民币在澳门流通态势

澳门与内地一直以来就保持着十分密切的联系。人民币在澳门的流通可以说主要是民间力量推动的结果。人民币在澳门流通规模的扩大与澳门和内地之间的日益密切的经贸和人员往来尤其是旅游业的快速发展是分不开的。

澳门是一个极其典型的海岛型经济区域。比诸英国、日本、新加坡和中国香港、澳门的物资自给率更低，生产和生活物质都靠外面供应，而最大的供应者是内地。

内地所提供货物的品种与数量与年俱增，其中以生活必需品为最多。以大米为例，20 多年来，我国内地输往澳门的大米约 1.5 万吨左右，占澳门销量的八成。其他如活猪、活鸡、鲜蛋、蔬菜、塘鱼供应量在澳门市场所占比重，分别为六成到百分之百。连水也由内地从 1960 年 3 月 8 日起开始供应①。

在生产物质方面，澳门制衣业现已成为澳门最大的出口行业，所用棉布和棉涤纶的一半甚至一半以上，是我国内地各省所产。澳门毛纺织厂所用的兔毛、羊绒、神香厂所用的香粉、香竹以及彩瓷厂所用的白瓷胎，也主要靠内地供应。其他如建筑材料——圆钢、水泥、沙、石、砖瓦、泥土等，内地供货所占比例更大，有些更以内地为唯一供应来源。石油产品供应，以 1981 年的统计数目为例，内地输澳成品油占全澳成品油进口总值的 40%，煤气占 74%，轻柴油占 77%②。

劳动力是一种重要的资源，澳门在七八十年代经济突飞猛进，从内地得到大量劳动力就是一个重要原因。

如此密切的经贸和人员往来说明人民币早在改革开放之前就已经在澳门民间存在了。只不过那时由于人民币管制极其严格，人员往来严格

---

① 人民网，http：//www.people.com.cn/GB/shizheng/252/7104/7108/20011217/628882.html。
② 人民网，http：//www.people.com.cn/GB/shizheng/252/7104/7108/20011217/628882.html。

限制，应该说在澳门人民币量很少，多作为"边境小额贸易"支付货币的方式流通。

内地改革开放以后，两地经贸往来更加频繁，内地已经成为澳门的第一大原材料进口地，第三大产品出口地，并且贸易量逐年增加（见图3－2）。

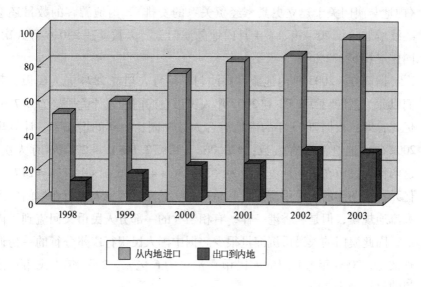

图3－2 澳门对内地的进出口贸易状况（1998～2003年）

数据说明——单位：亿澳门元。

资料来源：《中国统计年鉴》2003、2004。

内地与澳门的工业合作和金融投资也日益频繁。截至1993年10月，澳门厂商在内地的投资项目超过1500个，合同投资约4.5亿美元。中国资本是支持澳门经济发展的重要支柱。到1993年10月，在澳门的中资企业已达200多家，总资产超过400亿元澳门币，中资已成为澳门第一大外资，主要投资在澳门的工业、贸易、经贸、旅游、建筑、交通运输和保险等行业，在主体经济中占有相当的比重，其中在金融业中占50%，贸易中占45%，旅游业中占25%，建筑地产中占40%①。截止到2003年第四季度，澳门在内地投资已达53亿美元，项目8200多个。

---

① 人民网，http://www.people.com.cn/GB/shizheng/252/7104/7108/20011217/628882.html。

此外，内地在澳门承包工程、劳务合作及设计咨询也在不断增加①。

随着经贸关系的日益密切、澳门的回归和内地逐渐放宽内地居民出境限制，内地和澳门的人员流动也逐渐频繁起来。澳门的内地访客逐年递增，尤其是旅游业迎来了越来越多的内地游客。2003 年内地有479.06 万人次赴澳，同比增长 72.1%②。根据内地和澳门双方签署的《内地与澳门关于建立更紧密经贸关系的安排》，内地游客的数量还会继续增加。仅 2004 年 1～4 月内地赴澳门旅游人数就达 230.6 万人次，同比增长 67.22%③。

据调查，2003 年内地旅客在澳门平均每人消费 2874 元人民币，我们以此为基准测算 2002 和 2003 年人民币在澳门的累计流通量为 217.68 亿元，即：根据 2003 年的内地游客人数和同比上年的增长率，计算出2002 年内地赴澳游客人数：479.06/（1 + 72.1%）≈278.36 万人次，这两年人民币在澳累计流通量为（278.36 + 479.06）×0.2874≈217.68 亿元，仅两年的人民币流通量就超过 200 亿元，可见人民币在澳门的巨大流通规模，但是和香港一样，有相当大的一部分人民币又回流到了内地，因此澳门的人民币沉淀量很少。据中国人民银行广州分行的一份调查估计，2000 年末澳门的人民币存量仅为 6 亿元。2001 年人民币在澳门的兑换量为 20 亿元④。

目前，中国人民银行已经宣布为澳门银行办理个人人民币业务提供清算渠道和回流机制。澳门居民个人可以在澳门银行开立人民币存款账户。任何个人可在澳门银行柜台，每人每次兑换不超过等值 6000 元人民币的现钞，有存款户的每人每天可以兑换不超过等值两万元人民币。此外内地和澳门居民还可以享受相关的银行卡汇款等服务。预计人民币在澳门的流通量和沉淀量将会进一步增加。

在谈到人民币流入澳门的时候，有一种不能不被提及的流入方式：人民币以赌资形式流入澳门。澳门的博彩业历史悠久，十分发达。2003

---

① 新华网，http://news.xinhuanet.com/newscenter/2003 - 11/11/content_ 1172765. htm。
② 国家统计局：《2003 年中国旅游业统计公报》，《中国旅游报》2004 年 8 月 2 日。
③ 数字来源：南方网讯，2004 年 6 月 11 日。
④ 郑航滨：《人民币区域化和海峡两岸货币合作机制问题》，福建金融管理干部学院学报 2003 年第 5 期。

年 7 月，内地开放港澳个人游以来，赴澳内地客超过香港客，成为澳门赌场主要客源地。内地腐败官员和国企腐败老总、东南亚涉黑团伙、各地富豪，是赌场豪客的主要来源。截止到 2005 年元月，中国法律规定：到海外旅行或进行商务活动的中国人最多只能携带 6000 元人民币；之后，最高限额增大到 2 万元，但许多中国人在澳门的赌桌上动辄挥霍数万甚至数十万美元。在澳门葡京和新开的金沙赌场，所见者多是内地赌客，国家官员用公款豪赌的现象有愈演愈烈之势。过去几年中，已有数十名内地官员或国有企业领导栽在澳门赌场，他们输掉的钱款，少则几百万元人民币，多则上亿元人民币。由于澳门大小赌场一直非常低调，不会轻易把赌客们的情况泄漏出去，所以这一部分流入澳门的人民币很难统计。

通过对澳门人民币流通情况的调查，我们发现在澳门的人民币有流量大、存量小的特点，同时也发现一些问题，如：统计资料不全面。如对澳门人民币赌资的统计缺失；内地贪污受贿的赃款和挪用的国有资产以赌资形式流入澳门，造成巨额公款流失。

三、政治问题下的货币问题——人民币在台湾流通态势

货币是我们目前的经济生活中离不开的交易工具，要想了解人民币在台湾的流通态势，首先应该看看大陆与台湾的经济贸易和人员往来的情况，因为这些是人民币在台湾流通的基础和条件。

台湾与内地的贸易、投资和人员往来情况。

（一）两岸贸易情况

台湾与大陆的贸易往来历史悠久。国民党于 1949 年退居台湾后，海峡两岸进入长期军事对峙时期，台湾与大陆的贸易从此中断长达 30 年之久。直到 70 年代末，通过香港等第三地的两岸间接贸易才逐渐恢复，但初期贸易量不大。

20 世纪 80 年代后期以来，两岸贸易有较大发展。1987 年 7 月 1 日，大陆对台贸易改由经贸部实施全面集中管理，并对进出口商品实行许可制度，规范两岸间接贸易。同时，台湾当局首次公开宣布开放大陆 27 项农业原料间接进口，大陆产品对台出口从"禁止"、"默许"转为"合法化"，两岸间接贸易逐渐进入正轨。同年 11 月，台湾当局正式开

放台湾同胞赴大陆探亲，打开了封闭长达 38 年之久的海峡大门，两岸关系从此进入一个新的时期，两岸经贸往来也随之迅速发展。据香港海关统计，1987 年，两岸间接贸易达到 15.2 亿美元，1992 年增至 74.1 亿美元。

随着两岸贸易的不断发展，两岸经济的相互依赖程度也不断增加。台湾对大陆的贸易依存度从 20 世纪 70 年代末的 0.25% 上升到 90 年代后期的 10% 左右，2001 年上升至 12.6%。其中台湾对大陆出口市场依存度更高些，从 70 年代末的 0.13% 上升到 90 年代中期以后的 16% 以上，2001 年达到 19.6%，2002 年超过 20%。不过，由于从大陆进口较少，台湾对大陆进口市场的依存度虽呈持续上升趋势，但所占比重较低，2001 年超过 5%，2002 年超过 6%。

将香港与大陆合计，2002 年，其与台湾的贸易总额达到 505 亿美元，占了台湾对外贸易总额的 20%，成为台湾最大的贸易伙伴；大陆及香港占台湾出口的比重达 32%，超过美国与日本之和，高居第一位；台湾从大陆及香港的进口比重为 10%。这充分显示了大陆对台湾经济的意义日益重要。①

从台湾与大陆的贸易发展情况看，两岸的贸易额和相互贸易依存度在不断增加，但是由于台湾当局的阻挠，两岸的贸易不能直接进行，只能通过香港等地转口进行，这在一定程度上阻碍了两岸的正常经贸往来。自然，人民币在台湾的流通也受到限制。目前，两岸银行并没有就以人民币作为贸易结算货币达成任何协议。

但是，贸易上大陆方面存在的巨额逆差客观上造成人民币净流入台湾的态势。两岸的小额贸易和民间自发贸易使人民币以贸易结算货币的形式流入台湾。

（二）两岸投资情况

台商对大陆的投资，早期皆以外销为主，因此投资地点都是开放较早、交通便利的沿海地区，如福建和广东。随着大陆对外开放幅度与范围不断扩大，经济发展重心逐渐北移，台商在大陆投资地域分布趋势也逐渐扩散至华东及华中地区，尤其以江苏地区为主。

---

① 中国网 http://www.china.org.cn/chinese/zta/439703.htm。

目前，在大陆投资的台商及台企干部接近 100 万人，其中台商有 60 万以上。

台湾《投资中国》杂志的资料显示，截至 2003 年中期，台商赴大陆投资的家数累计已经有 68115 家，累计合同台资金额已达 1295.46 亿美元，实际利用台资金额 773.57 亿美元，已向 800 亿美元逼近[①]。

（三）两岸人员流动情况

1987 年至今，台湾居民来大陆累计近 3200 万人次，而大陆居民赴台累计仅 96 万人次，两岸人员往来极不平衡。国台办交流局有关负责人在接受记者采访时说，台湾当局迄今不开放大陆居民赴台旅游，对两岸交流采取种种限制措施，这是两岸人员往来失衡的根本原因。

2000 年以后，来往大陆的台湾居民和往来台湾的大陆居民人数增加得很快；2001 年，大陆居民赴台人数达到 10.3 万人次，台湾居民来大陆人数达到 310.2 万人次；2002 年，也分别达到了 13.9 万人次和 366 万人次[②]。

统计显示，2004 年 1～6 月，台湾居民来大陆 1696735 人次，同比增长 61.78%；大陆居民赴台 70818 人次，同比增长 28.3%（其中赴台交流 10093 人次，同比增长 15.6%）[③]。

人民币在台简况

在两岸同胞的共同努力下，两岸"三通"取得了一些进展，但由于台湾方面的阻挠和不合理限制，两岸直接"三通"至今仍未实现。这严重阻碍了两岸正常的贸易、投资和人员交往。人民币在台湾的流通自然没有得到台湾当局的法律认可。

但是，哪里有需求，哪里就有市场，人民币也不例外。随着大陆经济走强，两岸经贸往来和人员交流的规模已相当可观，人民币的地位和影响日益提高。台湾对大陆的贸易顺差地位、台商对大陆不断增加的投资额、台湾居民赴大陆经商、旅游、探亲访友、文化交流等活动的日益

---

① 华夏经纬 http：//www.huaxia.com/sw/tzdl/00208640.html（原来源：《台声》杂志 2004 年 5 月，作者：方晓）。

② 你好台湾网 http：//www.nihaotw.com 2004 年 2 月 11 日。

③ 新华网北京 2004 年 9 月 14 日电（记者张勇）。

频繁，使得台湾对人民币的需求不断上升，岛内人民币的流通使用呈现不断升温的趋势。

人民币在台湾经历了一个由不承认到逐渐放宽并趋于承认的过程：全面禁止阶段（1949～1990年）；消极缄默阶段（1991～2000年）；逐步放宽阶段（2000年至今）。2002年7月，中国人民银行正式批准大陆商业银行与台湾银行办理直接通汇，目前，大陆主要商业银行与台湾主要商业银行基本上都建立了直接通汇关系。

台湾居民私下接受人民币作为流通手段。不仅岛内旅游景点和专卖大陆货的商店私下接受人民币，而且岛内非法兑换和交易人民币也很盛行。台湾银行业人士说，台商投资大陆，至少有400亿美元未经过正常金融渠道，银楼等地下金融渠道所起的作用可想而知。目前在大陆的台商及家属已超过百万人，人民币与台币的兑换通常都通过地下金融渠道进行，往来日益活跃，其规模之庞大，已有取代正规金融体系之势①。

开放人民币在岛内的兑换使用势在必行，只是时间问题。有消息说，目前，有关人民币在台湾银行挂牌的基本策略已经确定，如果两岸银行签订清算协定，让人民币和新台币有清算的机制，应当可以让岛内银行挂出人民币买卖汇率，实现人民币在岛内合法兑换。

人民币在台规模

因为台湾和大陆的经贸和人员往来复杂，且人民币流入原因、流入渠道众多，而且还存在大量黑市交易，所以人民币在台湾流通规模的测算比较困难。根据综合测算，在台湾岛内和两岸台湾同胞手中持有的人民币（包括人民币存款）存量大约为30亿～40亿元，流通的规模则高达近百亿元②。

可以预计，随着两岸关系的日益紧密，人民币在台湾的流通将会转为合法化，流通规模和沉淀量会越来越大。

---

① 人民网 http://www.people.com.cn/GB/shizheng/1025/2647319.html。

② 郑航滨：《人民币区域化和海峡两岸货币合作机制问题》，《福建金融管理干部学院学报》2003年第5期。

第三节 人民币在东南亚周边国家的流通情况

图 3-3 我国东南亚周边各国

一、地摊银行和博彩业——人民币在越南流通态势

越南与我国的云南省和广西壮族自治区接壤，边境线很长，绵延四千多公里。人民币在越南的流通开始于边境居民的相互贸易。尽管分属两国，但是边境附近的居民生活习惯相同、文化和语言相通，所以有进行贸易的土壤。这种民间自发的贸易导致人民币在中越边贸市场上流通。随着边贸的日益活跃和中国居民到越南旅游人次的增加，两国跨境

人数不断增加，进而对人民币的需求不断增加，导致人民币的流通规模不断增大。

在越南，贸易、旅游、投资、博彩、留学、探亲等交往中都不同程度地使用人民币，交通、购物都可以拿人民币直接付账。在靠近中国云南省的越南河宣省等地，游客可以直接用人民币购买水果、矿泉水和各种各样的纪念品。在越南做生意的中国人可以直接把人民币带到越南使用。中越边贸成交额中有 95% 以人民币进行结算（越南政府已经批准其出口贸易中使用人民币结算），并且，中越两国的贸易额十年间增长了近 67 倍①，2001 年两国贸易总额超过 28 亿美元，2002 年达 33 亿美元，2003 年为 46 亿美元②（只限与中国内地的贸易）。目前，人民币不仅在越南北部地区普遍流通，而且在胡志明市等南部地区的贸易往来也使用人民币。

早在 1992 年和 1993 年，净流出到越南的人民币就分别达到 0.9 亿元和 1.3 亿元，在越南边境地区的农业银行办理人民币保管、存贷业务③。据估算，目前人民币在越南存量在 35 亿元以上④。这还不包括这些国家的企业和个人在中国境内的金融机构中开立的、用于边贸结算的人民币账户，估计未来人民币的流通量会更大。我们可以通过考察近两年的中国公民赴越南情况看到这个趋势：2003 年中国居民赴越 60.66 万人次⑤，越南旅游总局副局长范慈说："由于越南已允许持旅游通行证的中国游客到越南全境旅游，因此，2004 年越南预计可接待 100 万人次中国游客。"按每人次平均消费 3000 元计算，仅 2003 和 2004 两年的人民币在越南的流通量就将为 48.2 亿元。

另外，人民币也已经进入越南的投资领域，出现了中方边境企业和个人用人民币到越南投资办企业、投资越南股市，甚至一些越方"地摊

---

① 郑航滨：《人民币区域化和海峡两岸货币合作机制问题》，《福建金融管理干部学院学报》2003 年第 5 期。

② 数据来源：《中国统计年鉴》2003，中国统计出版社 2003 年版。

③ 景学成：《亚太经济发展与中国周边金融》，中国金融出版社 1996 年版，第 8 页。

④ 巴曙松：《人民币国际化的边境贸易之路》，《宏观中国》2003 年第 22 期。

⑤ 国家统计局：《2003 年中国旅游业统计公报》，《中国旅游报》2004 年 8 月 2 日。

银行"① 开展人民币短期资金融通和交易担保业务的现象。地摊银行遍布中越边民互市贸易区，主要提供货币兑换服务，一般没有固定的营业场所。据云南省昆明海关统计，2002 年，河口县边境贸易总额达 16 亿元，而在银行结算的额度仅为 5 亿多元，仅是当地边贸总额的 1/3②，地摊银行的活跃可见一斑。目前，该类摊点的合法地位已经获得越南官方的认可，"地摊银行"只要注册登记后即取得合法地位。

从 1996 年起，中国农业银行和中国工商银行先后在东兴、凭祥、河口等边境城市与越南方面开展了边贸结算业务。目前，我国银行的边贸结算网点或外汇业务点已遍布边境线上的国家一类口岸、国家二类口岸和边境贸易互市点。分布在中越 4000 多公里边境上的大小边境贸易互市点逐渐告别了"地摊银行"，资金流动开始纳入正规的银行结算渠道。

但是，"地摊银行"分布广泛，手续十分简便，方便人们兑换，而且，兑换过程还可以像买卖商品一样讨价还价，所以"地摊银行"仍有其旺盛的生命力，并没有退出历史舞台。

人民币流入越南的另一种引人注目的方式是以赌资的方式流入越南。例如，在中越边境的越南芒街市，2000 年初开了一家赌场，第一年获利就接近两亿元人民币。而且这里只收人民币、港元和美元，前来赌博的人 90% 是中国人。如果按照以上资料进行推算，假定该赌场每年获利以 10% 的速度增长，那么到 2004 年获利累计为 12.2 亿元，如果来自中国人的收入也占 90% 的话，则仅该赌场四年之间就收到由中国流入的人民币 11 亿元。可见，以赌资形式流入越南的人民币的规模之大。

可以说，人民币在越南的流通有流通范围广、流通渠道多、支付能力强、兑换简易方便、地摊银行多、赌资等非法流入呈上升趋势的特点。

二、政局动荡下的毒、赌市场——人民币在缅甸流通态势

缅甸与我国西南边境接壤，边贸和旅游等经济贸易活动和人员交往

---

① 地摊银行是边贸发展的初期，人们习惯用现金交易而衍生的一种特有现象。是在边境互市点里，个人或小的集团经营的货币业务，是一种非正规的货币业务，经营业务主要有直接兑换现钞的"业务"，也开展代理支付、提供临时融资和交易担保"业务"。

② 《有关人士称境外流通人民币已超过 300 亿元》，《人民日报》2003 年 4 月 2 日。

都非常频繁。由于缅甸外汇缺乏及政府更迭,经济尚未走出困境,目前缅甸的通货膨胀率高达30%,缅币与美元的市场汇率约为700:1[①],这些都导致流通中的缅甸货币废止,而人民币币值稳定,加上两国之间各种交流紧密,所以目前,人民币在缅甸全境流通,大有替代缅甸货币之势。

在中缅贸易中基本使用人民币进行结算。据不完全统计,2001年云南德宏州通过边贸渠道流到缅甸的人民币现金大约6000万元,流入的人民币现金大约8600万元,缅甸商人在云南瑞丽的人民币存款已逾10亿元[②]。

缅甸希望通过吸引中国游客,振兴国内旅游业,以此来重建经济。缅甸政府允许赴缅甸旅游观光的中国游客用人民币支付在缅甸旅游期间的费用,来缅甸旅游的每位中国游客可携带6000元人民币入境,不必向缅甸海关申报[③]。在某些地方,市面上几乎见不到缅甸货币,甚至连当地政府也用人民币来采购货物。

中缅边境上的博彩业是导致人民币流入缅甸的一种地下渠道。有消息说,在西南、西北边界的泰国、缅甸和中亚一侧,以中国人为主要消费对象的博彩业近年大量兴起,其中又以中缅边境的金三角最负盛名。该处的赌博业正取代毒品业,成为经济支柱。距中国边境仅3公里的缅甸掸邦第四特区首府孟拉,酒店高档,赌场林立,赌场多由中国人承包,客源也来自中国。在当地赌场,听到的全是中国各地口音,大陆豪门赌客押注出手高达5万~8万,最高押注可达80万。大厅四周还有各式贵宾房,令人仿佛置身澳门[④]。据说,这些赌场专为吸收外汇,尤其是为吸收人民币而建成的,缅甸的居民禁止入内。

另一个人民币非法流入缅甸的渠道是毒品走私,尤其在中缅边境的金三角地区毒品走私活动非常猖獗,他们早已形成一个制毒贩毒的网络。其中我国边境居民还有人私自种植罂粟卖给毒品走私分子,他们之间用人民币进行交易占很大比例。

---

① 中国——东盟自由贸易区网站 http://www.cafta.org.cn/shshshow2.asp?zs_id=4675。

② 郑航滨:《人民币区域化和海峡两岸货币合作机制问题》,《福建金融管理干部学院学报》2003年第5期。

③ 中国网 http://www.china.org.cn/chinese/TR-c/173474.htm。

④ 千龙网 http://www.qianlong.com/2955/2004/12/31/183@2452199_2.htm。

对于人民币在缅甸的流通量和沉淀量还没有一个确切的估计,调查过程中,我们发现官方统计资料不全面,查找资料渠道不畅通;通过博彩和毒品走私进入缅甸的人民币情况难以调查。

但是从以上边贸、旅游、博彩和毒品走私几个方面就可以看出,人民币在缅甸的流通规模很大。我们以仅有的一点资料作个估算,期望能以小见大。2003 年中国到缅甸旅游的人数为 7.45 万人次[①],按照人均消费 3000 元计算,2003 年通过旅游途径流入缅甸的人民币为 2.235 亿元;2001 年,缅甸商人在云南瑞丽的人民币存款已逾 10 亿元;2001 和 2002 年两年中国的进口总值即缅甸对中国的出口总值约为 22.4 亿元,因为中缅贸易基本用人民币结算,所以这 22.4 亿元完全是人民币的流通。这几项加起来为 34.635 亿元。但是我们也应看到中缅贸易中缅甸一直处于入超地位,如果缅甸从中国进口的商品以人民币进行结算,缅甸的人民币将会从缅甸净流出,即人民币又以贸易结算的方式回流到中国,并不会沉淀在缅甸。

三、疲弱货币的代替品——人民币在老挝流通态势

老挝与我国西南地区接壤,两国边境活动频繁。现已开放的中老边境口岸有勐腊、景洪。老挝北部与我国接壤的三省是:丰沙里省、乌多姆省、南塔省。老挝北部三省的人民币是疲弱的本地货币的代替品,完全可以替代当地货币流通,可以用来在边境两边进行任何交易或购买任何物品。在老挝的北部省份芒塞省,来自中国重庆与四川的中国人非常多见,在他们之间流通的就是人民币,当地人也毫不拒绝人民币,老挝货币——基普由于发生过贬值,倒不怎么受欢迎。

老挝和缅甸与中国的跨境贸易近年大量增加,贸易额每年可达数十亿美元,全部以人民币结算,即每年大约有上百亿元的人民币流通量。但是,从统计数字上看,中缅贸易量要远远大于中老贸易量(如表 3－2 所示)。所以,中老之间的人民币流通量要远小于中缅之间人民币的流通量。但对于人民币的流通量和沉淀量因目前的统计资料不详而没有一个确切的估计。

---

① 国家统计局:《2003 年中国旅游业统计公报》,《中国旅游报》2004 年 8 月 2 日。

表3－2　缅甸和老挝对中国贸易总额的比较　（单位：万美元）

年　份	2001	2002	2003
中缅贸易总额	63154	86164	107974
中老贸易总额	6187	6396	10944

数据来源：《中国统计年鉴》2003，2004。

老挝的旅游业刚刚起步，接待能力有限。目前，老挝并不是中国公民旅游的目的地国，所以前去旅游的中国游客很少。

老挝与中国接壤边境附近的博彩业很盛行，可能因为老挝的外汇非常短缺，与中国的外贸又处于入超地位，所以可以通过为中国人开赌场来变向吸收外汇——人民币。毒品走私也导致人民币流入老挝，尤其是"金三角"地带，那里有很多当年的国民党旧部，对人民币有一定的感情。

四、国家储备货币——人民币在柬埔寨的流通态势

柬埔寨并不与中国接壤，但是两国相距并不遥远，双方有贸易和人员往来。2001年两国贸易总额为24045万美元，2002年的贸易额为27611万美元[①]，2003年达到32065万美元[②]。

柬埔寨是世界有名的佛教旅游胜地，吸引了很多的中国游客。2003年中国公民赴柬埔寨2.65万人次，比上年增长了5.7%[③]，则2002年的中国赴柬埔寨人数为2.51万人次［即2.65/（1+5.7%）=2.51万人次］，按照人均消费3000元人民币计算，2002和2003年两年累计通过旅游方式流入柬埔寨的人民币为1.548亿元，即（2.51+2.65）×0.3=1.548亿元。

现在，人民币在柬埔寨已经成为硬通货，柬埔寨首相洪森公开号召本国人民使用人民币，欢迎人民币在本国市场上流通，并且把人民币作为国家的储备货币。由于有关柬埔寨的人民币数据、资料很少，故难以估计其流通量和沉淀量。

五、兴旺的贸易和发达的旅游——人民币在泰国的流通态势

泰国与中国没有领土接壤，但两国并不遥远，双方经贸和人员往来

---

① 数据来源：《中国统计年鉴》2003，中国统计出版社2003年版。
② 数据来源：《中国统计年鉴》2004，中国统计出版社2004年版。
③ 国家统计局：《2003中国旅游业统计公报》，《中国旅游报》2004年8月2日。

密切。且中泰两国的贸易量逐年增长，2001 和 2002 年的贸易总额分别为 705096 万美元、855695 万美元[1]，2003 年达到 1265475 万美元，即 126.5 亿美元的高位[2]，其中泰国处于出超地位。

泰国是我国第一个开辟为境外旅游市场的国家，其旅游业非常发达，每年都吸引了大批的中国游客。2003 年赴泰国的中国公民人数为 52.78 万人次[3]。为了吸引中国游客，促进旅游消费，在泰国，人民币虽然没有在市场上直接流通，但在一些中国游客光顾较多的金店和旅游商品店里，人民币可以直接用来购物。另外，有泰国人到中国做生意，因为他们要经常使用人民币，所以他们很愿意中国游客在泰国使用人民币买他们的商品。

但是，并非所有的中国游客在泰国都使用人民币消费，接受人民币的金店和旅游商店的数量以及所接受的人民币数额难于统计；而且泰国的博彩业也是其吸收人民币的一个渠道，这方面流出的人民币数额更是难以调查，所以很难对在泰国流通和沉淀的人民币进行估计。根据巴曙松（2003）估计，泰国境内的人民币约有 44 亿元[4]。

六、花园城市和离岸金融中心——人民币在新加坡的流通

有"花园城市"美称的新加坡在中国游客中间人气比较高，每年都吸引大量的中国游客去新加坡旅游。2003 年赴新加坡人数为 26.21 万人次[5]。自 2003 年起，到新加坡旅游的中国游客数量就超过了日本游客。随着中国游客数量的不断攀升，在新加坡可以用人民币购物的购物中心和商店也不断增加。

为了抢占中国人赌博这块大蛋糕，新加坡正在讨论是否解除对赌博的禁令。可见有人民币通过地下渠道流入新加坡。

新加坡是世界有名的离岸金融中心，对人民币的流动基本不加限制。以其他外币流动量推算，经常进出新加坡资本市场的人民币在 500

---

[1] 数据来源：《中国统计年鉴》2003，中国统计出版社 2003 年版。
[2] 数据来源：《中国统计年鉴》2004，中国统计出版社 2004 年版。
[3] 国家统计局：《2003 年中国旅游业统计公报》，《中国旅游报》2004 年 8 月 2 日。
[4] 数字来源：巴曙松：《人民币国际化的边贸之路》，《宏观中国》2003 年第 22 期。
[5] 国家统计局：《2003 年中国旅游业统计公报》，《中国旅游报》2004 年 8 月 2 日。

亿元以上①。可以说，新加坡已经成为重要的离岸人民币市场之一。

第四节　人民币在西部周边国家的流通情况

图3-4　我国西部边境各国

一、基于边贸和旅游的推动——人民币在巴基斯坦的流通

巴基斯坦与我国新疆接壤，中巴一直保持着良好的睦邻友好关系，两国从20世纪50年代初起就建立了贸易关系，开展贸易活动。1963年

---

① 郑航滨：《人民币区域化和海峡两岸货币合作机制问题》，《福建金融管理干部学院学报》2003年第5期。

1月,两国签订第一个贸易协定。1968年签订双边边贸协议,并于第二年正式展开。1982年10月,成立了中巴经济、贸易和科技合作联合委员会。经过双方的共同努力,两国的经贸合作有了长足进展。特别自90年代以来中巴进出口额增长较快,2002年两国贸易额为18.0亿美元,2003年达24.3亿美元①。

2003年2月,应巴基斯坦商会的申请,巴基斯坦中央银行批准在该国出口业务中使用人民币进行结算,这使得巴基斯坦成为继尼泊尔、越南、俄罗斯和蒙古四个国家后,第五个将人民币用于出口结算的国家。此前,中巴间的贸易往来都是以美元来支付和结算的。但是,巴基斯坦人对人民币并不陌生。因为中巴贸易关系建立得很早,双方边贸往来已有很长的历史,以人民币进行交易在民间已经存在。目前,在中巴活跃的边贸中,以人民币方式支付占了很大比例。在巴基斯坦的大小钱庄里,人们随时都可以兑换到人民币,钱庄老板也很乐于收人民币。

巴基斯坦的旅游业有很大的发展潜力,2003年我国公民赴巴基斯坦人数为1.57万人次,比2002年增长30.4%②。通过中国游客或者工程贸易考察人员会有部分人民币被带到巴基斯坦,同时,巴游客来中国旅游也可能会带回人民币。

人民币在巴基斯坦的主要流通范围是巴基斯坦北部省吉尔吉特和两国边境地区。对于人民币在巴基斯坦的流通规模的调查和估算时间距离现在比较远,但是我们仍然能通过这些数据看出人民币在巴基斯坦流通的规模和趋势。据推算,1998年人民币在巴基斯坦的流通数量为90万元左右③(参见表3-3)。根据人民银行乌鲁木齐中心支行调统处1999年对与新疆8个地州接壤的蒙古、俄罗斯、巴基斯坦、哈萨克斯坦、吉尔吉斯斯坦、塔吉克斯坦、阿富汗、印度和乌兹别克斯坦等9国的边境贸易和人民币流通的估算,1999~2001年的人民币在巴基斯坦的流通情况如表3-4所示。

---

① 数据来源:《中国统计年鉴》2004,中国统计出版社2004年版。
② 国家统计局:《2003年中国旅游业统计公报》,《中国旅游报》2004年8月2日。
③ 颜开:《人民币在巴基斯坦和吉尔吉斯斯坦的流通情况》,《新疆金融》1999年第9期。

表 3－3　人民币在巴基斯坦和吉尔吉斯斯坦的流通情况　　（单位：万元）

年　　份	1996	1997	1998
人民币流出中国	600	710	880
人民币流入中国	510	580	720
人民币在巴、吉流通量	90	130	160（巴90、吉70）

数据来源：颜开：《人民币在巴基斯坦和吉尔吉斯斯坦的流通情况》，《新疆金融》1999 年第 9 期。

表 3－4　人民币在巴基斯坦的流通情况　　（单位：万元）

年　　份	1999	2000	2001
跨境流通量	580	590	490
现钞净流入	220	230	190

数字来源：李婧、管涛、何帆：《人民币跨境流通的现状及其对中国经济的影响》，《管理世界》2004 年第 9 期。

　　从数据来看，人民币在巴基斯坦的流通规模不算很大，但是随着巴基斯坦中央银行批准在巴出口业务中使用人民币进行结算，随着两国边贸活动和人员往来规模的进一步扩大，人民币在巴基斯坦的流通规模将会呈现不断增大的趋势。

　　调研中我们发现，相关统计资料不够充分，有很多资料已经变得有些陈旧，新的调查统计资料没有及时地补充上来。

二、旅游和贸易的货币放开——人民币在尼泊尔的流通态势

　　尼泊尔与我国的西藏自治区接壤，中间隔着世界的屋脊——喜马拉雅山。尼泊尔在喜马拉雅山的南坡，素有"高山王国"的美称，旅游业是其第三大经济支柱产业。

　　2000 年 7 月，我国宣布尼泊尔为中国公民出境旅游的目的地国家之一。2001 年，中尼签署了《关于中国公民赴尼旅游实施方案的谅解备忘录》，中国公民合理合法的自费出境去尼泊尔旅游从那时正式开始①。根据中尼 2002 年签署的两国央行双边结算与合作协议，此后两年

———————
① 《北京青年报》2001 年 11 月 29 日。

110

内中国公民到尼泊尔观光旅游无须用美元兑换当地货币，可到当地所有商业银行用人民币直接兑换当地货币。至此，人民币在尼泊尔实现了直接兑换，通过旅游渠道流入了尼泊尔。

但是，尼泊尔的旅游市场对中国开放较晚，宣传不够，而且在开放市场之初尼泊尔政局不稳，中国公民赴尼旅游还存在交通不便、费用偏高等问题，所以前去尼泊尔旅游的中国公民较少，进而通过旅游渠道流入尼泊尔的人民币并不多。2003 年中国公民赴尼泊尔 2.49 万人次，比 2002 年增长 60.8%[1]，则 2002 年为 1.55 万人次。按人均消费 3000 元人民币计算，这两年人民币以旅游方式流入尼泊尔的量为 1.212 亿元，即（1.55 + 2.49）×0.3 = 1.212 亿元。据推断，人民币在尼泊尔境内的沉淀量约 1 亿元[2]。

尼泊尔是一个小国，中尼的贸易总额并不大，2001 年和 2002 年，中尼贸易总额分别为 15317 万美元和 11035 万美元，且尼泊尔严重入超。所以，尼泊尔的外汇并不充足，贸易项下的人民币处于净流出状态。从 2002 年起，中尼双方之间的贸易往来也可用人民币来结算；并且，尼泊尔欢迎人民币在本国市场公开流通。

三、活跃的边境互市贸易区——人民币在吉尔吉斯斯坦的流通

中吉两国与 1992 年 1 月 5 日正式建立外交关系。两国贸易关系发展良好，2003 年中吉双边贸易额为 3.14 亿美元，比 2002 年增长 55%。2004 年 1 月至 8 月，中吉贸易额达到 3.07 亿美元。两国有着很强的经济合作潜力，在采矿、能源、通讯、交通运输和农产品加工等领域的合作前景广阔[3]。

吉尔吉斯斯坦与我国的新疆接壤，边贸活动非常活跃。人民币随着边贸的活跃而在吉尔吉斯斯坦流通，流通的范围主要是边境互市贸易

---

① 国家统计局：《2003 年中国旅游业统计公报》，《中国旅游报》2004 年 8 月 2 日。
② 曹勇：《论人民币的国际化》，《特区经济》2003 年第 12 期。
③ 数字来源：新华网，2004 年 9 月 21 日。

区。据推算，1998 年人民币在吉尔吉斯斯坦流通量为 70 万元左右①（参见表 3 – 3），1999 ~ 2001 年的流通情况见表 3 – 5。

表 3 – 5　人民币在吉尔吉斯斯坦的流通情况　　（单位：万元）

年　份	1999	2000	2001
跨境流通量	470	460	400
现钞净流入	230	240	200

数字来源：李婧、管涛、何帆：《人民币跨境流通的现状及其对中国经济的影响》，《管理世界》2004 年第 9 期。

由于统计资料比较陈旧，我们难以测算目前人民币在吉尔吉斯斯坦的流通情况。但是由于吉尔吉斯斯坦的经济总量不大，中吉的可贸易商品种类和数量还相当有限，所以估计人民币的流通量也不会很大。

四、第二大邻国——人民币在哈萨克斯坦的流通

哈萨克斯坦是中国的第二大邻国，中哈之间有着长达 1533 公里的共同边界，同时哈萨克斯坦也是中国在独联体及东欧国家中仅次于俄罗斯的第二大贸易伙伴。2002 年的中哈贸易额为 19.5 亿美元，2003 年猛增至 32.9 亿美元②，增幅为 40.7%。

两国在能源合作方面有巨大潜力，双方有工程技术人员和游客往来。人民币在中哈民间边贸中和出入两国边境的人员中使用。2001年，人民币在哈萨克斯坦的跨境流通量为 4097 万元，净流入哈萨克斯坦约为 165 万元③。由于资料十分有限，做出进一步的分析存在困难。

---

① 颜开：《人民币在巴基斯坦和吉尔吉斯斯坦的流通情况》，《新疆金融》1999 年第 9 期。

② 数据来源：《中国统计年鉴》2004，中国统计出版社 2004 年版。

③ 数字来源：李婧、管涛、何帆：《人民币跨境流通的现状及其对中国经济的影响》，《管理世界》2004 年第 9 期。

第五节　人民币在东北周边国家的流通情况

图3-5　我国东北边境各国

一、对信用良好本币的渗透——人民币在韩国

韩国是"亚洲四小龙"之一，经济实力很强，本国货币——韩元的信用良好，人民币并没有在韩国流通，但是在韩国也有局部使用人民币的现象，并有部分人民币沉淀在韩国。

中韩两国的经贸、文化交流和人员往来十分密切。尤其我国的朝鲜族人与韩国人同宗同族，在语言上没有交流的障碍。两国在双方进行贸易国家中的地位都很重要，相互贸易额逐年递增（见表3-6）。

我国公民去韩国旅游、探亲的人数比较多，双方的人员往来密切：2003年我国公民赴韩人数为55.91万人次，韩国公民来我国人数

194.55 万人次①。密切的交往导致对人民币的需求，同时，为促进中国人在韩消费，韩国有些商店可以用人民币直接购物。在韩国首都繁华的商业区里，店铺分为两类，一类可以用美元和人民币直接购物，另一类只收韩元。但是，市场内就有从事人民币兑换韩元生意的人，可以方便地将人民币兑换成韩元。近年来，我国人员去韩国打工的人数呈上升趋势，在韩打工的人会带去或者汇回一些人民币。留学人员、两国之间的生意人也会带去一些人民币。

表 3-6 近年来中韩贸易情况 　　　　　（单位：亿美元）

年　　份	贸易总额	中国进口额	中国出口额
2000	345.0	232.1	112.9
2001	359.0	233.8	125.2
2002	441.0	285.7	155.3
2003	632.2	431.3	200.9

数据来源：《中国统计年鉴》2002，2003，2004。

需要指出的是，人民币虽然在韩国有些商店可以使用，并有一些沉淀在百姓手中，但是人民币在韩国并没有形成流通之势。

二、始于边贸和基于边贸——人民币在俄罗斯流通态势

人民币在俄罗斯的流通始于边贸，而且流通也主要基于边贸和人员往来。

中俄两国互为最大邻国，两国的共同边界线长达 4300 多公里，发展边境贸易有着得天独厚的优势。中俄边境水路相通，铁路相接，公路相连，已分别形成相对应的口岸体系。这些口岸的交通，通讯等基础设施都比较完备，为中俄边境贸易的发展提供了良好的条件。在满洲里——后贝加尔斯克公路口岸，中俄双边已经达成协议于 2005 年起实施 24 小时通关工作制②。

---

① 国家统计局：《2003 年中国旅游业统计公报》，《中国旅游报》2004 年 8 月 2 日。
② 《中国口岸通讯》2005 年第 1 期，中国口岸协会网站。

2001 年中俄两国元首缔结的《中俄睦邻友好合作条约》，以法律形式确定了两国关系在新世纪发展的基本方向，极大地推动了双边经贸关系快速健康的发展。中国海关统计显示，近年来，中俄贸易额以年均 20% 的速度增长，从 1999 年的 57.2 亿美元跃升至 2003 年的 157.6 亿美元。2004 年前 8 个月，中俄进出口额达 128.7 亿美元，同比增长 35.4%。目前，中国是俄罗斯第四大贸易伙伴，而俄罗斯是中国的第八大贸易伙伴[①]。如此活跃的边境贸易促进了人民币在边境地区的流通。目前，俄罗斯已经批准在其出口贸易中使用人民币进行结算。

在中俄的一些边境口岸，如黑河与对岸的布拉格维申斯克，人们凭借两国居民的有效身份证件，就可以自由出入，真正做到了"往来无国界"。如此自由的人员往来消费也导致人民币流入俄罗斯。

中国人对俄罗斯文化怀有独特的情结，俄罗斯辽阔的地域、优美的自然风光对崇尚回归自然的都市人有很大吸引力。同时，中国也是俄罗斯的重要的旅游目的地国。据俄官方统计，2001 年俄罗斯来华人数为 110 万人次，占中国入境外国游客总数的 11%，俄罗斯因此成为中国第三大旅游客源国，仅次于日本和韩国。2001 年中国赴俄旅游人数 46 万人次，占俄入境外国游客的 2%，是俄罗斯第四大客源国[②]。我国游客会携带一些人民币到俄罗斯，同时，随着来我国旅游的俄罗斯人数的增加，俄罗斯对人民币的需求也不断上升，促进了人民币在俄罗斯的流通和沉淀。

随着两国边贸规模和范围的不断扩大，不少中国客商长期居住在俄罗斯做买卖，他们往来于中俄之间，也促进了人民币在俄的流通和使用。

目前，人民币在俄罗斯的流通主要集中在边贸活跃的地区，如俄罗斯远东地区。人民币在俄罗斯的流通渠道和相应的流通量，根据 2001 年外汇管理局黑龙江省分局的抽样调查数字所计算出的人民币年流出量总量约为 5.3 亿元。相应的详细情况见表 3-7 所示。

---

① 数字来源：新华网，2003 年 9 月 21 日。
② 国家统计局：《2001 年中国旅游业统计公报》，《中国旅游报》2002 年 6 月 28 日。

表 3-7　人民币流出到俄罗斯的渠道分析

人民币流出渠道	人均携人民币现钞数（元）	赴俄人数（万人次）	年流出量（万元）
我国赴俄游客带出	847	36.9	31254.3
经贸人员出入境差旅费	445	40.9	18200.5
其他（运输、理货、劳务等）人员带出	602	5.9	3551.8

　　数据说明：第二、三列数字来源：陈学斌：《人民币在俄罗斯边境地区流通的利弊》，《外汇与管理》2002 年第 9 期。第四列为第二列乘以第三列所得。

　　人民币回流情况如表 3-8 所示，2001 年人民币从俄罗斯的回流量为 50852.8 万元，即约为 5.09 亿元。

表 3-8　人民币回流到中国的渠道分析

回流渠道	消费数额（元）	入境人数（万人次）	年流入量（万元）
俄来我国的游客	728	41.3	30066.4
俄经贸人员差旅费	430	38.7	16641
其他入我境人员	846	4.9	4145.4

　　数据说明：第二、三列数字来源：陈学斌：《人民币在俄罗斯边境地区流通的利弊》，《外汇与管理》2002 年第 9 期。第四列为第二列乘以第三列所得。

　　由 2001 年人民币的流出量和回流量，我们可以推算出 2001 年人民币在俄罗斯的沉淀量为 2153.8 万元，即 53006.6 - 50852.8 = 2153.8 万元。据调查，截至 2001 年，人民币在俄罗斯的沉淀量约为 9900 万元①。另据调查显示，估计通过黑龙江滞留在俄罗斯的人民币到 2003 年约为 20 亿元②。可见，人民币的境外流通规模和沉淀量的增速之快。

　　可以预见，随着中俄两国经贸关系的进一步密切，边贸和人员往来的日益频繁，人民币在俄罗斯的流通范围和流通规模将会不断增大。

　　还需指出，赌博也可能是人民币流入俄罗斯的渠道之一。香港世茂

　　①　数字来源：陈学斌：《人民币在俄罗斯边境地区流通的利弊》，《外汇与管理》2002 年 9 月（引文中的沉淀量为 9950 万元，但是如果把文章中所列各项加总，沉淀量应为 9900 万元）。
　　②　曹勇：《论人民币的国际化》，《特区经济》2003 年第 12 期。

集团已经在黑龙江投资开发了两个项目,其中的"绥-波贸易综合体"内将建造赌城。有官员表示,赌城将建在贸易体俄方领土内,预计2007年一期完工后,中俄民众持有效证件即可自由出入①。

三、扮演"第二美元"的角色——人民币在蒙古流通态势

人民币在蒙古的流通是伴随着边贸的发展而产生和逐渐发展起来的,并且,其流通规模随着两国经贸、投资和人员往来的密切而日益增大。

中国与蒙古山水相连,边境线长达4676.8公里。内蒙古自治区的蒙古族居民与蒙古人语言和风俗习惯相同或相似。这些得天独厚的地缘条件为两国边贸的快速发展打下了基础。而且,两国的贸易互补性强——中方出口制成品,蒙方出口各种原料。

目前,中国已经是蒙古的第一大贸易国。据有关部门统计,2002年蒙古外贸总额为12.14亿美元,其中同中国的贸易额为3.63亿美元,约占外贸总额的1/3。2003年中蒙双边贸易总额达4.562亿美元,占蒙古国总贸易额的33.4%。中国也是蒙古国最大的投资国之一,目前有1300多家中国企业在蒙投资,投资总额达4亿多美元②。

两国人员往来不断增加。蒙古到中国学习、经商和旅游的人数大量增加。目前,在中国学习的蒙古公派留学生近200名,自费留学生1000多人。据蒙古有关部门不完全统计,近年来,每年来中国的蒙古公民达35万至37万人次。而2002年到过中国的蒙古公民则多达40万人次,到蒙古的中国公民也达到10万人次③。

人民币在蒙古非常受欢迎,被人们称为"第二美元"。人民币已占蒙古当地流通现钞总量的60%。双方的银行都可以将对方的货币兑换成本国的货币。在蒙古首都乌兰巴托的几个较大的外汇交易市场里,人民币和美元是成交量最多的外币。由于银行开设的兑换点成本较高,因而银行兑换点的密度较低,一些地下钱庄就利用其经营灵活的优势,在互市点、边境口岸等摆摊设点。

---

① 消息来源:http://news.beelink.com.cn/20041202/1737767.shtml。

② 资料来源:新华网,2004年11月15日。

③ 资料来源:新华网,2004年11月15日。

在蒙古的饭店、市场都可以直接使用人民币，商家会很乐意接受，希望手头能有更多的人民币，方便到中国进货。许多蒙古人也持人民币到中国旅游、学习或看病。人民币已经成为蒙古人使用得最普遍的外币之一。尤其在与中国接壤边贸活跃的蒙古西北五省地区，人民币的流通量占到当地货币量的80%～90%。

人民币在蒙古的流通主要是基于边贸，人员的往来消费也主要是为了采购和销售货物。因此，人民币在蒙古的流通有这样的特点：人民币流入蒙古，商品流入我国；人民币流回我国，商品流入蒙古，如此往复循环（如图3－6所示）。

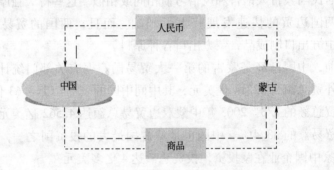

图3－6　人民币在中国和蒙古间的流通特点

基于人民币在蒙古的流通特点，我们在测算人民币在蒙古的流通量时可以把流入、流出蒙古的人民币分为贸易项下的流通和非贸易项下的流通。按照我国从蒙古进口贸易量的正常年份的平均值计算，人民币通过贸易项下流出约3亿元，非贸易项下，即中国人到蒙古用人民币消费导致的人民币流出额约1.3亿元。两项加总，人民币的流出量约为4.3亿元。贸易项下人民币的回流量（即蒙古进口我国商品）约5亿元，非贸易项下人民币回流量约为0.5亿元，则人民币的总体回流量约为5.5亿元①。这样，对蒙古而言，人民币是净流出该国的，即人民币每年净回流量为1.2亿元。

这样，人民币在蒙古的存量现在正逐年递减。根据中国人民银行内

---

① 数字来源：李京阳：《人民币在蒙古国流出、流入情况的研究》，《上海经济研究》2002年第3期。

蒙古自治区分行 1999 年的调查结果，1996、1997、1998 年人民币在蒙古的存量分别为 3 亿元、4 亿元、5 亿元左右，但是随着人民币的净回流，蒙古的人民币存量在减少，估计 2001 年的存量为 3 亿元。另据统计，目前人民币在蒙古约为 6 亿元[1]，在蒙古首都乌兰巴托流通的人民币约达 3 亿元[2]。我们认为，以上数字估计有些保守。2001 年和 2002 年中蒙贸易情况如表 3－9 所示。

表 3－9　近年来中国和蒙古的贸易情况　（单位：万美元）

年　　份	2001	2002	2003
中对蒙出口	12285	14003	15589
中对蒙进口	23950	22342	28395

数据来源：《中国统计年鉴》2003，2004。

从中蒙贸易额数字来看，蒙古出超，人民币在贸易项下净流入蒙古。以美元兑换人民币的汇率为 1:8.27 计算，2001 和 2002 两年贸易项下人民币净流入蒙古约 16.55 亿元。即 [（2.3950－1.2285）＋（2.2342－1.4003）]×8.27≈16.55 亿元。从前面的资料看，非贸易项下的人民币是净流入蒙古的。所以，2001 和 2002 年人民币是净流入蒙古的，估计净流入量超过 16.55 亿元。

因为蒙古的外汇非常紧缺，蒙古的国内物资又不够丰富，百姓的日常用品都要到中国来购买，所以，虽然人民币在蒙古的流量因为贸易的顺差或者逆差而时多时少，但是有一点可以肯定，人民币在蒙古已经被广泛接受，并且在蒙古大范围流通。

四、比美元、日元更受欢迎——人民币在朝鲜流通态势

朝鲜与我国东北地区接壤，并且与中国同是社会主义国家，但不同的是朝鲜的经济体制仍然是计划经济体制。

中朝贸易始于 1950 年。直至 1991 年主要采取政府间记账易货贸易方式。所以这期间两国在贸易项下基本没有人民币的流动。1992 年，

---

[1]　数字来源：《人民币国际化应走边境贸易之路》，人民网中国经济快讯周刊，2003 年第 27 期。

[2]　数字来源：《日报评人民币在亚洲广泛流通》，《参考消息》2005 年 2 月 26 日。

两国签订新的贸易协定，取消了政府间记账易货贸易，改为现汇贸易。可以推测，贸易项下的人民币流动从那时开始。

据海关统计，中朝双边贸易 1993 年曾达创纪录的 8.99 亿美元，但此后却持续下滑，1999 年降至 3.7 亿美元。2000 年以来，两国双边贸易开始回升，2001 年达 7.39 亿美元，比上年增长 51.6%，其中我国出口 5.73 亿美元，进口 1.67 亿美元，同比分别增长 27% 和 348%。2002 年我国出口 4.68 亿美元，进口 2.71 亿美元[1]，2003 年中朝总贸易额为 10.23 亿美元，其中我国出口 6.28 亿美元，进口 3.95 亿美元[2]。

在中朝双边贸易中，以吉林、辽宁两省为主的对朝边境贸易占较大比重。据商务部统计，1993 年两国边贸额一度高达 6 亿多美元。至 2001 年边贸额为 1.57 亿美元，比 2000 年增长 14.6%，其中，我国出口 1.17 亿美元，进口 0.4 亿美元，分别同比增长 9.1% 和 35.6%[3]。随着朝鲜经济的逐渐解冻，中朝边境贸易日益活跃，但是多由边境居民通过以货易货的方式进行，边贸商人常用中国的粮食、水果等换取朝鲜的海鲜、高丽参等特产。这样两国间商品的流动有时并没有伴随着人民币的流动，人民币的实际流通量要小于以商品价值计算的货币流通量。

因各种条件制约，中朝双方互利合作规模不大。据商务部统计，2001 年，我国共批准对朝投资 2 项，协议投资金额 395 万美元，其中我方投资 260 万美元。2001 年，我国与朝鲜新签劳务工程承包合同 33 份，合同金额 3284 万美元，完成营业额 1828 万美元，年末在外人数 1485 人[4]。现在，我方企业在朝鲜投资可以直接使用人民币，例如，投资建设平壤第一百货大楼项目的我国中旭集团被允许使用持币证，可以随意将人民币带到朝鲜使用。

除了贸易和投资导致的人民币流入朝鲜外，官方和民间的转移支付也导致了人民币流入朝鲜。长期以来，我国政府一直对朝鲜进行各种形式的援助。在民间，尤其在朝鲜族同胞中间，有很多家庭的亲属就居住在朝鲜，据说，他们每年都会拿出一些钱，有的每年会拿出七八千元人

①　数据来源：《中国统计年鉴》2003，中国统计出版社 2003 年版。
②　数据来源：《中国统计年鉴》2004，中国统计出版社 2004 年版。
③　数字来源：《中朝经贸合作简况》，中华人民共和国商务部网站，http://yzs.mofcom.gov.cn/。
④　数字来源：《中朝经贸合作简况》，中华人民共和国商务部网站，http://yzs.mofcom.gov.cn/。

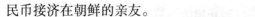

民币接济在朝鲜的亲友。

旅游、探亲是人民币流入朝鲜的重要渠道。根据我们的调研和走访了解，仅丹东口岸就有不少于 20 家旅行社每年能够组织 1 万人赴朝鲜旅游，旅行社在朝消费都使用人民币。在朝鲜的新义州海关，正常时期每天大约有 1000 人次从中国进入朝鲜，由此推算，正常年份中国赴朝 30 万人次。按照人均消费 2000 元计算，仅此一项，每年流入朝鲜的人民币约为 6 亿元。

朝鲜的地下赌场吸收人民币的规模也不可小视，但是我们没有得到确切的资料，难以了解其规模。

目前，人民币在朝鲜是硬通货，可以自由流通。加上政治因素，人民币在朝鲜被广泛接受，全境流通，可以进行日常生活的任何交易，比美元、日元受欢迎。

由于目前掌握的资料十分有限，所以对于人民币在朝鲜的流通规模很难做出估算。但可以肯定，因为朝鲜外汇短缺，国内物资并不能完全满足人们的生活需要，所以朝鲜很欢迎人民币流入。并且，随着朝鲜"经济调整"（实际上就是进行经济改革）的深入，朝鲜经济将更加开放，中朝两国的贸易、投资和人员往来将更加紧密，人民币在朝的流通量将会不断增大。

第六节　人民币周边国家流通态势小结

由人民币在各周边国家和地区的流通态势，我们可以看到人民币在周边国家的分布已经比较广泛，流通量也已经具备了一定的规模。

综合有关资料并根据我们的测算，2001 年，境外人民币沉淀总量约 600 亿 ~ 800 亿元，约占当年 M_0 的 3.82% ~ 5.10%。如果考虑到人民币的地下交易，估计沉淀量会更大。

一、人民币在周边国家的流通态势的整体特点

1. 人民币的境外流通是自然形成的，是地区国家间经济文化交往的自然结果。

2. 人民币流出主要是基于边贸和旅游消费。

3. 人民币流出范围主要集中在与中国接壤或地理位置相近的国家和地区。

4. 人民币的境外流通量大，但沉淀量相对要小——呈现"大进大出"态势。

5. 人民币的境外流通量受边贸和旅游的影响较大。边贸活跃的年份、旅游热的年份人民币的境外流通量就较大。

6. 人民币的境外沉淀量受贸易顺逆差、出国旅游人次和人民币消费额的影响。人民币流入国对中国呈现贸易顺差或接待的中国旅客多、以人民币支付的消费额大，人民币在该国的沉淀量就大。

二、调查过程中发现的问题

1. 人民币携带出境限额问题。随着近年来留学、旅游人员的增加，出国使用人民币的需求在不断增加，并且，在边贸中人民币的使用量更是在不断增加，而且目前边贸多以现钞结算，所以，这种数量限制已经不能满足人民币的境外需求，如果用于边贸的人民币过于紧缺，将会阻碍边贸的正常进行。自2005年初人民币携带出境的限制已放宽到2万元人民币，这项举措正是顺应了境外人民币使用的旺盛需求。

2. 人民币的兑换问题。人民币的境外流通范围有限，有时需要进行货币兑换。在边境地区应需而生了许多"板凳银行"、"地摊银行"，因为到银行进行兑换手续相对复杂，程序相对繁琐不便。有的地方"板凳银行"、"地摊银行"的规模很大，甚至可以左右人民币兑换当地货币的汇率。

3. 人民币以地下方式流到境外的现象比较严重。地下非法流出渠道主要有赌博、贩毒、走私和洗钱等，特别较为普遍地存在于一些东南亚周边国家。

4. 官方统计有缺、漏等不足之处。调查过程中我们发现相关统计数据有的比较陈旧、有的不全、有的则完全缺失、有的获取路径不畅。这一方面给调研工作带来很大不便，同时也不利于政府对境外人民币的监控和指导。

三、应采取的措施

1. 增加银行的营业网点，扩大银行的服务范围，争取把边贸以现钞结算为主的形势扭转为以银行结算为主的形势。

2. 增加人民币的兑换点、储蓄点和保管点。

3. 在与中国有金融往来的国家增设银行分支机构或代理行。

4. 加强对人民币进出境的监管，保证人民币的进出境流通健康、有序。

5. 加大执法监督力度，严厉打击走私、贩毒和境外洗钱等非法活动。

第 四 章

人民币境外流通状况调查：东北周边国家

第一节　人民币在中俄边境流通的调研报告
——黑龙江省边境贸易和旅游的考察

黑龙江省与俄罗斯的边境贸易自 20 世纪 80 年代开始恢复，边境旅游则稍晚些，自 80 年代末开始。90 年代起，黑龙江省与俄罗斯进行的边贸活动中，人民币已成为结算货币，具有了结算和支付功能。近几年来与俄罗斯的边贸活动越来越活跃，这带动了人民币在俄罗斯与中国相邻的边境城市中的流通。但是人民币在中俄边境的流出入并没有纳入正常的银行渠道，这样使中俄边境贸易的发展受到一定的限制。

一、黑龙江省口岸概况

黑龙江省与俄罗斯远东地区有 3000 里边境线，双方坐落着二十多座对应城镇。它们有的隔江相望、水陆相连，有的铁路相接、公路相通。这些边境城市与省会中心城市哈尔滨连接，形成了开放的扇面结构，成为东北亚的经济交通枢纽和通向欧洲的大陆桥。

改革开放以来，黑龙江省已获准对外开放一类口岸达 25 个，约占全国一类口岸的 1/10，居全国第二位。其中，河运口岸 15 个、公路口岸 4 个、航空口岸 4 个、铁路口岸 2 个。黑龙江水系有哈尔滨、佳木斯、悦来、富锦、绥滨、同江、三卡、黑山头、宝韦镇、四季屯、奇克、漠河、呼玛、嘉荫、名山、抚远、饶河等水运口岸对外开放，它们分布于全省沿边 14 个市县和松花江、嫩江流域 6 个市县，构成了水陆空俱全和客运货运兼有的口岸群体，在全国口岸对外开放总体格局中优势独具。其中绥芬河和黑河市是黑龙江省两个最重要的口岸城市。绥芬河口岸是黑龙江省最早开放的口岸之一。位于黑龙江省最北部的黑河市，是一个幅员辽阔、资源富集、区位优越的边境地区。目前，这个市有国家一类口岸 3 个，并设有国家级边境经济合作区、大黑河岛中俄边民互市贸易区和省级的逊克边境经济合作区。

二、黑龙江省的边境贸易和边境旅游的发展

从 1983 年开始，黑龙江省的边境贸易得以恢复。1982 年 1 月，国务院批准黑龙江省恢复边境贸易，并于同年 4 月中俄两国换文确认。省政府成立贸易公司，同苏联远东贸易公司开展易货贸易，以瑞士法郎计价，到 1987 年五年累计实现进出口额 13637 万瑞士法郎。黑龙江各边境地区的边境贸易在 80 年代一度出现繁荣局面，俄罗斯的木材、钢材、汽车和中国的成衣、电器、食品以易货形式大宗交易，易货贸易成了中俄贸易的主渠道。到 1993 年，中俄边境贸易方式出现了新的变化，就是现汇贸易正在逐步取代易货贸易。全省对俄罗斯等独联体国家易货贸易额已占全国的 1/3，边贸进出口总额占全省外贸进出口总额的 69%。1994 年全省的边境贸易开始进入了转折时期，特别是 1996 年以来，贸易额、经济技术合作签约履约额以及派出劳务人员数连年稳步增长。目前，黑龙江对俄贸易已发展为货物贸易、服务贸易、加工贸易、互市贸易、技术贸易多种形式，在俄罗斯远东地区开办了一批境外企业，并在农业种植、蔬菜仓储、森林采伐、工程建筑、科研开发等领域同俄罗斯开展全面合作。

中俄边境贸易主要包括边民互市贸易和边境小额贸易。在实际边境贸易活动中，还有一部分边境贸易是通过旅游进行的，即中俄双边居民以旅游名义到对方国家购物，然后将商品打包携带出境。这种行为通常被称为"倒包"或"旅游倒包"。边境贸易出口中有相当一部分是通过这种形式出去的。在地方调查时了解到，有些边境地区，"旅游倒包"占该地区出口的比重有时高达 80%。中俄（苏）之间的边境旅游始于 1988 年 9 月 24 日，对等城市为中方的黑龙江省黑河口岸和对方的阿穆

尔州首府布拉戈维申斯克,形式为"边境一日游"。随着这一旅游线路的开通,中俄跨国旅游迅速发展起来。到 1989 年末,双方的过境旅游团组达 389 个,过境游客猛增到 15996 人次。1990 年双方过境团组为 868 个,过境游客 35125 人次,到 1993 年末过境团组达 3090 个,过境游客达 112147 人次。

三、黑龙江省边境贸易与边境旅游的现状

(一) 黑龙江省边境贸易发展现状

黑龙江省对俄罗斯的边境贸易在全省对俄贸易中占据很大比重,为黑龙江省的对外贸易做出了很大的贡献。根据表 4-1,黑龙江省对俄边境贸易无论是绝对量,还是相对量,都在飞速增长,2003 年黑龙江对俄罗斯贸易的全年进出口总值达 29.55 亿美元,创历史最高水平,占全省总贸易额的 55.4%,其中出口 16.4 亿美元。从各年情况来看,对俄贸易中的进口远远超过出口。从表 4-1 可以看出,黑龙江 1998 年以来,逆差都在 3.5 亿美元以上,最高年份曾达到 5.3 亿美元。在 2003 年,对俄罗斯的出口为 16.4 亿美元,进口额为 13.2 亿美元,出口额首次超过进口额,出现了顺差。黑龙江省在对俄边境贸易中保持逆差是与中俄双边贸易整体情况相一致的。据中国官方统计,20 世纪 90 年代中国在对俄贸易中始终处于进口大于出口的状态,在 1996 年逆差额曾高达 35 亿美元。

表 4-1　黑龙江省 1990~2004 年 (1~6 月) 对俄罗斯边境贸易情况

(单位:万美元)

年　份	全省进出口总额	对俄进出口	出　口	进　口	对俄占全省百分比
1990	156917	61073	34529	26544	38.92
1991	191445	84870	48552	36318	66.71
1992	302768	173801	97251	76550	57.40
1993	329912	189344	84265	105079	62.00
1994	242560	80082	29118	50964	33.01
1995	238654	70265	21040	49225	29.44
1996	244922	80256	20988	59268	32.76
1997	246298	79305	32954	46351	32.20

续表

年　份	全省进出口总额	对俄进出口	出　口	进　口	对俄占全省百分比
1998	201218	66971	17583	49388	33.26
1999	219127	91670	23198	68472	41.83
2000	298620	137178	46340	90838	45.94
2001	338000	179600	78000	101600	53.20
2002	435100	233000	97000	133000	53.60
2003	533000	295500	164000	132000	55.40
2004	299800	159600	78900	80700	53.20
(1~6)					

资料来源：1993 年前为对外经济合作厅数据，1993~2000 年数据来源于哈尔滨海关统计，2001~2004 年数据来源于中国咨询行数据库。

在黑龙江省对俄罗斯的边境贸易中，对俄的边境小额贸易占有重要地位，从表 4-2 中也可看出黑龙江省对俄边境小额贸易也呈现出快速发展的趋势，1996 年的边境小额贸易进出口总额约为 2.35 亿美元，2003 年为 21.31 亿美元，几乎为 1996 年的 10 倍。在边境小额贸易中，进口总额也都大于出口总额，且有加大的趋势（见表 4-2）。作为重要口岸的绥芬河市，其边贸总体规模以及边境小额贸易规模也在快速增长（见表 4-3），2003 年该市对俄的边境贸易进出口总额为 165396 万美元，占全省对俄贸易的比重达到 50% 以上。

表 4-2　1996~2004 年（1-6 月）黑龙江省对俄罗斯的边境小额贸易情况

（单位：万美元）

年　份	1996	1997	1998	1999	2000	2001	2002	2003	2004（1~6）
总额	23536	69909	60601	77115	101365	109162	185405	213100	110700
出口额	7073	27140	12477	12016	14476	13306	71003	n. a.	47600
进口额	16463	42769	48124	65099	86889	95856	114402	n. a.	63100

资料来源：1996~2002 年数据来源于黑龙江省统计年鉴，2003~2004 年的数据来源于中国咨询行数据库。

表 4 – 3　2000 ~ 2003 年绥芬河海关对俄贸易情况（单位：万美元）

年　份	2000	2001	2002	2003
边境贸易进出口总额	87077	89133	149261	165396
其中：边境小额贸易	69849	79259	130393	135942
边境贸易出口总额	25311	13202	47513	73239
其中：边境小额贸易	9320	6796	46844	60835
边境贸易进口总额	61766	75931	101748	92157
其中：边境小额贸易	60529	72463	83546	75107

资料来源：根据绥芬河海关统计整理。

在 2000 年下半年之前，黑龙江省对俄边贸被统计在贸易项下的只有边境小额贸易。边民互市上交易的商品由于都是满足边民自己需要的商品，按国际惯例不需统计在贸易项下，但是中俄边民互市并未真正建立，且交易的商品并非留作自用。许多俄罗斯商人每天早晨过境在互市贸易区内采购商品，然后携带出境到俄市场上进行批发零售，这已属于商业活动的范畴。"旅游倒包"则更是带有商业活动的性质。2000 年下半年开始，黑龙江省开始将"旅游倒包"以旅游购物的名义纳入了贸易统计，但其他省区在这方面还存在操作上的障碍。如果考虑到这方面的因素，中俄边境贸易的逆差就会相应减少。

（二）黑龙江省边境旅游发展现状

自 1988 年中俄首开边境旅游以来，双方的跨国旅游发展非常快。前 10 年内中俄之间的旅游业大多与贸易联系在一起，据统计，2000 年中国前往俄罗斯旅游的人数达到了 49.4 万人次，而俄赴华旅游人数为 99.7 万人次，中国已成为俄旅游业的第四大伙伴。到中国的俄罗斯游客绝大多数来自远东，主要目的是"倒包"。随着中俄两国社会经济的发展，两国人民利用旅游的机会，将俄罗斯急需的成衣、食品打成行囊或包裹，发往俄罗斯各地销售。"倒包族"中既有中国人，又有俄罗斯人。同时，在旅游市场上还形成了为"倒包族"跟踪服务的庞大的"洋帮帮干"队伍。

据黑龙江省有关部门统计，黑龙江省 1988 ~ 1999 年进出境经贸旅游人数达到 800 万人次，其中俄罗斯及独联体各国的旅游人员约占 70% 左右。1998 年黑龙江省接待海外游客 383321 人次，其中该省在 1998 年接待俄罗斯游客就已经占全国接待俄罗斯游客总数的 23.1%。黑龙江省的黑河市是最早开通边境旅游的城市，自 1988 年开通对俄旅游到 2003 年，出入境游客累计已达 136 万人次（见表 4 - 4）。

表 4 - 4　2000～2003 年黑河市出入境旅游情况　　（单位：人次）

年　份	1988～1999	2000	2001	2002	2003	合　计
出入境游人总数	965000	140485	96021	80562	81065	1363133
出境游人数	—	72760	51851	45836	35789	—
入境游人数	—	67725	39270	34726	45276	—

资料来源：黑河市统计局。

　　俄联邦自独立以来，社会经济一直处于动荡不安的状态，虽然近年来俄罗斯经济出现了一些积极的迹象，但其轻工业不发达仍是一个主要问题。而与俄相邻的中国的轻工业产品和日用品市场非常发达，中国的轻工、纺织、日用小百货、儿童玩具、家电、水果蔬菜、中高档卫生洁具都是俄罗斯青睐的商品。正因为如此，中国吸引了众多的俄罗斯游客，形成了"购物游"的热潮。"倒包族"从中国倒出去的主要商品有鞋类、衬衣、运动服、日用小百货、家电、中高档卫生洁具、中高档室内装潢材料、灯具、卫生保健品、减肥茶、减肥药、中低档家具等。在参与"倒包"的人流中，一部分是俄罗斯的旅游者来中国购物，打包后运往俄罗斯零售；另一部分是中国旅游者将货物直接运到俄罗斯，并在那里的中国商品市场进行销售。由于旅游贸易手续简便，费用低廉，收益较高，吸引了大批的中俄客商加入"倒包"的行列，仅在黑龙江省绥芬河口岸，每天前来购物的俄罗斯旅游者就有 600 多人。

四、人民币通过边境贸易和边境旅游在俄罗斯流通估算

　　人民币在俄的流通主要就是通过边境贸易和边境旅游的方式进行的，因此我们通过对黑龙江省的边境贸易和边境旅游调查估算出人民币在俄境内的流通的数量。黑龙江省对俄贸易进口 90% 通过银行转划账以美元结算，出口 90% 以现金美元结算；另一方面，虽然民间贸易多以人民币结算，但俄罗斯人持有人民币的动机不强。自 1992 年以来，在俄罗斯远东地区的市场和餐馆（如海参崴）可以用人民币。黑龙江

省对俄罗斯的边境贸易占黑龙江省对俄贸易的 70% 以上，其中绥芬河市对俄的贸易也占去黑龙江省对俄贸易的 50% 以上。估计通过黑龙江省对俄边贸流出的人民币大约为 100 亿人民币，但沉淀在俄的人民币约为 20 亿元人民币。而通过边境旅游在中俄边境的流通量也大约在 50 亿人民币左右，滞留在俄的人民币大约在 10 亿元人民币。这样，在中俄边境流通着大量的人民币，而且中俄之间在结算中也存在着不少的问题，这些流通量并不能纳入正规的金融系统，对于人民币流出入的管理就存在着很大的困难。

五、黑龙江省对俄边境中大量人民币流通的原因分析及对策

中俄边境贸易中流通着大量的人民币有着下面的原因：

第一，在银行结算中，结算工具较为单一，汇款结算占主导地位，信用证项下的结算比例很低，且现汇结算多通过第三国银行转汇完成。结算周期长、时效低、成本高，难以适应双边贸易的发展需要，许多企业和个人多通过携带现钞进行交易，或通过"对打方式"①收回资金。现钞结算是中俄贸易结算的一种主要方式。由于银行结算渠道不畅，中俄贸易主体中有较多个体商人，携带现钞、直接结算成为经常采用的结算方式。但现钞交易风险高、贸易管理和外汇监管难度大。

第二，中俄虽互设代理行，但有关支付预付款，中方规定最高限额为 3 万美元，超出限额的预付款需对方银行出具保函。由于俄方银行资信较差，无法提供保函，造成中方进口企业付汇困难。预付款限额在一定程度上影响企业的活动，限制了双边贸易规模的扩大，致使部分贸易通过非银行渠道进行结算，促使人民币在中俄边境中流通。

第三，人民币结算未纳入正常渠道。一般情况下，边境地区的贸易活动应主要以两国货币进行结算。根据我国《边境贸易外汇管理暂行办法》第 5 条规定："边贸企业与毗邻国家的企业和其他贸易机构之间进行边境贸易时，可以以可兑换货币或人民币进行计价结算。"以交易双方的本国货币进行交易结算，能够降低企业汇兑风险、降低交易成本。

---

① 对打结算即分别开展进出口业务的企业，通过协商，将对方进口所需货币和资金打入对方银行账户的结算方式。

在中俄边贸中，由于卢布的大幅贬值，中方企业不愿接受卢布；人民币较为稳定，在俄罗斯远东地区基本属于硬通货，很多俄商业银行也愿意经营人民币兑换业务，但中俄两国一直没有明确双方货币在边贸结算中的合法地位，我国对人民币现钞出境有限额规定，无法真正实现人民币进入正常贸易和银行结算系统。

大量现钞结算给中俄边境贸易带来许多问题。首先，携带大量现钞出入境不符合现有法规，且经常出现货款被抢、货主人身安全难以保障等问题。大量以商业信用为基础的人民币与卢布直接计价结算的"对打结算"，一旦合作企业有变，进出口资金就难以及时收回。这些问题造成贸易和外汇的管理与统计上的困难，加大了中俄贸易的潜在风险。其次，导致银行体系外大量外币交易和资金流的不平衡（大量外币现钞的流入），"地摊银行"十分活跃，为走私和洗钱创造了便利条件，大大增加了外汇监管的难度。

由于这些问题的存在，我们要考虑对中俄边境贸易采取一定的措施，来加强对人民币在中俄边境的流通管理，进而促进中俄贸易的发展。

第一，要推动中俄边境贸易的发展，把人民币在边境地区的流通纳入正规的银行和监管系统，在短期内就要指定俄方商业银行清算，针对短期内中俄银行之间不可能全面建立代理行关系并开展相关业务，可以指定几家最具实力、在边境地区县网点的商业银行进行中俄贸易集中清算，这将有助于中俄银行降低交易成本、规避风险。比如2003年11月18日，中国建设银行与俄罗斯联邦储蓄银行签订了"边贸本币结算账户合作协议"，这为交易双方提供了除美元汇款之外新的结算方式，今后，中国黑河市和俄罗斯布拉戈维申斯克市客商间的经贸往来可以使用各自国家的本币结算；第二，鼓励开展与俄银行的结算业务，规范人民币结算的方法，采取多样性和灵活性的措施来与"地摊银行"竞争，促使这种货币兑换业务逐步正规化；第三，国家应该统一制定大额人民币出入境的政策，为使用人民币结算提供配套政策保证，加强对人民币流通的跟踪调查，协调流通中出现的问题，采取手段禁止资本外逃和洗钱等行为，逐步使人民币在中俄边境的流通和结算纳入正规的银行渠道，加强对人民币在边境地区的流通监管。

第二节　人民币在中俄朝边境流通的调研报告

——来自辽、吉边境考察的情况

吉林、辽宁两省边境涉及两国：朝鲜和俄罗斯。在该边境地带，人民币由我国流出的途径有很多，正常途径流出及非正常途径流出都存在。其中正常途径流出量占总流出量比重较小，且相关部门没有相应记录；而非正常途径流出量比重相对较大，且相关部门基本都相信其存在，但无人能够确认，对此人们更多的是推测和估计。

一、来自两省边境考察的现实描述

（一）中朝边境实况考察

朝鲜是一个社会主义国家且对外开放程度很低，在所有与我国接壤的国家中极具特殊性。该国经济相对落后，目前仍实行计划经济体制。这些情况使得人民币在对朝的流出情况中有一定的特殊性。

根据课题组调查，朝鲜境内有大量的人民币流通和存在，而且人民币在朝全境均可直接使用，并可自由与美元、朝币兑换。另据了解，在朝鲜赌场内存在大量人民币。人民币流入朝鲜有多种途径，其简单说明如表4-5所示，现对以下途径进行详细描述：

表4-5　人民币从中国向朝鲜流出的途径

流出途径	主要形式	是否合法
1. 出境人员携带出境	游客在朝消费	合法
2. 边贸特别是边境小额贸易	以人民币抵补易货的差额	不合法
3. 商贸流出	境外投资	不合法
4. 地下经济	赌场、黑市	不合法
5. 货币兑换点流出	边境私人的兑换点	不合法
6. 过关收费	以人民币直接缴费	合法
7. 侨汇、劳务汇出	人民币	合法

说明：据估计，通过第一种途径，每年约有6亿人民币流出到朝鲜。

1. 出境人员携带

我国在此方面的相关政策是：出境旅客携带人民币不得超过 6000元（自 2005 年 1 月 1 日起限额调整为 20000 元）。而目前我国人员到朝鲜主要是公务员出差或游客旅游（亲友团回访），其中前者数量有限，且到朝消费不多；以人员携带出境的人民币流出主要集中于对朝旅游。仅丹东口岸，每年能够组织 1 万人到朝鲜旅游的旅行社不少于 20 家，基本上每人要交给旅行社 3000 元左右，除旅行社留下的利润外，其他款项是旅行社对当地旅馆及餐饮业的直接支付，其支付工具近乎 100%都是人民币。另据消息称，仅朝鲜新义州海关，每天大约有 1000 人次入关（正常时期），由此推测每年约有 30 万人次由中国到朝鲜。跟团旅游的人员（约 20 万）基本消费在 3000 元以上，而自行出游的散客（约 10 万）一般消费在 3000 元以下，我们按平均每人次消费 2000 元计算，大约此项每年流入朝鲜的人民币有 6 亿左右。

2. 边民小额贸易

我国外汇管理局对于东北三省进行的贸易统计口径规定统一以美元、欧元、日元结算，其中以美元结算居多，因此以人民币结算是违规的。但为发展贸易，相关部门对以人民币结算持默许的态度。目前在吉林、辽宁对朝边境小额贸易中，存在以人民币结算的情况是事实，所有的相关部门均对此持肯定态度。以人民币结算的情况不仅是客观的，而且还频繁出现。具体情况有两类：一类是边境贸易大都通过公司进行，一般来讲进行贸易的双方是我国边境的小贸易公司和朝鲜的正规军商社（目前朝鲜计划经济中的交易实体）。因此，在贸易中往往是我方的灵活性较高，而对方灵活性相对较低。通常贸易中以外汇（多为美元）结算，但有时我方会提出以人民币结算的要求，朝鲜为促成交易一般会接受以人民币结算的要求。第二类是：我国的边贸中，多数是以物物交易方式存在的。当两种货物进行交换而价值又不相等时，有时是进行核销，有时则是以人民币进行支付的。

但是，对于其具体的情况无论是外汇管理局还是商务厅海关均没有相关的记录。据有关人员估计：在数额上，边贸额占贸易总额的比重要小于 1%，而以人民币结算的额度占边贸总额的比重也很小，大约在10% 左右，这还是一个高估了的数字。由此看来，以人民币结算的总额非常有限。

另外，由于朝鲜经济相对落后，其商品对于我国边境居民没有购买的吸引力，而且对于实行计划经济的朝鲜不允许有自由的商品买卖，加之两国边境大部分地区隔江（鸭绿江）相望，所以在中朝两国边贸中基本没有边民互市的形式。

3. 商贸流出

由于目前我国资本项下实施管制，直接以人民币形式的对外投资流出是被禁止的。就境外投资来说，在我国一般需经国家审批，以外汇的形式投放。以人民币直接对外投资在政策规定上是绝对不允许的。

但就目前了解的情况来看，已经存在着人民币境外投资。一些法人和自然人存在私下回避当局进行对外投资的行为。据了解，蒙古国就已经存在这种现象，丹东对朝也不排除此类情况。这种人民币的境外投资已然存在，但对于细节问题，如投资主体、来源、规模、项目又无法确认和证实。

在我国从朝鲜进口的货物中服装占有一定的比重，这些服装大都是成装。经了解这些成装是"带料加工"的成品，即我国对朝出口布料，利用朝鲜劳动力工资水平低的优势进行手工加工，然后再将成品出口到我国。而且还存在着我国商人直接在朝鲜投资，与当地合资办厂的情况。其中多数是我方商人出机器设备，当地出厂房劳动力，这其中就存在着我方商人直接以人民币进行投资的空间。并且在企业中，支付给工人的工资应该是朝币或美元；但由于在朝鲜存在着人民币流通市场，人民币是可自由兑换的货币，而投资者大多是使用人民币的经济主体，所以，发放的工资多是以人民币为载体的财富形态。不过就目前了解，这种企业存在的数量不大，规模也较小。

4. 地下经济

一般来讲，地下经济对各国来说均属违法范围，但由于其存在形式的隐蔽性，以及他们通常以"打擦边球"的形式来进行处理，所以在各国边境都存在，在我国也不例外。而且通过地下经济流出的人民币数量远比正常途径流出多得多。很多信息可以证实上面这一结论，如：朝鲜赌场内有大量的人民币存在；通过中朝边境的某些中方机构甚至可以直接与朝鲜境内的赌场进行结算①；边境一些商人通过其"关系"，有一定的人民币来源；黑市在中朝边境的存在等。

5. 通过货币兑换点流出

据了解，在中朝边境及朝鲜国内的地区都有人民币与朝币及美元的兑换点。这种与美元、朝币的兑换点，或民间、或官方；但我们对其存在的具体地点、数量及兑换的总额度没有监管和调查，目前还没有确凿的数据。

6. 朝鲜吸收人民币的政策

据有关人员称，目前朝鲜从我国大量进口，需要外汇或是人民币；而朝鲜外汇储备有限，为弥补此方面的缺口，所以就吸收外汇朝鲜政府采取了一定的措施。其中包括：（1）过关收费。在中朝海关收取过关费，并将此作为朝鲜获得人民币的一个来源。我方不掌握与此相关的数据。（2）设立开发区。朝鲜在其境内的某些地区设有开发区，来吸收外汇特别是人民币，但该区不允许本国人进入。区内实行市场经济，设有各种娱乐设施，餐饮服务业和大量的赌博场所。这是人民币流入朝鲜并保持相当流量和存量的一个主要途径。但对此没有确切消息来源和统计数据。（3）侨汇汇出、劳务收支汇出和携带出境。目前有相当数量来自朝鲜的在华打工人员，这些人不断地将自己赚到的钱汇回国内。随着人民币在朝流通的合法性确立，中国境内的朝鲜族同胞对朝鲜亲友的援助也由实物性转为货币性，从而成为人民币流入朝鲜的又一途径。

（二）中俄边境实况考察

在辽、吉两省边境，俄罗斯只与吉林省的珲春有接壤地带，即俄罗斯的远东地区。在该地区人民币可直接使用或与卢布兑换，但在俄其他地区则无人民币直接流通。我国与远东地区的边民互市非常繁荣，相关人员估计每年从珲春流入俄罗斯远东地区的货物大约为 6000 万美元。而在此地区的边境贸易基本是以物易物，由此推测在易货过程中虽然不排除以人民币结算的情况，但其数量并不多。关于人民币流出到朝鲜和俄罗斯的途径对比，请见表 4-6。

---

① 该消息可靠性不确定。

表4-6　人民币流出到朝鲜和俄罗斯的途径对比

国　家	朝　鲜	俄罗斯
在该地区流通情况	在朝鲜全境可直接使用	在远东地区可直接使用
是否可以兑换	可直接与美元、朝币进行兑换	可以与卢布进行兑换
主要流出途径	□出境人员携带 □边贸特别是边境小额贸易，但不存在边民互市 □境外投资 □地下经济 □通过货币兑换点流出 □过关收费、侨汇、劳务收入汇出	□边民互市 □边境小额贸易 □通过货币兑换点流出 □劳务收入汇出

二、调查中发现的问题及建议

在调查过程中，我们发现存在一些问题，首先需要指出的就是政府部门的政策缺位以及态度不明确。

据了解，由于人民币国际化只是近几年才明显出现的一种新趋势，国家对于人民币在边境的流通、在边贸中所扮演的新角色均无相应及相关的法律法规和政策规定，导致了政策缺位。例如，对于人民币流通过境到朝鲜，在政策上国家没有任何明确的规定。相应政策的缺位，使得地方政府和部门在具体政策实践过程中，基本上以全国的边贸政策以及中央对有关国家的总体政策为蓝本。据相关人员介绍，在国家政策中，对俄贸易政策是"积极促进和推动"相互贸易，所以在对俄的贸易中，地方政策均是积极促进的；而国家对朝贸易政策则未明确，所以在对朝贸易、投资、人民币推广及相关服务等事务上，相关的政府人员都持谨慎态度，表现出相对的被动和缺乏敏感。

近年来，地方的相关政府部门在遵循国家的相关政策的前提下，都在为发展地方经济而努力。为促进双边贸易，边境银行在进行收支、结算时准备提供更多的相关服务。据了解，黑龙江省在小范围内已经开始进行相关研究，辽宁省和吉林省在此方面也有一些想法，但由于相关政策不明朗，加之邻邦朝鲜经济开放度低，所以到目前为止还没有具体的实施方案。

就国家对朝鲜政策的不明朗，地方的相关部门也有另一种积极的理解，即不明朗的态度，实际上是对现有行为在一定程度上的默许和认可。这也是地方政策为了促进贸易的发展，对与朝贸易及其相关的"人民币"情况放松管制的一个理由。

鉴于目前人民币在我国边境流通已不再是个别现象，而且相关政策的不明朗也给一些不法分子以可乘之机，边境的违法活动数量大大增加，建议国家应对此制定相关政策法规，从而维护正常的经济社会生活秩序，同时也能为各地方政府部门制定相关法规提供有力依据。

其次，在一切相关部门均没有人民币在周边国家流通的相关数据记录，现有数据都是一些粗略估计。这也是进一步研究人民币境外流通问题所遇到的一个瓶颈，也不利于国家对人民币国际化进程及其对国内货币政策有效性的影响进行监管和控制。从已经调研的相关部门看，缺少这方面相关数据记录的原因如下：

1. 国家相关部门对于辽宁、吉林两省的国际收支及贸易账目的记录没有以"人民币"为计价单位的要求。

2. 在边贸中，各边贸公司虽有以人民币进行小额度抵补易货差额的行为，但由于无须上报，而且政府部门在边贸中也很少干涉（其参与度很小），所以在进行贸易过程中贸易公司不记录以人民币结算的相关数据，导致原始数据丢失。

3. 除大宗的边贸买卖，人民币的使用还多在边境小额贸易中，而边境小额贸易的特点是：数量小、品种杂、要货紧、批次多，这种特点导致要进行记录有很大难度。

4. 除上述的所有原因，假设有以人民币结算的原始数据有幸存下来，它将被输入到有关部门的电脑中进行存档。但据了解，目前在某些统计部门的数据处理过程中，存在部分甚至全面使用"自动翻车"的现象，即无论输入的是以什么为计价单位的数据，计算机会自动将其全部转换为以美元为计价单位的数据，进行存档。

所有的这些原因导致了在辽宁、吉林两省的相关部门查找不到边贸中人民币的相关数据。因此，建议国家应要求地方相关部门掌握并保存相关的原始数据，这样国家才能掌握真实的贸易状况，为国家制定相关政策提供切实的依据。同时，相关政府部门应注意横向配合，争取对边境上的相关贸易活动有翔实的记载。在数据处理技术上，特别建议有关统计部门对于"自动翻车"的延续使用进行慎重考虑。

第三节　人民币在中蒙边境的流通情况
——内蒙古自治区边境贸易的考察

中蒙边境贸易已不是一般意义上的互通有无，而是达到了不可或缺的地步。目前蒙古国居民日常所需的粮食、蔬菜、服装等各类生活必需品，大部分都是靠蒙古过境旅客在二连浩特市及中国内地采购和贩运的，当地称之为"旅贸"。其规模之大，已能够满足蒙古全国 250 万人口中半数以上居民的日常需求。近年来这种小规模的民间贸易形式，年成交额一直在以 40% 左右的速度持续增长。

内蒙古与蒙古国边境贸易进口大于出口。2001 年内蒙古的边境贸易额为 15.3 亿美元。另据内蒙古自治区商务厅消息：2002 年全区边境进出口额为 16.3 亿美元，占全区进出口总额的 54%[①]。2003 年，与蒙古国的双边贸易额达 17.1 亿美元，是中蒙两国贸易总额 31.9 亿美元的 54%[②]。如表 4-7 所示，满洲里市 2002 年边贸进出口额达 11.98 亿美元，比上年增长 7.7%，其中进口 9.90 亿美元，出口 2.08 亿美元，同比分别增长 4.9% 和 23.7%。按贸易方式分：现汇贸易 10.02 亿美元，占全市边贸进出口总值的 83.7%，增长 8.8%；易货贸易完成 876 万美元，占 0.7%，下降 69.9%；旅游贸易 1.87 亿美元，增长 15.7%。据呼和浩特海关统计，2003 年 1~11 月，呼和浩特海关关区对蒙古国贸易进出口值约为 3.21 亿美元，同比增长 20.82%，其中进口 2.43 亿美元，出口 0.78 亿美元，分别增长 24.17% 和 11.45%。蒙古境内流通的货币大约有 50% 是人民币，在与中国接壤的蒙古西北五省地区这一比例达到 80%~90%，人民币已普遍用于交易估算和商品计价。

---

① 《人民日报海外版》，2003 年 6 月 6 日。
② 《内蒙古日报》2004 年 4 月 28 日。

表 4 - 7　1996~2002 年满洲里的边境贸易　（单位：万美元）

指标名称	1996	1997	1998	1999	2000	2001	2002
边贸进出口总额	31548	36368	36446	40546	69811	94353	119824
其中：进口	12842	18004	10371	21791	54613	77492	98968
边贸出口额	18706	18364	26075	18755	15198	16861	20856
其中：现汇贸易	1881	4568	8033	20067	52238	75266	100228

资料来源：满洲里市 2003 年国民经济和社会发展统计公报。

通过表 4 - 8，我们看出内蒙古与俄罗斯的贸易规模和内蒙古与蒙古国的贸易规模大致相当，我们大致估计通过内蒙古流向俄罗斯的人民币大概也在 5 亿元左右。

表 4 - 8　1995~1999 年内蒙古与俄罗斯的贸易情况　（单位：亿美元）

年　份	1995	1996	1997	1998	1999
内蒙古对俄出口	0.5	1.6	2.0	2.7	2.2
内蒙古对俄出口/内蒙古出口总额	3.0	6.9	7.4	8.3	9.2

资料来源：庞英：《内蒙古自治区对外贸易与经济增长的实证分析》，《国际贸易问题》2004 年第 3 期。

第五章

人民币境外流通状况调查：西南周边国家

—— 越南、老挝和缅甸的情况

随着中国经济的蓬勃发展和对外开放度的日益提高，人民币国际化问题逐渐引起社会各界的关注。许多学者认为，人民币的国际化道路应从区域化开始：先在与中国接壤的周边国家和地区扩大影响力，再逐步推向世界。也有学者认为，人民币国际化应走边贸之路，通过增加人民币在边贸结算中的比例来促进人民币在境外流通手段、支付手段以至储备手段的实现。但无论怎样，人民币在西南周边国家的流通和沉淀已是客观事实。就此，我们于 2004 年 1 月至 3 月，赴云南、广西两地进行了实地考察，具体包括河口口岸、瑞丽口岸、景洪口岸，昆明海关、国家外汇管理局昆明分局、云南省商务厅、云南省经贸委、云南省公安厅出入境管理处、云南省旅游局和云南省统计局、广西海关等，以期望通过对人民币在越南、老挝和缅甸三国流通情况的调查，掌握一些基本情况，对流通渠道（包括流出流入的途径）、流通量（包括存量和流量）做一个归纳总结，为人民币国际化问题的分析提供一个可靠的现实依据，并且为人民币进一步区域化进而走向全球化提出一些建设性的意见。

第一节 周边国家及贸易往来的基本情况

人民币在我国西南周边国家的流通，主要涉及越南、老挝和缅甸。其中与越南陆地边界较长，两国贸易发展比较充分。目前，两国间开设

了 25 对互市贸易点。边贸商品由过去的农副土特产品、日用工业品，发展为工业制成品和生产资料等。目前，我方出口的商品主要有：自行车、柴油机、水泥、钢材、手扶拖拉机、布匹、啤酒、日用百货、陶瓷、电风扇、电度表、农用物资、玻璃、化工品、轻工业品、轮胎等。进口的主要商品有：木材、橡胶、锰矿、煤、水海产品、药材、茶叶、铜、棉纱等。边境一线的贸易由过去的互市交易发展到小额批量贸易，由陆地过货拓展到海上过货。参加边贸的越方人员，除边民外，还有越南河内、海防、胡志明市和各边境省、县的企业单位。由于越南经济发展势头较好，中央政府和银行信用较高，人民币在当地替代本币流通的情况并不多见，但在越南北部基本可以使用人民币进行日常交易，而在首都河内以南人民币的使用比较少见。

老挝北面边境与我国云南省的山脉相连，是一个没有出海口的内陆国家。老挝对我国的贸易长期处于入超状态，其主要出口产品有：电力、原木、咖啡、安息香、石膏等。进口主要产品有：车辆、燃料油、水泥、钢铁、纸、棉纱、药品和家用电器等。现已开放的中老边境口岸有勐腊、景洪。老挝北部与我国接壤的三省是：丰沙里省、乌多姆省、南塔省。在老挝的北部三省人民币完全可以替代当地货币流通。

中国的云南省与缅甸相接的地段绵延 1997.1 公里，中缅贸易主要是在云南省的德宏、保山、怒江、临沧、思茅、西双版纳等州与缅甸的掸邦、克钦邦之间进行。云南省德宏州傣族自治州、景颇族自治州与缅甸的边境贸易占中缅边境贸易额的 90% 以上。瑞丽、畹町是德宏州边贸最集中的两市。缅甸属于军政府统治，地方武装势力割据，中央政府对政治经济的控制力很弱，人民币几乎可以在缅甸全境流通，素有"小美元"之称。

以上三国与我的贸易往来，从边陲省份云南省的情况也有所体现，详细情况如表 5－1 所示。

表 5－1　2003 年云南省对越南、老挝、缅甸进出口总值表　　（单位：万美元）

	进出口	同比增长（%）	出口	同比增长（%）	进口	同比增长（%）
越南	49279	21.2	35683	20.5	13596	22.8
边贸	31975	15.3	18718	8.5	13257	26.4

续表

	进出口	同比增长（%）	出口	同比增长（%）	进口	同比增长（%）
老挝	2111	27.6	1458	38.5	653	8.5
边贸	1308	62.3	659	165.5	649	16.3
缅甸	22114	36.3	19299	45.1	2815	-3.5
边贸	8693	5.2	5943	6.1	2750	3.2

数据来源：云南省外经贸厅边境贸易管理办。关于云南省对东盟国家的贸易及边境贸易详情，请见附录3中的表F3-1至F3-4。

第二节 人民币的流出及回流途径

一、人民币流出途径

（一）边境贸易

中国与越、老、缅三国的边境贸易发展势头良好，特别是与越南的边境贸易，在基数较大的情况下仍保持高速增长，详细情况从表5-2中可见一斑。人民币在边境贸易中主要通过边民互市、边境小额贸易流出。人民币可以在边民互市中使用，并且延伸范围越来越广，使用人民币已成为边境居民生活的一部分。但由于交易的内容只涉及到生活用品、农副产品之间的小额交易，这些边民互市也主要是以农贸市场的形式出现，而且频繁的日常交易使人民币双向流通，所以通过边民互市留存在三国的人民币数额不是很大，据云南省商务厅提供的数据，2002年云南省边民互市额为20亿元，2003年为23亿元。但这部分人民币很好地发挥了促进双边贸易与经济发展的作用。

表5-2 云南省对三国贸易的人民币结算比例 （单位:%）

国 家	进 口			出 口		
	2001 年	2002 年	2003 年	2001 年	2002 年	2003 年
越南	28.33	48.00	51.52	21.81	11.81	10.42
老挝	29.14	37.42	54.59	5.91	3.50	6.18

续表

国 家	进 口			出 口		
	2001 年	2002 年	2003 年	2001 年	2002 年	2003 年
缅甸	49.59	59.88	78.65	16.07	12.28	10.70

数据来源：据昆明海关综合统计处提供资料总结得出。关于原始资料，详见附录3中的表F3-5至F3-7。

边境小额贸易是指沿陆地边境线国家批准的对外开放的边境县（旗）、边境城市辖区内经批准的有边境小额贸易经营权的企业，通过国家指定的陆地边境口岸，与毗邻国家边境地区的企业或其他贸易机构之间的贸易活动。以广西与越南的边境小额贸易为例，2002 年达到3.45 亿美元，2003 年增长了55.2%，达到5.35 亿美元，较 1993 年增长 8.2 倍，占当年广西外贸的17%，其90%以上能通过边贸人民币账户采用银行汇票、边境贸易结算专用凭证等方式结算。云南和缅甸之间小额贸易的发展也非常迅速，2003 年达到了3.2 亿美元，比上年增长15.3%，其中85%的进出口以人民币结算。

从表5-2来看，我国对越南、老挝、缅甸的进口贸易中人民币结算比例呈逐步上升趋势，2003 年这一比例均超过50%，其中对缅比例已经接近80%。相比而言，在我方对三国的出口贸易中人民币的结算比例相对要低一些。从中可以看出，因为人民币币值稳定，在我国进口贸易中对方非常愿意接受我方用人民币支付，范围不仅包括边民互市、边境小额贸易还包括一般贸易。在出口中，我方一般要求对方支付美元等外汇，人民币结算比例相对低一些。高比例的进口支付使大量人民币流出国境。

（二）毒品走私（进口）和赌博

毒品走私是人民币流出国境的另一个主要途径，这方面的统计数据虽然不足，但根据当地居民的反映和调研的直观感受，这一途径的流出量非常可观，这既有地理的原因也有历史的原因。中国、缅甸和老挝接壤的"金三角"地区历来是亚洲乃至世界毒品的发源地。毒品的种植和交易非常普遍，尤其是在缅甸境内，毒品交易的对象大都是国外的客户，中国近年来的毒品走私和交易也呈上升趋势。又由于缅甸中央政府控制力差，各邦的独立性较大，几乎都有自己的财政预算；同时缅甸的银行信用度低，缅币汇率变动的情况也很频繁。这些促使毒品交易的主要计价和交易货币是美元和人民币，而且毒品买卖几乎都用现金交易。历史上，缅甸一些邦的主要经济命脉都掌握在当年中国国内战争逃往缅甸的国民党残余部队后裔的华人手中，他们和中国大陆有着感情上的必然联系，接受人民币的心理较强；此外，接受人民币交易又可方便地形成对中国境内商品的购买。这些也是人民币在当地受欢迎的原因。据云南外汇管理局的一名官员透露，缅甸某邦甚至可以在三天之内筹集到 3 亿美元的现金，可见缅甸境内的美元现金存量着实不小，人民币的现金存量也值得关注。

赌博是人民币流出国境的又一非法渠道。在章凤的拉勐，有一条边境通道通向缅甸克钦邦东部省——迈扎央。边境沿线赌博业非常繁荣，中国人出入境也非常方便。在这个边境通道附近的缅甸境内，赌场林林总总。赌博业是缅甸掸邦第四特区首府勐拉的经济命脉，支撑这个赌业的是来自中国内地的颇具经济实力的赌客。在勐拉参与赌博的人员中，中国过境人员所占的比例超过 90%，并没有边民互市的情况，缅甸人都很少出现在这一带。据说，这样的境外赌场，在滇缅边境沿线有几十个。

据说，在云南省民间现在流行一种叫"字花"的赌博游戏，一天开两次，发起地在缅甸。只要通过电话联系就可以在云南境内通过中间人用人民币参与赌博，1 赔 27，中间人收取 5% 的佣金。这样，人民币就源源不断地流入缅甸。当地一名熟悉内情的报关员透露：2002 年主要针对中国赌客开设的边境赌场所造成的中国资金外流不低于 100 亿元人民币。这种非正常途径的人民币境内外流通量之大可见一斑。

（三）人员往来携带（包括旅游支付、探亲访友）

中国西南边疆的少数民族居民和越、老、缅三国居民在语言、文化和习俗等方面接近或相似，历来民间交往密切。从图 5－1 可以看出，通过我国云南口岸出入境人数达 1300 多万，出境人数约 800 万，入境人数约 600 万。以人均次携带 200 元人民币估算，那么流入上述三国的人民币就有 16 亿。值得注意的是，根据广西海关的数据，广西壮族自治区 2001 年与 2002 年的出入境人数也分别达到了 306.27 万和 286 万人。

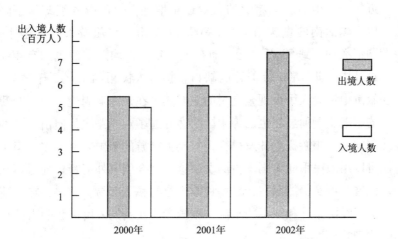

图 5 - 1　2002 年云南口岸过境人数统计图

备注：根据云南省经贸委口岸管理办提供的资料整理得到。原始数据参见附录 3 中的表 F3 - 8 至 F3 - 10。

图 5 - 2　人员往来于中越边境河口口岸

近年来，中国出境旅游的人数逐年增加，但旅游购汇却呈下降趋势。以中国西南的重庆市为例，2002 年全市出境旅游人数增至 4 万，旅游购汇额却不到 50 万美元，而在上一年，人均购汇额也约有 400 美元。这其中有近 1500 万美元的缺口，折合人民币约 1 亿 3 千多万元，而在旅游中接受人民币现金支付的主要集中在东南亚周边国家。与我国接壤的越南、缅甸虽然也已为中国游客开通了观光路线，但由于这两国经济欠发达，旅游资源开发得少，每年去旅游的中国人并不多。至于旅行社可以用人民币向该国支付团费，这是现今国家外汇管理局所不允许的，但这一事实仍然存在，是一种不规范的私下交易。总之，在上述三国，由于经济条件和汇率的限制，旅游者所花费的人民币数额占流出总额的比例并不大。

二、人民币回流途径

人民币回流主要通过贸易消费渠道和银行信用渠道进行。

（一）商业贸易渠道

边贸企业出口商品以人民币结算，进出口商品出超尤其是对缅贸易顺差部分收取人民币，以及边民互市和小额贸易中直接收取人民币，这都会引起人民币流入国境。再就是对方边民跨境来我国旅游消费支出用人民币支付。在云南红河州的河口口岸每天都有越南方面的居民来边境地区旅游消费，他们过境非常方便，只需缴纳相当于 10 元左右的人民币，把身份证抵押在边检部门就可过境，他们在我方境内的日常消费基本使用人民币。

（二）信用渠道

周边国家的一些商人为方便贸易交往直接在我方边境口岸银行开设人民币存款账户，人民币通过银行信用渠道大量流回我国。根据对瑞丽等 10 家金融机构的调查，1999 年 4 月末外商在 10 家金融机构的人民币存款余额占存款余额的 27.6%，达 3.51 亿元。1999 年后伴随边境贸易的迅速发展，在我国边境口岸金融机构的外商人民币存款也呈逐年上升趋势。还有就是，外方银行等金融机构吸收境外存款后，以普通商人身份将境外吸收的存款转存在我国境内银行。

图 5 – 3　越南妇女在中国边境农贸市场使用人民币购买商品

第三节　问题及建议

就人民币流出流入渠道和人民币在周边国家流通现状的分析，我们认为应当从以下几个方面来对待人民币周边流通问题。

1. 尽快建立人民币境外流通监测统计体系。双边贸易中使用人民币结算并不通过银行等金融中介机构，而是通过在边境设立的民间地下钱庄完成，非法洗钱活动频繁。我国目前尚未建立起人民币境外流通渠道和流通量的统计体系，缺乏准确的计量指标。虽然短期内从周边三国经济总量规模和人民币境外流量、存量与我国货币总额比较看不会对我国货币政策的实施和金融体系的运行形成冲击，但随着人民币国际化的推进，境外人民币流通额和留存量的增大，有效的统计与监管显得非常必要。为此，相应主管机构要明确责任，制定出合理的监测统计指标。我国边境海关和边检部门应会同有关部门做好监测统计工作，银行间应加快建立双边贸易结算协议的磋商与签订，将那些事实上已经存在但不合法的资金循环纳入银行体系，为推进人民币国际化和国际化后人民币总量调控提供基础数据。

2. 鼓励边境银行机构开办相关的人民币业务。边境银行开办人民币业务一方面可以有效地将闲置在境外民间的人民币吸收进来用于经济建设，另一方面又有利于商业银行积累跨境经营人民币业务的经验，为经营国际化后的人民币奠定基础。广西外汇管理部门已经逐步开始行动，不断出台新措施。例如：提高外币现钞的银行买入价并允许不同地区在规定范围内适当浮动、取消边境易货项下支付定金或贸易从属费的审批项目等，以此来扶植边贸发展。此外还可以引导边境小额贸易结算纳入银行结算渠道，如：2003 年上半年，中国农业银行广西分行与越南农业与农村发展银行高平省分行等 6 家越南省级银行签订边贸结算协议，在 3 个主要边贸口岸开展银行结算，通过边境地区商业银行开展边贸结算，积极努力解决中越边境经济合作的信用"瓶颈"，使双边经济合作向更高层次发展。

3. 鼓励人民币计价结算，增大人民币在贸易结算中的比例。为促进边境小额贸易出口以人民币结算，2003 年财政部国家税务总局下达了《关于以人民币结算的边境小额贸易出口货物试行退免税的通知》，于 2004 年 1 月 1 日在云南省试行。通知规定，边境小额贸易企业出口以人民币结算货物后，以银行转账方式结算的可退税 70%，以现金方式结算的可退税 40%。这一通知的目的，一是为了促进边境小额贸易出口降低成本，增强中国商品在周边国家的竞争力；二是为了促进人民币在我国和接壤国家之间的流通，避免形成人民币只出不进的失衡局面，避免在国外最终形成难以控制的人民币负债；三是鼓励以银行转账方式结算的途径，减少现金结算等非正规途径，加强对人民币流通的控制力度，降低金融风险。但据云南省外汇管理局的有关负责人员介绍，2004 年初云南省各经营边境小额贸易的企业对该试行通知的反应不是很强烈，毕竟已有约 85% 的出口在用人民币结算，剩下的那一部分企业与出口用美元结算可以全额退税相比，用人民币结算的出口退税政策并不太吸引他们，除非用人民币结算是贸易双方都需要的，并能带来方便或更大利润。所以，要达到以上三个目的还要有赖于形势的进一步发展、更有力度的政策和更完善的法规出台等等。

4. 适当放宽出入国境携带人民币限额，依据市场需求适当调节货币投放量。随着经济和双边贸易的发展，我国在 1993 年制定的允许个人一次携带 6000 元人民币限额出入国境的政策已经不能满足需要，而迫使人们采取各种途径携超额人民币出入边境。对这样的情况，海关和各边境口岸还没有一个行之有效的措施对超额过境的人民币做进一步精确的统计，以至中央银行也无法准确控制其流量与存量。如今，携带人民币的限额已经从2005年1月1日开始放宽为20000元。可以看出管理部门正在逐步改变这种不科学的粗放式货币管理方法，因为与其通过按照不合时宜的规定迫使人们隐瞒超量数额，不如根据实际情况放宽限制，并依据不同目的划分出入境携带的限额等级，将人民币的境内外流通量纳入科学的统计体系，对其进行有效控制。但这种规定的额度应有一定的时效性，不应与市场需求脱节。

5. 加大人民币流出的非法渠道管理，解决人民币流出流入不对称现象。从上述人民币流出流入国境的情况介绍可以看出，人民币通过毒品走私和赌博等非法渠道流出境外的数量非常可观，而且难以统计，同时也是造成人民币流入流出不对称的重要原因，如果不加以控制，积累到一定程度，人民币汇率的波动可能会频繁或加剧，进而影响到我国国内经济稳定。所以，加大对毒品走私和赌博等活动的监管成为当务之急。另外，也应争取国际合作，打击人民币非法流通活动。

6. 提升经济合作层次，增强人民币影响力。从边境小额贸易的交易内容看，我国进口的主要是原材料等初级产品，出口的是轻工、日用、纺织、建筑等中低档工业加工品。2003年，广西与东盟的贸易中，与越南的贸易就占据了80%以上，进出口市场单一，贸易风险也随之增大，而对新加坡、马来西亚、泰国等中高收入国家的出口值仅为8082万美元，不及对越南出口值的1/4。与我国接壤的这三个国家，经济相对落后，要想在短期内使边境小额贸易使用人民币的容量大幅提升是不可能的。所以还是要把经济合作的重点向东南亚其他相对发达的国家进行适当的转移，向有高科技附加值的项目上转移。云南、广西两省已经意识到了这个问题，近年来非常重视与东盟相对发达的国家间的贸易合作，以此为基础，扩大人民币在中国周边国家的影响力。

7. 在经济相对发达的有条件的边境地区可以适当开展人民币可兑换的试点工作。人民币国际化的近期目标是实现人民币的资本项目下的可自由兑换，中国政府应加强和周边各国政府的合作，改善经贸、投资和金融合作环境，利用双边已长期交往的历史优势与经验，为银行开展双边和多边合作提供政策支持，鼓励商业银行与周边各商业银行的合作，拓展业务范围，增加结算、兑换、出口信贷等服务，使央行对人民币的控制松紧有度，且能极大地推动周边地区对人民币的资金需求。

总之，从这次调研所得到的资料，我们可以对人民币在西南边境的流通情况做出一个概括性结论：边境流通已初具规模，但层次较低，主要是因为不具备金融方面的流通条件，还远达不到货币走向全球化的要求。现在的情况只能视做人民币走向区域化的一个初始阶段。伴随着人民币的逐步开放，我国有关的法律、法规、制度还有许多不健全的地方需要改进和加强，对于人民币资本项目开放，西南边境各省应加强与内地正在逐步形成的区域金融中心相互合作，力求将周边国家对人民币的需求层次提高到新的台阶，促进人民币国际化的最终实现。

第三篇

感性向理性的升华——
人民币国际化的理论初涉

人民币国际化的形成机理及其影响分析

在 20 世纪 80 年代末 90 年代初，中国开放了很多边境城市，中越、中缅、中蒙、中俄等边境的边境贸易已经开始红火起来，同时也开辟了一些边境旅游路线。到 90 年代中期，在边境贸易的结算货币中人民币已占有一定比例，人民币开始流出国境，当时就有学者研究人民币在边境国家和地区的流通和结算问题、人民币的流通渠道问题以及人民币流出国境的利弊问题（景学成等，1996）。国内较早提出人民币国际化的是傅亚明和张学萍，其在 1994 年发表的题为《论人民币国际化》的文章里首先提出人民币国际化这个问题，那时我国对人民币在经常项目下自由兑换都还有严格限制，这种提法在当时看来似乎有些为时过早，但他们预见到了由于中国经济形势的发展，人民币国际化在理论上的研究是必要的。

近年来边境贸易和边境旅游的火爆发展所带动的人民币在周边国家和地区的流通，越来越引起很多学者的关注和研究。事实上，我们目前谈论的人民币国际化在更大程度上是指人民币的周边化，也可以说是一定范围的区域化，基本上是指人民币在边境贸易中作为支付手段，完成结算功能，要实现人民币真正的国际化还需要相当长的时间。

调查表明，在越南、泰国、缅甸、柬埔寨、朝鲜、蒙古、俄罗斯、巴基斯坦、尼泊尔等国家，人民币作为支付和结算货币已被普遍接受；在中国香港、中国台湾、孟加拉国、马来西亚、菲律宾、新加坡、韩国等国家和地区，与人民币有关的部分业务开始陆续出现。尤其是在东南亚的许多国家和地区，人民币已经成为硬通货，其中柬埔寨把人民币作

为国家的储备货币。人民币在这些国家和地区已经开始发挥作用，这已是事实，但对于人民币国际化则有着众说纷纭的看法。

第一节　人民币国际化的基本内涵

一、货币国际化及人民币国际化的观点综述

对于货币国际化及人民币国际化内涵的研究，一开始，有的学者把货币国际化与货币的可自由兑换不怎么加以区分，认为货币国际化就是一国货币实现对内和对外的完全可自由兑换（傅亚明、张学萍，1994；王政国，1996）。现在，国内学者一致认为货币的国际化与货币的可自由兑换有着紧密的联系，但是两者是完全不同的两个概念，目前对于货币国际化及人民币国际化的定义可分为三种观点：

1. 货币国际化及人民币国际化是一个动态发展的过程。这种观点认为货币国际化就是指一国货币走出国门，逐步向国际货币演变的历史进程。所谓国际货币就是在世界范围内可自由流通的货币，具有国际结算、国际信贷、国际储备三大功能，并为国际社会广泛接受，也就是"它具有世界范围的可接受性、购买力、稳定性和金融便利性"（许少强，1999；潘理权，2000；袁宜，2002；谈世中，2002；王信、彭松，2002；胡智、文启湘，2002；刘晓红，2003）。

2. 货币国际化及人民币国际化是货币职能在国际范围内的扩展。这种观点认为货币国际化是指一国货币能够在国际范围内执行其基本职能，充当国际支付手段、国际购买手段和财富的国际转移手段（郑木清，1995；胡定核、程海泳，1996；黄银柱，1997；姜凌，1999；陈全功、程蹼，2002；谭延宁，2003）。

3. 体现了一种权利和义务的国际化。应该说，就单个国家而言，货币国际化是一个成本与利益并存，权利与义务兼具的经济过程（王信、彭松，2002）。

关于人民币国际化最具综合性的定义是指："中华人民共和国法定货币人民币，随着中国商品贸易和服务贸易在国外市场扩展，在本币职

能基础上，通过经常项目、资本项目和与境外货币自由兑换等方式流出国境，在境外逐步担当流通手段、支付手段、储藏手段和价值尺度的过程，是中国国际贸易扩大趋势的必然结果。人民币的国际化是从国家货币走向区域货币、再走向世界货币的过程"（梁勤星，2003）。这个定义把前两种观点综合起来，并具有人民币国际化的自身特点。

二、人民币国际化基本内涵的界定

从现有的三种主要的国际货币看，货币国际化有三条途径：第一，英镑和美元由国际货币制度的中心货币演变为国际货币，在不同时期的国际货币制度中，英镑和美元都是因为国家经济实力的强大而成为中心货币进而成为国际货币的；第二，欧元取代欧元区内货币成为国际货币，欧元是在既没有统一的主权国家也没有实现政治联盟的统一的条件下诞生的，是多国竞争与合作的结果，其背后有欧元区经济实力的支持；第三，多数国家的货币经过货币可兑换的若干阶段成为国际货币，如日元。日元国际化既是日本作为一个经济大国、一个主要债权国的必然结果，也是国际社会施加压力的结果。

中国现实的特殊情况决定了人民币国际化是不同于以上三条途径的，是具有自己的特点。人民币国际化是指以边境贸易和出境游推动的，人民币先在周边国家和地区流通，其货币职能跨越国界逐步在国际范围上的延伸，逐步具有国际货币的国际结算、国际信贷、国际储备的三大职能，是自然国际化和政策国际化相统一的一个动态发展过程。

第二节　人民币国际化的形成机理

一、人民币国际化的直接动因

（一）以人民币计价的边境贸易导致的人民币在周边国家流通

首先，人民币是以边境贸易的形式在中国周边国家较大规模流通的，而与中国有边境贸易的国家主要是越南、缅甸、老挝、蒙古、俄罗斯、朝鲜等国。在第二篇的相关章节中，我们已经分别考察了这些国家、地区与中国之间的边境贸易和人民币流通情况。

（二）以支付出境游导致人民币在周边国家和地区的流通

中国人出境游的主要方式有出国游、港澳游、边境游三种方式，而港澳游和边境游是带动人民币在港澳地区和周边国家流通的主要方式，下面分别分析这三种方式导致的人民币在周边国家和地区的流通情况。

1. 港澳游带动的人民币在港澳地区的流通

本书第三章第二节已有这方面情况的简单介绍，这里再做一些综合性的补充说明。据澳门统计局公布的资料显示：2002 年澳门入境旅客人数再创新高，总数达到 1153.08 万人次，比上年增长 12.2%，其中内地旅客 424.33 万人次，增长 41%，占入境旅客总数的 36.8%。据估计，按每人在澳门消费 3000 元人民币估算，2002 通过到澳门旅游的内地游客在澳门流通的人民币大概在 120 亿元左右。据香港旅游发展局统计，2002 年 1~10 月内地访港人数达到 537.34 万人次，而在香港通过内地游客带去的人民币流量大概在 500 亿元左右（如表 6-1 所示）。

表 6-1　1994~2002 年内地到香港的访客情况

年　份	1994	1996	1997	1998	1999	2000	2001	2002*
内地访客（万人次）	194.04	238.9	236.4	267.2	320.6	378.6	444.86	537.34
人均消费（美元）	701.20	843.7	869.5	703.5	560.3	619.4	620.20	—

注*：2002 年的数据为 1 至 10 月时期的。

资料来源：香港特区政府统计处，2001 年《香港统计年刊》，2001 年数据来源于商务部网站、2002 年数据来源于香港旅游发展局公告（11 月 28 日）。

据抽样调查，2001 年港澳人民币现金存量为 31.6 亿元。此数据是这样测算得来的：第一，兑换业务最大的中银、汇丰、渣打、恒生四家银行，日均各需保留 400 万~1000 万元人民币，共需 3000 万元左右，因四家占兑换业务的一半，所以估算全香港日存 6000 万元。第二，香港 600 多家找换店人民币现钞库存约 1 亿元。第三，香港居民 700 万人口一半到过内地，人均带回并沉淀在手的人民币约有 300元，故居民持有人民币现金 10.5 亿元。在内地置产投资经常往来者约 35 万，人均持有人民币 1000 元，共有人民币 3.5 亿元。第四，商业机构每天沉淀人民币平均 10 亿元。上述四项总计人民币 25.6 亿元。澳门的存量算法与香港算法相同（梁勤星，2003）。而据此种估算法，我们估算 2002 年在港澳地区的人民币存量大概在 40 亿元，2003 年存量大概为 50 亿元人民币。

2. 边境游带动的人民币在周边国家和地区的流通

在边境贸易中，伴随的另一种活动是边贸旅游，这在黑龙江省、内蒙古、广西、云南等省的边贸旅游活动最活跃。

20 世纪 90 年代以来，中蒙旅游交流发展迅速，主要是边贸旅游和边境旅游。1994 年经旅行社组织去蒙古旅游的中国公民 25.86 万人次，是当年中国公民出境旅游的第三大目的地。2002 年，中蒙边境仅满洲里市的旅游业，全年旅游总人数就达 69 万人，比上年增长 6.6%。其中，边境旅游 37.5 万人，比上年增长 10.1%，其中：出境 3.1 万人，入境 34.4 万人，分别比上年增长 1.4% 和 10.9%（见表 6-2）。

表 6-2　1996～2002 年满洲里市的边境旅游情况　（单位：万人）

年　份	1996	1997	1998	1999	2000	2001	2002
边境旅游人数	8.1	20.0	22.6	25.0	30.5	34.1	37.5
其中：进境	6.1	16.9	17.5	23.0	27.4	31.0	34.4
出境	2.0	3.1	5.1	2.0	3.1	3.1	3.1

资料来源：满洲里市 2003 年国民经济和社会发展统计公报。

另外，与俄罗斯有 3000 公里边境线的黑龙江省率先开展对俄边境旅游业务。自 1988 年 9 月黑河市与对岸的俄罗斯布拉戈维申斯克市开通一日游以来，中俄边境旅游一直热度不减。旅游业因此成为绥芬河、黑河、东宁等黑龙江边境城镇的重要财政来源。据国家旅游局信息，中俄边境旅游近年来持续升温。黑龙江省与俄罗斯开通的 27 条边境旅游路线，每条路线都人气火爆。绥芬河市 1992～1998 年共接待进出境旅游者 71.5 万人次，1999 年为 20.3 万人次，2000 年为 25.5 万人次，其中出境人数为 6.3 万人次，2001 年为 27.5 万人次，2002 年为 30.1 万人次，2003 年进出境人数为 96.5039 万人次，占全省总人数的 43.3%，增长 10.5%。黑河市 1988～1999 年出入境游客为 96.5 万人次，其中出境游的情况 2001 年为 51851 人，2002 年为 45836 人，2003 年上半年为 83812 人[1]。

在云南省，2000～2002 年每年出入境的总人数都在 100 万以上（见表 6-3），据笔者调查从云南出入境的人员出境时携带人民币是 300 元/人，入境时携带人民币是 200 元/人。因此，我们估算这三年人民币从云南流向国外的数量大概在 65 万元人民币，除去边境贸易的部分，大概仍有 30 万元人民币左右。1997 年，在广西壮族自治区参加中越边境旅游的中国公民 218 万人次（王兴斌，2000）。据广西壮族自治区统计，1998 年以来，广西地区的边境旅游年均人数都在 200 万人以上，2000 年达到 274 万人，3 年累计出游 706 万人次[2]。

表 6-3　2000～2002 年云南口岸出入境人数统计表　（单位：人次）

年　份	一类口岸		二类口岸	
	出境	入境	出境	入境
2000 年	4084820	4026019	1207138	1133603
2001 年	3859117	3763941	1721517	1487857
2002 年	4366883	4441707	3436290	1469498

资料来源：云南经贸委口岸办。根据书末的附录表 E8-10 整理得到。

3. 出国游带动的人民币在其他国家的流通情况

中国旅客到新加坡、马来西亚、泰国、菲律宾、韩国、朝鲜等国家的旅游也带动了人民币在这些国家的流通。例如，中国人到韩国的旅游人数，1999 年达到 99.2 万（见表 6-4）。

表 6-4　1997～1999 年中国到韩国的旅游人数　（单位：万人次）

年　份	1997	1998	1999
中国到韩国的人数	22	21.4	99.2

资料来源：王兴斌主编：《中国旅游客源国概况》，旅游教育出版社 2000 年 8 月版。

---

①　数据来源：黑河市海关统计资料。
②　数据来源：《加快进程——人民币区域化与边境贸易发展》，国家发改委对外经济所课题组，《国际贸易》2004 年第 7 期。

（三）其他方式流出的人民币在周边国家的流通

其他方式主要是指非法途径带动的人民币在中国周边国家的流通，主要包括走私、毒品交易、地摊银行。当货币携带超过规定限额时，就构成了货币走私。据海关反映，近年来广东口岸货币走私情况严重。货币走私的目的有逃税、资金外流和洗钱等。我们按正常流量的 1/3 进行估计，人民币以非法方式流出的数额大概在 100 亿元左右。

面对如此巨额的人民币在国外滞留，我们必须采取一些必要的措施对人民币在国外的流通进行管理，从而使人民币国际化有一定的政策支持，这促使我们考虑人民币国际化的深层原因。

二、人民币国际化的深层原因

（一）国家经济实力的增强是人民币国际化的坚实基础

中国经济持续发展，并逐步成为世界经济大国，使人民币国际化有了更加坚实的物质基础。20 世纪 90 年代以来，中国经济获得长足发展。据有关资料表明，1996～2001 年中国 GDP 年均增长率为 8.3%，相比之下，同期美、日、德三国 GDP 年均增长率指标分别为 4.4%、1.1%、1.8%。其中，1996～2002 年间中国 GDP 年均增长率为 8.3%，同期商品进出口大幅度增长，并保持顺差，累计顺差达到 1450 亿美元，外汇储备迅速增加，到 2006 年年初，中国外汇储备已跃居世界第一位。就贸易往来而言，2002 年中国进出口总额为 4143 亿美元，比上年增加 31.5%，其中，出口额为 2492 亿美元，比上年增长 27.8%，进口额为 2251 亿美元，比上年增长 35.8%，顺差为 241 亿美元。从资本往来看，2002 年利用外资形势好转，全年新审批外商投资项目 22347 个，比上年增加 32.1%，全国签约投资额 624 亿美元，增长 51.3%，实际利用外资 407 亿美元，增长 35%。此外，中国在海外兴办企业经营范围不断扩大，涉及对外贸易、物业投资、信息咨询、金融保险等，企业经营也由单一贸易性逐步向多样化发展，目前，中国在海外的企业遍及五大洲 120 多个国家和地区，海外总资产达 2 万亿人民币。由于有了这样迅速壮大的经济基础，尤其是对外贸易和国际收支多年的顺差，使人民币长期处于硬通货地位。根据现有情况预测今后 10 年中国经济仍将保持较快增长势头，这使人民币成为让各国放心的货币，从而使人民币的国际信誉大大提高，这就为人民币国际化奠定了坚实的基础。

（二）人民币自由兑换进程的推动

1994 年 1 月 1 日我国实行外汇体制改革，人民币官方汇率与外汇调剂市场汇率并轨，取消外汇留成和上缴制度，中资企业实行银行结售汇制，实现人民币经常项目下有条件可兑换，取消了贸易项目和与贸易项目有关的非贸易经营支付的汇兑限制，同时继续保留外汇调剂中心，专门为外商投资企业办理外汇买卖，这一改革标志着人民币自由兑换迈出了第一小步。1996 年 12 月 1 日，我国正式接受国际货币基金组织（IMF）协定第 8 条第 2、3、4 条款的要求，从而标志着中国实现了经常项目的完全可自由兑换。实现人民币经常项目下的可兑换后，资本项目除了外资购买人民币股票和债券有限制外，其余资本项目都已开放，外商可以借债和投资，利润可随时汇出。从 2001 年 3 月起，中国境内投资者允许购买 B 股，预示着 A 股和 B 股市场的合并是大势所趋，同时中国逐步放开了外资购买国有大中型企业股权的限制，特别是 2001年 12 月中国正式加入 WTO，金融市场开放已进入实质性操作阶段，人民币在资本项目下的可自由兑换已悄然拉开帷幕。主要体现在：①非居民的直接投资流入和流出（清算）基本上是自由的，投资收益可以自由汇出；②非居民可以在我国证券市场投资 B 股，居民企业可到境外发债和上市；③居民可以在国内持有外币存款和金融资产（B 股）；④除对短期资本的流动有严格限制以外，资本账户交易的许多限制主要采用审批制，并不是完全禁止性的，如此等等。由于 2005 年我国将允许外商独资银行经营零售业全方位服务项目，开放人民币业务，最终实现对外资银行实行国民待遇，这样中国国内的银行业就全面开放了。

（三）金融业国际化的趋势为人民币国际化创造了一定的外在条件

首先，我国金融业在海外的发展加快。改革开放以来，我国的银行及保险公司也开始跨出国门谋求海外发展。中国银行在海外设立了很多的分支机构和代表处，中国银行在海外经营的主要业务是对外筹资，通过办理外国政府贷款、混合贷款、买方信贷和商业贷款，为国内重点建设项目筹集了数百亿美元的外汇资金，并在多个金融市场上成功发行债券。但是，从总体上看，中资海外金融机构较少，规模较小，起步较晚，并且 80% 集中在港澳地区，20% 分布在主要国际金融城市，而在其他一些重要地区和城市就没有分支机构，而且业务单一，很难与一些著名跨国银行相提并论。因此，国内金融机构的国际化程度仍有待提高。

另一方面，外资金融机构在华业务不断拓展。1979 年我国批准了第一家境外银行——日本东京银行在北京开办代表处，1982 年香港南洋银行率先在深圳设立分行，开中国内地引进外资金融机构之先河。随着我国改革开放的不断深入，外资金融机构的发展速度很快，现已成为我国金融体系中一支不可忽视的力量。外资金融机构的引进，为我国的经济发展提供了资金融通和其他服务，使资金来源多样化，在一定程度上改善了我国国内投资环境，加快了三资企业的发展。外资金融机构的引进，降低了我国的国际筹资成本，给国内的金融机构注入了竞争活力，促使国内银行和金融机制改善管理，增强服务质量，提高技术水平，推动我国金融体制改革和国际化的发展，而且对我国金融专业人才的培养起了很大的促进作用。

从 2003 年 12 月 1 日起，银监会正式实施进一步开放银行业的措施：其一，允许外资银行经营人民币业务的地域增加到 13 个城市，至 2004 年 12 月又增加到 16 个；其二，允许符合法定条件的外资银行在已开放人民币业务的地域向中国企业提供人民币服务（此前，外资银行只能在开放人民币业务的地域向外资企业、外国人和港澳台同胞提供人民币服务）。经国务院同意，银监会还决定将外资机构入股的比例由原来规定的 15%提高到 20%；合计外资投资所占比例如低于 25%，被入股银行的性质和业务范围不发生改变①。截至 2004 年 8 月底，外国银行在中国设立了 200 家营业性机构，其中外国银行分行 162 家，外资法人机构 14 家，外资银行代表 216 家。另外，还有 13 家外资银行获准在华开办网上银行业务。外资银行在法规规定的 12 项基本业务范围内经营的业务品种已达约 100 个。数据显示，外资银行在增加机构的同时，业务也得到较快发展，截至 2004 年 7 月底，在华外资银行的资产总额为 643 亿美元，其中贷款为 301 亿美元。总资产市场占有率已达 1.82%，外汇贷款市场占有率为 17.8%，人民币资产总额为 857 亿元人民币，比去年

---

① 数据来源：《中国金融》2003 年第 24 期。

同期增长48%①。

再次，我国在国际金融社会中的地位不断提高。我国已经成为国际货币基金组织、亚洲开发银行、非洲开发银行、国际清算银行等国际性金融组织的成员国，并在其中发挥了重要作用。面对世界上一些国家和地区出现的金融危机，中国政府采取了高度负责的态度，人民币币值稳定，中国人民银行代表中国政府通过国际货币基金操作预算和双边关系，为发生危机的国家提供了40多亿美元的贷款援助。中国在亚洲金融危机中的表现，凸显了负责任的大国形象，加强了中国在世界多极化发展趋势中的地位，中国人民银行代表政府参加了多次国际金融事务活动，提高了中国金融业在国际金融领域的地位。

（四）两岸四地贸易依存关系的加深为"一国四币"整合奠定了经济基础

两岸四地的贸易依存度不断加深，使"中华经济体"颇具雏形，为两岸经济体内部开展进一步的经贸合作乃至货币合作奠定了基础。这方面的详细说明请见本书第十章第一节的说明。

三、人民币国际化的路径及对策分析

从人民币国际化的直接原因和深层原因中，我们探索人民币国际化的路径必然是以边境贸易和边境旅游为起点的，之后伴随着国家经济实力的增强及经济政策的调整，最终推动人民币成为国际货币。伴随着人民币使用的区域范围和职能范围的扩大，在人民币国际化进程中我们也要采取相应的政策和策略对人民币进行相关的管理。

（一）人民币国际化的起步阶段——边境贸易和边境旅游带动人民币在周边国家和地区的流通

我们在前面用了大量的数据来证实了人民币在周边国家的流通。人民币在边境贸易中主要执行计价和结算货币的职能，这为人民币国际化提供了一种现实可能性，也正是人民币国际化的最初动因。但目前的边境贸易中，贸易主体不规范，从事边境贸易的大多是个体经营公司、商号，国有大中型企业主导作用不强，现有获得边贸经营权的企业规模

---

① 数据来源：《金融时报》2004年9月9日。

小、竞争力也不强；贸易行为不规范，贸易双方既无贸易合同，又无任何抵押和担保，且双方在对方境内又无国家银行的分支机构，结算多靠无保证的商业企业信誉。

为此，国家可以制定相关的边境贸易法律，以规范边境贸易，同时也应该使人民币在周边国家和地区的流通逐步合法化、正规化。中央银行可增加商业银行对本地和毗邻国家货币兑换的结算，扩大服务网点，在条件成熟地区积极开展本地存款、汇款、银行卡等业务的研究。另外，还应根据经济发展以及人们的消费投资需要，适时调整过境人口携带人民币数量的限制。这一系列政策的出台将有助于减少边境贸易中进出口商换汇中间环节，减少边贸企业经营成本，帮助企业和个人规避汇率风险，也可以减少人民币的非法流出流入，使人民币的大额流出流入合法化，便于对人民币在边境贸易进行结算和流通的监管。

（二）人民币国际化的初级阶段——人民币自由兑换进程的推进及中国金融业的国际化内功修炼阶段

1. 人民币自由兑换进程的推进是人民币国际化的关键步骤，权衡人民币完全自由兑换的风险和成本，在适当的时机实行人民币的完全自由兑换

从国际货币的经验来看，一种货币想要成为国际货币必须要成为一种完全自由兑换的货币，如果不是完全自由兑换的货币，就会限制这种货币的使用范围，也就难以成为真正意义上的国际货币。人民币目前还不是完全自由兑换的货币，这限制了人民币国际化的进程。中国的对外贸易、投资规模迅速增长，金融市场蓬勃发展，中国加入 WTO 及加强区域经济合作等，都从客观上要求人民币早日实现资本项目下的可自由兑换。鉴于人民币自由兑换的现状和人民币想要成为国际货币的这一呼声，我国政府更应积极推进人民币完全自由兑换的进程，但是我国尚未有系统地、有计划地全面推动资本账户可兑换，对资本项目的管制还比较严格。人民币只在经常项目下的可自由兑换的情况并不能适应我国人民币国际化的现状，这在一定程度上制约了人民币国际化的进程。目前我们的主要任务是积极推进资本项目下的可自由兑换，为实现人民币的完全可自由兑换，最终成为重要的国际货币逐步创造现实的基础条件。可以说人民币自由兑换进程的推进是人民币国际化进程中的必由之路。

　　金融与资本项目下货币自由兑换是开放经济的最后一道门槛，各国对此问题都十分重视。Jagdis Bhagwati（1998）指出："任何国家如果想开放资本自由流动，必须权衡利弊得失，考虑是否可能爆发危机，即使如一些人假定的那样，资本自由流动不会引发危机，也要将经济效益提高带来的收益与所有的损失相比较，才能做出明智的决策"。从发展中国家放开资本项目管制后的实践看，短期资本流动的投机性对国际收支以及汇率的不利影响使其开放的风险增大了。而盲目放开资本项目的管制，其风险更是不可估量。但我们也不能因为这些风险而裹足不前。世界银行的调查研究表明：资本管制的效力正在不断下降，同时资本管制的成本却不断提高。

　　资本项目可兑换进程是不可逆转的。我们要做的就是争取时间，勤练内功，创造条件，并抓住有利的国际环境，稳步推动资本项目可兑换的改革，在适当的时机推动人民币的完全自由可兑换。究竟什么时候才能取消对资本项目外汇收支的限制呢？根据国际经验，货币可兑换程度是与经济实力和对外开放程度成正比的。经济实力越强，对外开放程度越高，则货币可兑换程度相应也越高。一般来说，实现货币自由兑换需具备以下条件：较低的通货膨胀率（低于7%）；合理的利率；较平衡的进出口贸易；一批成熟的国内投资者；发达的资金市场，市场透明度高，信息充分；价格扭曲程度低；适应市场经济的金融体系较完善；宏观调控能力强，微观企业机制灵活；法律健全和有效等等。一旦上述条件成熟，实现货币的自由兑换便可水到渠成。

　　同时，资本项目开放也并非取消一切管制。人民币实现资本项目下可兑换后，按国际惯例，中国仍可以对一些资本项目，如短期投机性资本的流动给予限制，待条件完全成熟后再取消所有限制，使人民币最终走向完全自由兑换。资本账户可兑换不等于没有对资本流动的管理，也并不意味着资本账户下的所有11分类项都要实现可兑换。换言之，资本账户可兑换不等于资本的完全自由流动。即使在早已实现了货币自由兑换的发达国家，它们对资本项目的流入和流出也有其特殊的管理内容和方式，这是世界经济和国际金融一体化的必然要求，而对在这种背景下推进货币自由兑换的我国来说，不断健全对资本项目的管理既是避免受世界经济冲击的需要，也是人民币自由兑换后继续"管理"的基础。

2. 人民币国际化的外部软环境: 我国金融环境的国际化

人民币的国际化, 也需要我国金融环境实现国际化, 因此必须要使银行业和证券业国际化, 还要让金融机构和金融业务国际化。金融业的国际化, 是指一个国家或地区的金融活动和金融发展超越了国界的范围, 与其他国家之间的金融活动和金融市场之间的联系不断扩大和深化, 并不断趋向相互融合的状态和过程。

① 银行业的国际化。银行国际化必须先商业化, 所谓商业化则是指银行在安全营运的前提下追求最大盈利为目的, 并按照目前国际化商业银行的经营模式运作, 也即让金融工具商品化、利率市场化、服务多样化和手段现代化。但由于我国的银行体制不健全与国内银行竞争力不足等原因, 人民币业务还不能大量放开。而外资银行要大规模进入中国金融市场, 就必须取得人民币业务的经营权。中国目前各专业 (商业) 银行在运行机制等方面还没有与国际商业银行接轨。我国银行业国际化的水平仍较低, 除中国银行以外, 其他大多数专业银行 (商业银行) 距国际化水准尚低, 都只是最近几年才开始纷纷走向国际市场。即使是中国银行, 它的经营管理水平也与国际化存在着较大的距离。

② 证券业的国际化。所谓证券市场的国际化, 是指参与市场交易的贷款人和投资者都不受国籍的限制, 他们买卖的证券既可以是市场所在国发行的证券, 也可以是外国发行的证券。一国证券市场的国际程度, 反映了该国金融业的发展水平, 对其经济的发展具有重大的影响作用。

我国证券融资的发展日趋国际化。中国金融机构多次在国际债券市场上成功发行债券, 中国企业海外上市地已逐步从香港地区扩展到新加坡、纽约、伦敦等股票交易所, 中国 B 股市场也稳步发展。中国正成为国际金融社会中重要的一员, 并发挥着重要作用。但是, 第一, 目前我国国际化的金融证券人才缺少。证券市场的逐步国际化, 证券业务的不断拓展, 必然需要大量精通国际金融业务、证券业务、法律、会计等方面的专业人才, 这也将是我国证券市场国际化的前提条件。而现实中, 我国这些方面的人才十分缺乏, 因此必须尽快通过各种途径和手段来培训和培养, 以造就大批的合格人才, 适应证券市场发展的需要。第二, 金融管制还比较严。在证券业方面的管制主要有证券机构建立的限制,对于上市证券规模的控制，对外国金融机构，证券公司入市及其业务范围的限制，还有外汇管制等。实行外汇管制，人民币不能自由兑换和流通，这在很大程度上其实排斥了外国投资者的投资意愿。为此，必须深化金融体制改革，尽快改革现行的外汇管理制度，培育全国统一的外汇市场，创造条件，使人民币逐步国际化。

证券市场国际化后，可以拓宽融资渠道，便于选择最优惠的方式筹措国际资金，可以加快我国金融机构、金融业务国际化的步伐，学习和借鉴国际证券市场的经验。证券市场的国际化，必然要求各种金融措施的配合，如外汇政策、财务会计制度、银行业的服务等，从而加快我国金融体制改革，促进国有专业银行的商业化，尽快建立适应市场经济体制的新型金融体制，带动金融业的发展。

③金融机构和金融业务的国际化。我国的金融机构及其业务的国际化程度还比较低。这一点主要表现在我国金融机构除中国银行已在国外设立了一些分支机构、开展国际金融业务外，其他金融机构在这方面还没有较大发展；同时，外国金融机构进入我国证券市场也还是刚刚起步，表现在数量上还比较少，参与的业务领域较狭窄，业务量较小。表明我国证券市场与国际金融市场的紧密程度还不高，金融机构及其业务的国际化程度还比较低。

金融机构国际化即各国金融机构的设置已突破国界的限制，形成一系列国际化的金融机构或企业。它既表现为一国金融业在国外广设分支机构，形成分支机构众多、信息灵敏、布局合理、规模适当和管理科学的金融机构网络。同时又表现为一国逐步放宽对外资金融机构的限制，允许外资金融机构，尤其是外资银行进入本国金融市场开展金融业务。金融业务自由化是指政府对各种金融机构的金融经营业务的范围限制放宽的程度和过程，主要表现是银行和各种非银行金融机构之间金融业务范围限制的逐步取消和业务范围的不断扩大，使银行业不仅可以从事资金短期融通的货币市场业务，而且可以从事长期借贷的资本市场及债券市场、证券市场和保险市场业；不仅允许商业银行从事投资银行业务，而且允许投资银行从事商业银行业务；不仅允许国内金融机构从事境外金融业务，而且允许国外金融机构从事境内金融业务；不仅允许银行从事表内业务，而且允许其从事表外业务。

（三）人民币国际化的中级阶段——亚洲区域支点货币的形成阶段

人民币要成为国际货币不仅在使用的区域范围上要扩大，而且在其职能范围上也要不断地扩大，不仅使人民币在边境贸易中成为支付和结算货币，而且也能成为一般贸易中的计价和结算货币，并能够成为进行国际投资和国际借贷的工具。一个良好的金融环境应包括一个高度开放和发达的金融市场、完备的离岸市场和国际化的金融中心，这样将使一个国家（包括其货币）成为国际金融业的核心，它是一个国家货币进行国际兑换和调节的重要载体和渠道，同时也是一国货币转换成国际清偿力的重要机制。由于人民币大量在周边国家流通的现状，人民币的离岸市场和国际金融中心建立及人民币在大中华经济圈内的统一，人民币成为亚洲支点货币就很有可能。

1. 香港人民币离岸市场的建立

离岸金融市场（Off-shore Financial Market），又称境外市场。它是指采取与国内金融市场隔离的形态，使非居民在筹集资金和运用资金方面不受国内税收和外汇管制及国内金融法规的影响，进行自由交易的市场。主要为非居民提供境外货币借贷、投资、贸易结算、外汇买卖、黄金买卖、保险服务和证券交易等金融服务，这种类型的国际金融市场主要有两个特征：一是以非居民交易为业务主体。二是基本上不受所在地法规和税制的限制，在遵循国际惯例的基础上自成体系进行管理和营运。

目前，人民币境外流通数量最多的地区首推香港。2003 年 11 月 19 日，中国人民银行与香港金融管理局联合签署关于允许香港银行开办个人人民币业务的合作备忘录。根据此备忘录，国务院批准香港银行将在港办理人民币存款、兑换、银行卡和汇款四项个人人民币业务。为此，中国人民银行发布《公告》，宣布为香港银行在港办理个人人民币业务提供清算渠道和回流机制，以便利内地与香港特别行政区之间的经贸往来，引导在香港的人民币有序回流。在香港开办个人人民币业务为香港人民币回流提供了一个合适的制度安排，为两地经济融合和个人消费提供更大便利，有利于拓宽银行业务范围，改善金融服务，有利于巩固香港国际金融中心的地位，并推动人民币资本项目的开放。

近年来，由于种种原因，香港国际金融中心的地位不断受到冲击。

在香港建立人民币离岸市场，将为香港开辟新的金融产品市场，有利于维持香港国际金融中心的地位。人民币离岸市场在香港的发展可以形成一个完全市场化的人民币利率指标。目前中国内地的外汇市场并不发达，也缺乏回避外汇风险的足够的金融工具，没有外汇市场的各种指标作为参考，中央银行的外汇政策调整必然缺乏足够的市场依据，人民币离岸市场的发展也可为中国内地的外汇市场调节提供一个参照。如果能推动香港成为人民币离岸金融中心，就能够逐步推动人民币成为准硬通货。实际上，允许人民币在香港的流通，允许香港的金融机构吸收人民币存款，是人民币离岸市场开始迅速发展的标志性步骤。香港如果能成为人民币离岸市场，这将是相当长时期内国际上唯一的人民币离岸中心，将为香港增添独特优势，巩固香港现有的国际金融中心的地位。

2. 上海国际金融中心地位的确立

我们首先看看有关上海的一系列数据。2003 年，上海国际金融中心建设取得较大进展，全市金融继续保持稳健运行态势。据统计，2003年，上海金融业增加值达到 629 亿元，同比增长 7.6%，占全市 GDP 的比重连续 10 年超过 10%，绝对值在全国各省市中排第一。上海金融市场功能进一步拓展，规模稳步扩大。一年中，上海中外资金融机构本外币存贷款余额分别达到 1.73 万亿元和 1.32 万亿元，同比分别增长 23.8% 和 24.4%。上海证券交易所有价证券累计成交 8.28 万亿元，同比增长 71%，占全国市场份额的 87%。上海期货交易所累计成交 6.05 万亿元，同比增长 269%，占全国市场份额的 56%。外汇市场成交 1511 亿美元，创历史最高纪录。同时，上海金融发展环境也在不断改善，金融资源集聚效应进一步显现。截至 2003 年年末，上海金融机构总数达到 423 家，比 2002 年增加 77 家。此外，上海金融业对外开放继续扩大，金融产品创新日趋活跃。到 2003 年年末，在沪经营性外资和中外合资金融机构达 90 家，其中 24 家外资银行选择上海作为其在华业务的主报告行①。上海已成为外资银行在中国发展最集中和最活跃的城市。上海外资银行营业机构数量在全国所占比重已超出 30%。目前，全球资本排名前 50 位的国际性银行中，有 25 家在上海设有分支机构。上海

---

① 高渊：《上海加快建设国际金融中心》，《人民日报》2004 年 2 月 24 日。

外资银行营业性机构已达65家，占全国的33%；其中获准经营人民币业务的52家，占全国的53%；资产总数达350亿美元，占全国的54%。在华外资银行2/3以上的主报告行都设在上海，管辖着全国83家外资银行分行①。

上海经济的连年发展，使上海成为国际金融中心有了一定的经济基础。在上海建立国际金融中心，主要目的是通过一个现代化、规范化的国际金融网点，能够随时准确地把握国际经济动向和调动国际经济资源，充分有效地利用国外的市场、技术和资金，以推动上海乃至全国的经济发展，这也是人民币国际化的一个条件和制度保障。国际金融中心具有金融业发达、金融机构密集的共同特点，但在功能上却并非只呈现单一模式。我们认为上海要成为国际金融中心，必然做到以下的几个方面以实现国际金融中心战略目标。

首先，上海应该成为中央银行货币调控中心，才能成为管理和监督流通进而整个金融领域的神经中枢。上海要成为中央银行的货币调控中心，其中一个重要条件是上海要成为中央银行总部所在地。上海必须大力发展短期资金市场，其中包括同业拆借、短期票据的贴现和承兑、可转让存单和短期国债交易等，要争取使上海金融市场的同业拆借利率成为中心利率，成为全国短期资金贷款利率的基础，这样才能使上海真正成为全国资金融通中心。同时，在条件成熟的前提下，中央银行应在上海设立公开市场操作中心，通过在上海市场上发行短期国债，培育和发展短期资金的市场调节机制，为最终实现用经济手段调节货币供给量打下基础。其次，应该首先在上海实现人民币的自由兑换。一旦人民币实现了自由兑换，上海的短期资金市场、债券市场、股票市场、外汇市场、黄金市场会由于货币可以自由兑换而吸引外资银行和企业直接参与，并注入市场竞争机制和国际通行惯例，促进它们的发展和完善。同时，贸易结算、国际融资、国际借贷等活动会更加便利，从而必将带动更多的外国银行和金融机构来参与上海的金融活动，加速上海金融市场的进程。人民币能自由兑换，为外资银行经营人民币业务准备了必要条件。再次，要把上海建成中国金融体系的操作中心。争取开放一些国际

---

① 数据来源：《金融时报》2004年9月13日。

通行的金融业务，以国际市场动作规范为活动准则将是未来金融中心中金融操作及运行体系的基础。考虑到中国金融体制向市场化、国际化改革的任务完成及其开放度较高的外资政策到位尚需时日，一段时期之内，上海的某些国际通行业务的开放可与内地保持相对隔离，从而既可对外强化上海作为中国金融国际化操作中心而非决策中心的独特地位，又可对内减少对宏观经济调控的冲击。此外，还要在上海实现国内金融市场和国际金融市场的接轨，从而使国内金融中心转变为具有内外辐射功能的国际金融中心，使上海国际金融中心成为中国外向型经济的国际通道。未来的上海是世界级的金融中心，还是地区的金融中心，这一问题也涉及到未来上海与其他国际金融中心，尤其是亚太地区国际金融中心之间的相互关系。在一定时期内，上海国际金融中心仍将是地区级的。

3. 两岸四地的货币整合，是人民币区域化的一部分，也是人民币国际化进程中关键性的一步

中国大陆两岸四地近年来贸易规模不断增大，经济联系不断加强，加上香港和澳门的回归，使得这种经济联系越来越紧密，而与台湾的经济联系则受到一定的政治因素的限制，其密切程度受到了影响。由于两岸四地存在着四种货币，在进行贸易和经济往来时，产生了大量的兑换费用和生产成本。仅从贸易经济的角度出发，进行两岸四地货币的整合是有其必要性的。而在目前人民币国际化趋势中，人民币在一国内部的统一也显得必要和迫切，这也是人民币实现区域化的关键一环。关于一国四币的整合所涉及政策成本—收益的详细分析，以及其具体的路径设想，请参见本书第十章第二、三节的详细阐述。

（四）人民币国际化的最高阶段——人民币最后成为国际货币的阶段

由于我国边境贸易和出境游快速发展，推动了人民币在周边国家和地区的流通和接受，这是自然选择和市场选择的结果，是周边国家的市场和人民对人民币产生了很强的信任感从而接受人民币，使人民币在周边国家和地区流通，人民币在周边国家和地区的这种流通和接受的过程是人民币自然国际化的进程。在这一自然国际化的过程中，作为一种货币的发行国，我们要考虑的不仅是人民币在国外的管理问题，也应该考

虑到如何提高我国货币的国际地位，采取主动的措施扩大人民币在周边国家和地区的流通范围和可接受程度，能够广泛地为国际社会所接受，并能在国际储备货币中占有一定的分量，最终使人民币成为国际货币。在人民币自然国际化进程中，我们还是要强调政府在这一过程中的主导作用，政府要有意识地推行人民币国际化的战略，这是人民币的政策国际化过程，我们可以得出结论：人民币国际化进程是自然国际化和政策国际化相统一的历史过程。

第三节　人民币国际化的影响

人民币国际化后，对中国、东亚及全球经济都会产生影响，总体上来说，其正面性的影响要大于负面性的。下面我们来具体地分析人民币国际化对中国、东亚及全球经济的影响。

一、人民币国际化对中国经济的影响

人民币国际化后，人民币成为国际货币，国际货币享有的利益和承担的风险我们都将面对。有关国际货币或人民币国际化后的利弊和影响，国内外学者都做过很多的分析和研究。一般认为，人民币国际化后对我国产生以下几个方面的影响：

（一）对中国经济的有利影响

1. 中国可以享受铸币税收入。人民币国际化后将获得的最大和最明显的收益就是铸币税（Seigniorage）收入，所谓铸币税是指货币发行者凭借发行货币的特权所获得的纸币发行额与纸币发行成本之间的差额[1]。在货币币值稳定的情况下，纸币所代表的价值会远远高于纸币的发行成本，这个溢价部分当然归纸币的发行国所占有。人民币国际化后，将会从国外获得部分铸币税收入，我国就可以用很小的纸币发行成本占有和使用外国的资源和物品，由于发行成本相当小，也相当于我国获得了无息贷款，可以解决国内资金来源问题，这是一种额外的国际

---

[1]　更详细的说明，请见第二章第一节。

收入。

2. 可以减少汇兑成本和降低外汇风险。在国际贸易中，不同种货币的国家要进行币种之间的兑换，而兑换货币需要支付兑付费用，并存在汇率波动的风险。即使是金融市场非常完善，有大量的金融工具可以用来回避风险，仍会对交易者造成很大的风险成本。人民币成为国际货币后，我国可以在对外经贸往来中，尽可能多地使用人民币进行计价和结算，这可以避免以往使用外币所支付的汇兑成本和汇价波动的风险。

3. 可以提升中国的国际政治经济地位。一种国际货币是一个国家综合经济实力发展到一定程度的结果，已经存在的国际货币如美元、欧元、日元背后都有着强大的经济实力的支持。人民币成为国际货币之后，也必将体现和加强中国的经济地位，中国也掌握了一种国际货币的发行和调节权，对使用人民币的国家的经济将产生一定的影响，也可以在世界经济运行中掌握一定的主动权，在全球经济活动中的发言权也将增加，从而提高中国在国际上的政治地位。

（二）对中国经济的不利影响

1. 货币政策发挥的作用、效果将受到限制，政策自由度将下降。人民币国际化后，由于其他国家拥有一定量的人民币，当我国制定相关的货币政策来调节国内的宏观经济运行时，其他国家出于本国经济利益的考虑，也会制定出相应的宏观政策，而这些政策很可能就会大大抵消我国货币政策发挥作用的效果，这样，我们进行宏观经济调控的难度就会增大了。而作为国际货币还要承担一定的责任，否则在多种国际货币共存的情况下，货币的国际声誉就难以维持。因此，制定货币政策、外汇政策时必须考虑对他国带来的影响，尽量减少溢出效应，这样一来我国宏观经济政策的自由度就会下降。

2. 易遭受市场的冲击。人民币国际化程度的加深是伴随着本国金融开放程度加深的。在这种情况下，金融市场的流动性提高，交易量增加，市场空间加大，货币冲击的风险也加大，由于货币壁垒的消失，经济危机、通货膨胀等都有可能通过国际途径传递到我国，导致国内金融市场的不稳定。全面开放的体系一旦形成，国际投资家想要冲击我国金融市场，就可能采取措施掌握部分国际市场上流通的人民币，在我国有困难的时候突然抛出，形成金融冲击。

3. 将面临国际货币双重角色的问题。经济学家特里芬早在 20 世纪 60 年代就提出国际货币所面临的难题——"特里芬难题"，其本质含义概括起来就是：国际清偿能力的需求不可能长久地依靠国际货币的逆差输出来满足。国际货币过多，则各国的国际清偿力不足；国际货币过少，各国对国际货币产生信心危机。实质上就是作为国际货币所面临的国际清偿力和信心之间的矛盾。人民币一旦成为国际货币，也将面临国际货币双重角色的问题，即面临着"特里芬难题"，也应该是人民币国际化后应该考虑的影响。

二、人民币国际化对东亚经济的影响

1. 对于与中国相邻的且外汇较短缺的国家来说，可以节省外汇储备

中国与周边国家的边境贸易之所以有很大的比重是以人民币为结算货币进行的，一个主要的原因就是这些周边国家都在不同程度上存在着外汇的短缺，而且其本国的货币币值不稳定，现在人民币在中国周边国家的流通已经为周边国家节省了大量的外汇。人民币国际化后，这些与中国有着密切边境贸易关系的国家可以较容易地获得人民币作为其国家的国际储备货币，也就可以节省和增加这些国家的外汇储备。

2. 促进中国与东亚地区各国的贸易规模，有利于东亚区域经济的一体化

亚洲地区货币多元化增加了经济交往的交易成本，亚洲国家出口商品都必须以低价抛出自己的货币去购买美元或欧洲货币再进行交易。人民币成为国际货币后，在与周边的亚洲国家进行经济贸易往来中，更多地使用人民币进行支付和结算，可以减少进行交易的交易成本，可使货币资本流动交易费用大大减少，方便中国与周边国家进行贸易和投资，也方便周边国家之间进行国际贸易和国际投资，从而有利于东亚地区内贸易规模的扩大，对于正进行的东亚地区区域经济一体化经济进程也起到很有利的作用。

3. 对日元在东亚区域地位有一定挑战，但有利于东亚区域货币合作

日元国际化程度在亚洲是最高的，但同美元、欧元相比还较低。人

民币目前在周边国家的流通情况已经引起日本的高度重视，日本希望亚洲国家广泛使用日元，将日元作为防备美元与其他货币波动的安全网。人民币的国际化对于亚洲地区唯一的一种准国际货币——日元来说，确实构成了一定挑战。但是由于日本的历史、政治、经济等各方面的原因，日元在东亚地区始终没有充分发挥国际货币的作用，这对于目前争论激烈的东亚货币合作来说一直是一个制约因素。人民币国际化后，成为东亚地区的关键货币或者说是支点货币，一定能够推动未来东亚地区的货币合作。

三、人民币国际化对世界经济的影响

1. 推动国际货币多元化，有利于国际货币体系趋向合理

人民币国际化后，增加了国际货币的币种和数量，将形成美元、欧元、日元和人民币四大国际货币为主导的多元国际货币的格局。这样各国在选择国际货币作为支付货币、结算货币和国际储备货币时就有了更大的选择余地，也有利于发挥逆"格雷欣法则"，即"良币驱逐劣币"效应，使处于强势的国际货币更好地发挥国际货币的作用，同时使处于弱势的国际货币减少其发挥效应。在这种情况下，国际货币体系将会趋向合理。

2. 将缓解目前国际货币双重角色的矛盾

人民币国际化后，国际货币的种类和数量都增加了，各国在选择国际储备货币时，可以进行货币多样化的组合，使外汇储备多样化，可以减轻目前储备货币单一的风险，减少因为储备货币的币值波动而带来的储备货币资产的缩水情况。在这样的情况下，非国际货币国家也可能减少国际冲击，从而使国际金融秩序稳定。

3. 促进国际资本的优化配置

中国在2003年已经成为利用外资的世界第一大国，而且发展潜力巨大，同时中国更是开发短期和长期资本市场的重要基地，自1994年中国成为吸引外资仅次于美国的世界大国之后，人民币作为国际记账单位在借贷关系上，对别的国际货币产生着潜移默化的影响。通过不断改善国际投资环境，减少汇率波动风险，增强国际投资信心，促进从资源储备到投资各种全球性的中介活动，将使全球储蓄被分配到生产效率高的投资领域和地区，从而加速国际资本的流动和优化配置。

人民币国际化程度、趋势预测及路径设想

第一节　人民币国际化程度分析

通过本书第二篇的阐述，我们对人民币的国际化态势有了一个大体的了解。对于人民币国际化的具体程度，我们可以应用货币国际度指标进行衡量，该指标已经由第一章第一节的（1.1）式给出，但由于其部分数据难以获得，现将其简化为：

$$I = \lambda_1 \cdot I_1 + \lambda_2 \cdot I_2 + \lambda_3 \cdot I_3 \qquad (7.1)$$

式中 λ_i（$i = 1$，2，3）分别为各指数的权重。

其中：

I_1：某种货币的境外流通范围指数，其定义同（1.3）。

I_2：某种货币的境外流量指数，其定义同（1.4）。

I_3：某种货币在各国国际储备中的占比指数，其定义同（1.7）。

各指数的权重 λ_i 分别表示各指数对国际度的影响程度。目前各个指数 I_1、I_2、I_3 对货币国际度指标 I 在影响程度上难分伯仲，因此很难给出有说服力的权重，这里参考李瑶（2003）的做法，暂时取：

$$\lambda_i = 1 \qquad (i = 1，2，3) \qquad (7.2)$$

另外，由于我们难以获得人民币在境外作为他国的官方外汇储备的数额，所以暂时以人民币境外沉淀量代替以人民币作为官方外汇储备的数量。根据搜集到的资料和我们的测算数字，套用上述公式，人民币的国际度指数 2000～2002 年分别为 0.191、0.217、0.222。

2000～2002 年，与中国有贸易往来的国家和地区数均为 224 个；流通或持有人民币的国家数为 21、24、24 个[①]；境外流通估计量为 1000 亿元、1200 亿元和 1400 亿元（以 2001 年的数据为基准，2000 年和 2002 年的数据按照同比增长得出）；境外沉淀量按照与流量相同的估计方法估算，分别为 400 亿元、600 亿元、800 亿元，按同期年底平均汇率折算后，约为 48.32 亿美元、72.49 亿美元、96.65 亿美元；基础货币发行量 B_0 分别为 14652.7 亿元、15688.8 亿元、17278.0 亿元；外汇储备量分别为 1655.74 亿美元、2121.65 亿美元、2864.07 亿美元。计算过程见表 7－1 所示：

表 7－1　2000～2002 年人民币国际度指标

指数 年份	本币境外流通范围指数（单位：个）		I_1	本币境外流量指数（单位：亿元）		I_2	本币储备占比指数（单位：亿美元）		I_3	I
	ΣA_i	A_0		ΣZ_i	B_0		ΣR_i	R_0		
	1	2	3 = 1/2	4	5	6 = 4/5	7	8	9 = 7/8	10 = 3＋6 ＋9
2000	21	224	0.094	1000	14652.7	0.068	48.32	1655.74	0.029	0.191
2001	24	224	0.107	1200	15688.8	0.076	72.49	2121.65	0.034	0.217
2002	24	224	0.107	1400	17278.0	0.081	96.65	2864.07	0.034	0.222

数据来源：《中国统计年鉴》2003、国家外汇管理局网站、我们的估算数和整理所得数据。

从计算出来的人民币国际度指标绝对数值来看，指标的绝对数值较小，说明人民币的国际化程度不高；但从时间角度来看，指标数值不断增大，可见，人民币的国际化程度在逐渐加深。

根据李瑶（2003）的测算，2000 年美元、欧元和日元的国际度指标分别为 10.25、2.27 和 1.17。但是，李瑶的算法与我们的方法稍有不同：李瑶把货币的境外流通量当做该货币在境外的官方储备额，这样，所计算出来的货币国际度指标与我们所计算出来的有一些差别，但是并

---

①　注释：这些国家或地区为中国香港、中国澳门、中国台湾、越南、缅甸、老挝、尼泊尔、柬埔寨、泰国、新加坡、马来西亚、菲律宾、孟加拉、印度尼西亚、韩国、朝鲜、蒙古、俄罗斯、哈萨克斯坦、吉尔吉斯斯坦、巴基斯坦、美国、法国、德国。

不影响对比结果——即使拿 2002 年的人民币国际度指标 0.222 与 2000 年的三大国际货币中国际度指标最低的日元国际度指标 1.17 相比，人民币的国际化程度还是比较低的。李瑶的计算详见表 7 - 2。

表 7 - 2　美元、欧元、日元的国际度指标　（单位：10 亿美元）

指数／币种	本币境外流通范围指数			本币境外流量指数			本币储备占比指数		I
	$\sum A_i$	A_0	I_1	$\sum Z_i$	B_0	I_2	R_0	I_3	10 = 4 +
	2	3	4 = 2/3	5	6	7 = 5/6	8	9 = 5/8	7 + 9
美元	237	237	1.00	1081	531	2.04	150	7.21	10.25
欧元	205	237	0.86	201	304	0.66	269	0.75	2.27
日元	173	237	0.73	84	515	0.16	301	0.28	1.17

数据来源：李瑶：《非国际货币、货币国际化、与资本项目可兑换》，《金融研究》2003 年第 8 期。

把人民币的国际度指标与美元、欧元和日元的国际度指标相比较，可以看出目前人民币的国际化程度还很低。

从货币的职能角度看，在衡量货币国际化程度（包括广度和深度）的各项指标中，货币国际化程度由浅入深，从计价货币、清算货币、商品媒介、支付手段、国际储备、金融交易品种等指标来衡量。人民币的境外职能除了支付手段、清算货币和少量充当计价货币外，其他指标都非常弱，其"金融交易品种"货币量和国际储备量还不大。就实际的商品服务交易使用人民币而言，1200 亿 ~ 1400 亿元人民币的境外流通量，无论是相对于人民币的货币发行总量，还是相对于 2002 年中国（不包括港澳台地区）51378.2 亿元（6207.7 亿美元）的进出口贸易总额来讲，比率都比较小（人民币境外流通量占 2002 年基础货币发行量的 6.95% ~ 8.10%，约占进出口贸易总额的 2.34% ~ 2.72%）。因此，目前人民币的国际化程度还比较低。

第二节　人民币国际化客观趋势

虽然人民币国际化程度还比较低，但是现在已经开始了周边化

进程——人民币的国际化进程已经起步，而且人民币有其国际化的客观趋势。

一、从国内情况来看

（一）中国的经济实力不断增强，综合国力日益提高

强大的经济实力是货币国际化赖以进行的坚实的物质基础。纵观历史，每一种国际货币都是以其发行国强大的经济实力做后盾的。

改革开放以来，中国经济持续高速发展，尤其进入 20 世纪 90 年代以来，中国经济获得了长足发展。据有关资料表明，1990～1998 年中国 GDP 年均增长率为 9.8%，其中，1996～2002 年间中国 GDP 年均增长率为 8.3%。[①] 贸易上，商品进出口连年大幅度增长，并持续保持顺差，1994～2002 年累计顺差额达到 2245.3 亿美元。[②] 贸易增长的同时，外汇储备迅速增加，2003 年年底，外汇储备总额为 4032.51 亿美元，到 2004 年 9 月达到 5145.38 亿美元。[③] 在利用外资上，1979～2002 年累计利用外资 6234.18 亿美元，其中累计利用外商直接投资 4462.55 亿美元。2002 年利用外资项目 34171 个，利用外资额 847.51 亿美元。[④] 此外，中国在海外兴办企业的经营范围不断扩大，涉及对外贸易、物业投资、信息咨询、金融保险、建筑等领域。目前，中国在海外的企业遍及五大洲 120 多个国家和地区，海外总资产达 2 万亿元人民币。[⑤] 可以说，中国已经是世界经济大国，为人民币国际化打下了坚实的物质基础。同时，中国要融入世界经济之中，中国的经济要进一步的开放，也要求人民币走国际化道路。

（二）中国在贸易金融领域的开放度在不断提高

从中国实行改革开放以来，国门就逐步向世界敞开了。尤其是进入市场经济改革时期后，中国的开放度不断增大。加入 WTO 以后，中国

---

① 数据来源：周群：《人民币已具备国际化的基本条件》，《中国经济时报》2003 年 12 月 17 日。

② 数据来源：《中国统计年鉴》历年数据整理。

③ 数据来源：国家外汇管理局网站。

④ 数据来源：《中国统计年鉴》2003，中国统计出版社 2003 年。

⑤ 周群：《人民币已具备国际化的基本条件》，《中国经济时报》2003 年 12 月 17 日。

的经济更是以更高的速度融入世界经济之中。

2002 年中国的出口总额占当年 GDP 的 25.72%，2003 年中国的对外贸易总额达到 8512 亿美元。目前，中国已经是世界第三大贸易国，与世界二百多个国家和地区有贸易往来，对外贸易依存度已经相当高。

中国的金融制度日趋完善，金融体系不断健全，金融市场日益成熟。1994 年，我国实行外汇体制改革，实现了人民币官方汇率与外汇调剂市场汇率并轨，人民币汇率进入以市场供求为基础的单一的、有管理的浮动汇率制；中资企业实行银行结售汇制；实现了人民币经常项目有条件可兑换；银行间外汇市场正式成立运转。1996 年，国家外汇管理局颁布《境内居民因私兑换外汇办法》，提高了境内居民兑换外汇标准，扩大了供应外汇的范围。同年，中国人民银行颁发《结汇、售汇及付汇管理规定》，将外商投资企业纳入银行结售汇体系，取消了尚存的少量汇兑限制。至此，我国提前达到国际货币基金协定第八条款的要求，实现了经常项目下人民币可兑换。近一段时期，国有商业银行正在进行股份制改造上市工作。国家相继制定颁布实施了《中国人民银行法》、《商业银行法》等金融法规，为金融机构运作提供了可靠的法律规范和保障，国家外汇管理制度逐步从直接管理转为间接管理。[1] 2003 年 11 月 19 日，中国人民银行与香港金融管理当局签订了合作备忘录，批准香港银行在港办理人民币存款、兑换、汇款和银行卡四项个人人民币业务。现在，香港银行已经开始办理个人人民币业务。从 2005 年元月开始，人民币携带出境限额由 1993 年规定的 6000 元调整为 2 万元人民币……可以看出，我国金融领域的改革在不断深化，对人民币的管制不断放松。

（三）人民币币值稳定

中国的政治局势稳定、经济形势一直保持快速平稳的发展势头，使得人民币的币值稳定，而且，这种安定的态势会继续下去，所以人民币的预期价值也很稳定。

货币币值稳定要求对内通货膨胀率较低、对外汇率波动较小。

① 部分资料来源：周群：《人民币已具备国际化的基本条件》，《中国经济时报》2003 年 12 月 17 日。李长江：《人民币迈向国际化的道路》，中国物资出版社 1999 年版。

中国在改革开放之后经历了两次较严重的通货膨胀，积累了很多治理通货膨胀的经验，政府的宏观调控能力不断增强。近年来，中国一直保持了较低的通货膨胀率，使人民币对内价值稳定。

1994年汇率并轨以来，人民币汇率采取以市场供求为基础的单一的、有管理的浮动汇率制，但是实际上，人民币一直是盯住美元的。美元对外价值的相对稳定使得人民币的对外价值——汇率也相对稳定。表7-3显示了1994~2002年人民币对美元年平均汇价，从表中可以看出，人民币相对于美元的对外价值稳中有升，而后基本保持稳定，目前，人民币正面临着升值的压力。

表7-3　人民币对美元年平均汇价（中间价）　（单位：人民币/百美元）

年份	1994	1995	1996	1997	1998	1999	2000	2001	2002
汇率	861.87	835.10	831.42	828.98	827.91	827.83	827.84	827.70	827.70

数字来源：《中国统计年鉴》2003，中国统计出版社2003年版。

（四）人民币的流动性和国际社会可接受性不断提高

从1994年开始，我国实行外汇体制改革。首先中资企业实行银行结售汇制，实现了人民币经常项目有条件可兑换。1996年，中国人民银行颁发《结汇、售汇及付汇管理规定》，将外商投资企业纳入银行结售汇体系，取消了尚存的少量汇兑限制。至此，我国提前达到国际货币基金协定第八条款的要求，实现了经常项目下人民币可兑换。目前，香港银行已经开始办理个人人民币业务。从2005年元月开始，人民币携带出境限额由1993年规定的6000元调整为2万元人民币。所有这些都说明人民币的流动性在不断增强，普遍接受性在不断提高。相信在条件成熟的情况下，中国将逐步放开并最终实现资本项目下人民币可兑换。那时，人民币的流动性和普遍接受性将进一步得到提高。

（五）制约人民币国际化的因素部分是制度因素造成的，而非货币本身

人民币币值稳定，中国日益强大，人民币越来越受到国际社会的欢迎。但是，目前中国并没有放开资本项目下人民币可兑换，制约了人民

币流动性的提高。如果货币不能流动，就如同一堆纸片，没有任何价值。所以流动性有限的货币，国际社会的可接受程度就相对有限。可见，由于中国的制度因素，在一定程度上导致了人民币国际化进程受阻。随着制度的逐渐放开，人民币的国际化趋势将更加明显。

二、从国际角度看

1. 在国际市场上，出于成本节约和规避风险的考虑，交易手段的职能由越来越少的货币执行。格兰斯曼（Grassman，1973）、佩兹（Page，1981）、卡斯（Carse，1980）等人经过长期的实证研究，总结出在差异性较大的制成品贸易中，以出口国的货币为结算货币。中国与世界的经贸关系越来越紧密，制成品的制造出口能力日益增强，人民币将会越来越多地充当计价、结算货币和支付手段。

2. 中国的周边国家有很多都是经济实力相对比较弱的小国，有些国家的通货膨胀很严重或汇率波动频繁，所以，由于这些国家的货币币值不稳定，其居民更愿意接受人民币作为交易媒介。

3. 有些国家外汇十分短缺，为了节省其他外汇，他们愿意接受人民币以便从中国进口商品时使用。

4. 中国现在正在以惊人的速度发展，成为世界经济的"发动机"。中国周边国家有很多都要依靠中国来带动其经济发展。所以，在对中贸易和旅游上都愿意接受人民币，以期与中国有更大、更深入的经贸和人员往来。

通过对国内、国际两方面的阐述，我们可以看出人民币有其国际化的趋势，并且，随着中国开放度的增加、制度限制的放开，人民币的国际化将越走越快。

第三节　人民币国际化路径设想

人民币国际化可以走周边化——国际区域化——全球化之路。

人民币周边化是指人民币流通范围超越国界，在中国周边国家和地区被用于商品计价、双边结算和支付货币的过程。

目前，人民币周边化进程已经起步。与中国边贸往来频繁和把中国作为重要旅游客源国的周边国家和地区，人民币的流通规模不断增大，使用范围越来越广，在有的地区人民币大有替代当地货币的趋势。尼泊尔、越南、俄罗斯、蒙古和巴基斯坦五个国家已先后批准在出口贸易中使用人民币进行结算。

要推进人民币周边化，就要继续积极发展边境贸易，鼓励边贸用人民币进行计价结算；同时应大力扩展银行网点和分支机构，提高银行的服务和管理水平，给境内外的银行客户敞开方便之门；积极发展出境旅游业务，放宽人民币的携带出境限额；鼓励在周边国家使用人民币进行对外直接投资等。

人民币国际区域化是指人民币在亚洲（或亚洲的区域经济集团）内被广泛用于商品计价、双边、多边结算和支付的过程。

人民币国际化是指人民币冲出亚洲，在全球范围内充当国际多边贸易计价、结算和支付货币的过程。

一般来说，一种货币在充当区域货币的同时就已经凭借其巨大的影响力而成为国际货币了。例如欧元，在成为区域货币的同时也成为国际货币之一。所以，人民币国际区域化进程同时也是人民币国际化进程，推进人民币区域化的过程自然就是推进人民币国际化的过程。

人民币的国际区域化不同于周边化。人民币的周边化是自然发展的结果，而国际区域化在自然发展的基础上需要政府的积极配合。

（一）可以考虑在适当的时候在香港建立人民币离岸中心。即在香港的银行体系内从事人民币的存贷款和投融资业务。

离岸金融市场又称欧洲货币市场，它是指采取与国内金融市场隔离的形态，使非居民在筹集资金和运用资金方面不受国内税收、外汇管制和国内金融法规的影响，进行自由交易的市场。

根据世界离岸金融市场建立的历史经验，在一国或地区建立离岸金融市场必须具备以下基本条件：（1）政治安定，经济稳定；（2）经济开放度高，与国际市场联系紧密；（3）有比较成熟和完备的金融制度和金融机构；（4）金融管制比较宽松；（5）地理位置优越，交通发达，通讯先进；（6）有充足的国际金融专业人才和较丰富的经验。

目前，中国内地一直保持着政治安定、经济平稳健康发展的势头，

对外开放程度不断加深，加入 WTO 以后，中国经济更是以更快的速度融入世界经济之中。中国地处环太平洋经济圈，具有得天独厚的地缘优势，交通通讯网络已形成体系。但是，金融制度和金融机构还不算成熟完备，人民币没有实现资本项目可兑换，缺乏优秀的国际金融专业人才。所以，目前在中国内地建立离岸金融市场的条件还没有完全成熟。

香港与内地在地理位置上临近，经济联系紧密，"一国两制"使香港与内地的金融市场相隔离。香港本身就是一个发育成熟的离岸金融中心，管制宽松，政策优惠。而且，香港已经有大量人民币在流通，人民币在港需求不断上升。所以，香港作为人民币的离岸中心很有优势。目前，香港银行已经开始办理个人人民币业务。这意味着中国已经开通了离岸人民币局部兑换的渠道，同时也显示香港已经捷足先登，建立了全球第一个离岸人民币清算体系，这为香港日后成为人民币离岸中心奠定了基础和优势。

随着人民币境外需求的增加，需要建立人民币离岸中心，满足国际上对人民币的需求。这还有利于打击黑市交易，使境外人民币流通纳入正常、健康的流通体系。同时，通过离岸中心，国内企业可以拓宽融资渠道，增强企业的实力。建立人民币离岸中心还有助于提高以人民币计价结算的国际贸易比重，从而提升人民币的国际地位，有利于更好地推进人民币的区域化、全球化进程。

（二）在积极建立香港人民币离岸中心的同时，还应注重打造上海国际金融中心。

国际金融中心一般定义为国际性金融市场的集中地。一般有以下共同特征：（1）金融机构云集。大量国内外金融机构汇聚其中，成为国际金融中心的活动主体和结构主体；（2）金融服务全面。各类趋于成熟或创新的金融品种与金融工具在此被广泛使用并向外传播，带动金融市场的业务拓展与产品更新；（3）金融制度完备。涉及金融交易、监管、司法以及信息流通的规范体系的确立，保障了金融市场与金融机构有序并有效的发展；（4）金融交易活跃。资本管制的全面放开、便利畅通的投资及交易场所吸引并促进了金融市场的规模扩展和投资流动；（5）金融人才充沛。大量集中的市场拥有大批专业化的人才，而活跃的市场和不断创新的交易品种及其技术又不断培育出新的专业化人才。

当然，金融中心发源地的强大经济实力是金融中心形成和发展的必要条件。

上海有悠久的金融发展史，早在20世纪30、40年代，上海曾经是远东地区著名的国际金融中心。上海地理位置优越，经济实力位于全国前列，外资银行和金融机构云集，各种金融活动活跃，有发展为国际金融中心的特征和条件。据中国人民银行最新统计资料显示，截至2002年年底，上海中外资金融机构本外币各项存款余额达14035亿元，当年新增2776.44亿元，比上年增长24.66%，贷款余额10550.94亿元，当年新增1771.68亿元，比上年增长20.18%，不但首次双破1万亿元，而且当年存贷款新增额及银行业盈利情况都创下历史纪录，中外资银行携手并进，达到双赢。① 2003年上海金融继续保持稳健运行态势，金融业增加值达到629亿元，同比增长7.6%，占全市GDP比重连续10年超过10%。上海金融发展环境不断改善，金融产品创新活跃，吸引中外资金融机构纷纷向上海集中，金融资源集聚效应进一步显现，上海的金融机构迅速增加。截至2003年年末，上海金融机构总数达到423家，比2002年增加77家。上海市政府副秘书长、上海市金融服务办主任吉晓辉表示，上海国际金融中心建设将实现5年打基础、10年建框架、20年基本建成的战略目标和战略步骤。到2010年，上海将基本形成区域性金融中心的框架体系；到2020年基本建成亚太地区金融中心，并向世界级金融中心迈进。②

国际货币需要有其方便迅捷的交易网络，快速的融通场所，所以，国际金融中心的建立将对人民币国际化起到很大的促进作用。通过金融中心，人民币可以迅速地流出流入中国，增强了人民币的流动性；国际化的货币运作使人民币的市场供求趋于平衡，提高了人民币币值的稳定性；币值稳定、流动性强的人民币必然会受到国际社会的认可和接受，进而提高了人民币的国际社会可接受性。具有较高流动性、稳定性和普遍接受性特征的货币成为国际货币的可能性更大，从而，人民币的国际化进程会借助上海国际金融中心而向前迈进一大步。

---

① 来源：《国际金融报》，新华网，2003年1月9日。
② 来源：《上海证券报》，雅虎中国/财经，2004年2月4日。

（三）在培育中国本土的离岸和国际金融市场的同时，积极与亚洲其他金融中心、金融市场和区域组织进行各种金融合作，进而形成亚洲人民币以及亚洲人民币市场。

我们认为亚洲人民币和亚洲人民币市场的概念有狭义和广义之分。狭义的亚洲人民币是相对于欧洲美元的概念，它是指存放在中国境外银行（主要指亚洲地区银行）的中国境外人民币存款。亚洲人民币市场即在人民币发行国（中国）境外从事人民币借贷活动的市场。广义的亚洲人民币是泛指中国国境之外的人民币，既包括境外人民币存款，也包括流通于银行体系之外的境外人民币。存在人民币境外流通使用活动的地区即可以称为亚洲人民币市场。"亚洲"就是"离岸"的意思，并不仅指人民币在亚洲地理区域内的流通和使用，随着人民币国际化程度的不断深化，人民币完全可以走出亚洲，在世界的其他地区充当国际货币。

可以先选取亚洲的离岸金融中心作为试验点，建立亚洲人民币市场，以点带面，全面推进人民币的区域化和全球化。除了中国香港以外，亚洲的东京、新加坡、巴林、马尼拉等都是世界著名的离岸金融中心，金融业务能力很强，它们进行亚洲人民币业务只是多了一种金融服务币种而已，而人民币则可以借助离岸金融中心庞大的交易网络迅速推进国际化进程。

同时，中国可以积极与各个区域经济集团组织开展包括金融在内的各项合作。一般而言，随着区域内部经贸往来的频繁，需要选择区域内某一强势货币进行商品计价、多边结算和支付，以节约汇兑成本和金融风险。人民币可以在与其他货币合作的同时，努力争取获得"领导地位"，争取在区内执行国际货币职能的机会，进而形成亚洲人民币市场。

目前，中国已经和东盟开展全面合作。双方在贸易、旅游、投资和金融领域的合作已经全面启动。

贸易方面，东盟已经连续 10 年成为中国第五大贸易伙伴，是中国在发展中国家中最大的贸易伙伴，而且双边的贸易增长速度远远高于其他主要贸易伙伴。2001 年，中国与东盟双方进出口总额达到 416 亿美元，比 2000 年增长 5.3%。2002 年，双边贸易额又历史性地突破了 500 亿美元大关，达到了 548 亿美元，比 2001 年增长了 132 亿美元，增长率高达 31.8%。其中中国进口额为 312 亿美元，同比增长 34.40%；出口额为 236 亿美元，同比增长 28.39%。

同时，中国与东盟在电信、金融、交通等诸多服务领域的合作已经不断加深，特别是在旅游方面，东盟国家已经成为中国公民海外旅游的首选目的地。2002 年，到东盟国家旅游的中国公民已超过 150 万人，同比增长高达 30%。

由于地理位置相邻，文化背景相似，东盟国家已经逐步成为中国企业投资的重点地区，投资规模逐年扩大，增长速度迅速。现在，东盟已经是继中国香港、美国之后的中国第三大海外投资目的地。[①]

金融方面，1999 年 11 月，东盟 10 + 3（东盟 10 国加上中国、日本和韩国）峰会在马尼拉通过了《东亚合作的共同声明》，同意加强金融货币和财政政策的对话协调和合作。根据这一精神，2000 年 5 月，东盟 10 + 3 的财政部长在泰国清迈达成了《清迈协议》，涉及金融合作的协议有：（1）充分利用东盟 10 + 3 的组织框架，加强有关资本流动的数据及信息的交换。（2）扩大东盟的货币互换协议，同时，在东盟与其他三国（中国、日本和韩国）之间构筑两国间的货币互换交易网和债券交易网。（3）如果能够将各国外汇储备的一部分用于相互之间的金融合作，这对于稳定亚洲区域内的货币金融市场将具有极其深刻的意义。另外通过完善亚洲各国货币间的直接外汇市场并建立资金结算体系，扩大亚洲货币间的交易。2000 年 8 月，东盟 10 + 3 的中央银行又将多边货币互换计划的规模由 2 亿美元扩展到 10 亿美元，一年以后，这一构想已经获得了实质的进展——扩展了东盟互换协议、双边互换网络和回购协议。到 2002 年 10 月 9 日，中国人民银行已与泰国银行、日本银行、韩国银行和马来西亚国家银行签署了共计 85 亿美元的双边货币互换协议。

中国与东盟及亚洲其他国家和地区在各个领域的合作都为人民币成为区域支点货币打下了坚实的基础，创造了良好的条件。

一国货币成为区域支点货币必须具备几个条件：（1）该国具有庞大的经济总量和稳定的经济增长速度；（2）同该区域内各国具有紧密

---

① 信息来源：人民网，2003 年 3 月 5 日。

的贸易投资往来；（3）拥有巨大、开放的金融资本市场；（4）该国的中央银行实力雄厚，可以充当区域最后贷款人的角色；（5）具有完备的经济体系、合理的经济结构，对外依存度较小，在经济与金融危机中能够有效隔离内外经济传导。

中国已经是世界经济大国，经济总量巨大，经济增长持续、稳定、高速；中国与东盟的贸易投资往来日趋密切；中国外汇储备量巨大，具备了充当最后贷款人的能力；改革开放以来，中国的经济体系已经比较完备，经济结构日趋合理，人民币已经初具区域支点货币的条件。但是，中国的对外依存度相对较高，金融资本市场的开放程度有待于进一步提高。

纵观货币国际化历史，任何一种国际货币背后都有一个经济实力、综合国力强大的货币发行国。所以，人民币要走国际化之路，时时刻刻都要"苦练内功"，不断增强中国的经济实力，提升综合国力。当前，中国应当继续深化和完善金融市场改革，健全金融体系、防范金融风险、提高金融监管水平、逐步稳妥地放松资本项目管制，为人民币国际化之路打下坚实的基础。我们有理由相信：人民币的明天会更好。

第八章

人民币国际化的利弊分析

随着人民币国际化的不断深入，人民币国际化问题成为备受关注的热点。学者们对人民币国际化的含义、条件以及推进人民币国际化的途径等进行了大量的研究，形成了很多有价值的成果，其中也包括对人民币国际化利弊的两面性阐述。笔者在以往研究的基础上，进一步对该问题做了具体的解析。

第一节　人民币国际化有利方面的分析

一、从其他国家和地区获取铸币税收入

关于铸币税概念的五种观点，在本书第二章第一节已有介绍，这里采用的概念是第一种看法和第五种看法的综合体，即：对于一种国际化的货币，政府的铸币税来源可扩展到其他国家和地区，其生成机制是央行通过其资产负债业务进行货币创造，同时由于该货币作为国际货币被其他国家或地区持有，由此而产生的净收益。

然而，在对人民币国际化过程中的铸币税收入进行具体测算时，笔者发现存在一些困难。首先，由于人民币流出和回流途径的复杂性，监管和统计存在困难，无法得到人民币境外流量的准确数据。

现阶段，人民币流出途径主要有以下几种：（1）边境贸易进口支付；（2）境内居民出境旅游、探亲消费支付；（3）境外投资、项目承

包等人民币资本流出；（4）境内居民境外赌博、走私、购买毒品支付等非法流出。而人民币回流的途径，主要有：（1）边境贸易中出口，对方以人民币结算；（2）境外居民入境旅游、探亲消费以人民币支付；（3）通过银行体系流回境内。

目前，我们与周边国家的贸易多为小额贸易和边民互市贸易，存在"金额小、数量大"的特点，再加上对于边境小额贸易①可以免征关税而未统计，因而通过贸易途径流出和回流的数量难以估计。同时，有大量的人民币通过非法渠道流出，这部分更是难以监控和统计。总之，目前，还无法得到通过各种渠道流出和回流的人民币的准确统计数据。

其次，从边贸中货币结算比例来看，使用人民币结算的比例还不大，而且人民币在与各国贸易中具体的结算比例无法得到，因而很难通过国际收支账户对人民币的铸币收入进行测算。

如本书表5－2所示，2001年至2003年我国与越南、老挝和缅甸三国贸易中：相对于进口贸易，在对三国出口贸易中人民币结算比例还较低。因为人民币币值稳定，在进口贸易中对方非常愿意接受我方用人民币支付，在出口中，我方则一般要求对方支付美元等外汇，人民币结算比例相对较低。总体来说，在与三国的贸易中，人民币结算比例还不大。

因此，要从总体上对人民币国际化的铸币税收入进行精确测算，存在很大困难。由于"内地与香港关于建立更紧密经贸关系的安排"（CEPA）的实施，内地与香港的经济合作联系更加紧密，人民币在香港的流通规模也不断扩大；而且国内学者对在港人民币的研究较多，数据较为翔实。在此，且以香港为例进行铸币收入的测算。

测算的具体思路如下：

1. 时间段为：2004年3月~2005年12月。2004年2月25日，香港正式开办个人人民币存款、兑换、银行卡和汇款业务；中国人民银行授权中银香港作为香港有关银行办理人民币业务的清算行，办理个人人民币业务的清算；中国人民银行深圳市中心支行为清算行开立清算账户，接受清算行的存款，并支付利息。

---

① 交易金额在3000元以下的贸易活动。

2. 铸币税收入＝人民币结算的贸易差额＋境内居民入港人民币消费量－香港居民入境人民币消费量－人民银行深圳中心支行为香港银行在其人民币存款支付的利息。

3. 人民币结算的贸易差额：以人民币结算的内地与香港贸易，如果是逆差，说明人民币的净流出，相应获得了商品等实物利益；相反，如果是顺差，说明人民币的净流入，相应付出了一定的实物资产。

根据香港贸易发展局发言人的分析，内地与香港贸易中有80%是转口贸易。在转口贸易中，内地经香港卖去海外的货物，交易币种往往由买方决定，一般用美元；而由海外经香港卖到内地的原料或零配件，交易币种又主要由卖方决定，卖方为减低外汇风险，一般也用美元。因而，人民币结算对内地与香港的转口贸易的影响不大。在其余的非转口贸易中，目前已经有部分是用人民币支付的，我们假设人民币在这部分的结算比例为25%。也就是说，人民币在内地与香港贸易中的结算比例为20%×25%＝5%。

由表8-1及表8-2，2004年3月至2005年年底，内地与香港贸易的顺差总额为6569.98＋9181.21＝15751.19亿元人民币；按5%的人民币结算比例，人民币结算的顺差为15751.19×5%＝787.56亿元。

表8-1　2004年3月~12月内地与香港贸易情况

2004年	出口额（万美元）	进口额（万美元）	逆差额（万美元）	当月人民币对美元利率（平均数）	逆差额（亿人民币）
3月	795254	96119	699135	8.2771	578.68
4月	791089	99155	691934	8.2769	572.71
5月	768340	94264	674076	8.2771	557.94
6月	856549	98603	757946	8.2767	627.33
7月	854445	99232	755213	8.2767	625.07
8月	886453	99172	787281	8.2768	651.62
9月	943698	107028	836670	8.2767	692.49
10月	891745	99390	792355	8.2765	655.79
11月	1017727	110683	907044	8.2765	750.71

续表

2004 年	出口额 （万美元）	进口额 （万美元）	逆差额 （万美元）	当月人民币 对美元利率 （平均数）	逆差额 （亿人民币）
12 月	1158385	122139	1036246	8.2765	857.65
合计	8963685	1025785	7937900	n. a.	6569.98

注：除当月人民币汇率外，相关数据均按照原始数据计算所得。以人民币表示的顺差额等于以美元表示的顺差数额乘以当月利率。

资料来源：中国商务部网站及中国人民银行网站。

表 8-2　2005 年内地与香港贸易情况

2005 年	出口额 （万美元）	进口额 （万美元）	顺差额 （万美元）	当月人民币 对美元利率 （平均数）	逆差额 （亿人民币）
1 月	702142	93512	608630	8.2765	503.73
2 月	680795	73143	607652	8.2765	502.92
3 月	1001818	116581	885237	8.2765	732.67
4 月	983942	116521	867421	8.2765	717.92
5 月	886318	93905	792413	8.2765	655.84
6 月	1043528	108192	935336	8.2765	774.13
7 月	1023358	100650	922708	8.2369	760.03
8 月	1069509	105088	964421	8.1019	781.36
9 月	1163867	106333	1057534	8.0922	855.78
10 月	1143911	96760	1047151	8.0899	847.13
11 月	1234122	104461	1129661	8.0840	913.22
12 月	1514795	107557	1407238	8.0759	1136.47
合计	12448105	1222703	11225402	n. a.	9181.21

注：除当月人民币汇率外，相关数据均按照原始数据计算所得。以人民币表示的顺差额等于以美元表示的顺差额乘以当月利率。

资料来源：中国商务部网站及中国人民银行网站。

4. 境内居民入港人民币消费量估算：

根据香港政府统计处的统计，2004 年内地入港人数为 1224.6 万人，

2005 年内地入港人数为 1254.1 万人。按中国人民银行规定，2005 年 1 月 1 日前，内地居民允许携带人民币出境的限额为 6000 元；2005 年 1 月 1 日后，限额增加到 20000 元。按照大多数学者的假设，内地居民将出境携带人民币限额的一半花在香港。则 2004 年境内居民入港人民币消费量约为：1224.6 × 3000 = 367.38 亿元，3 ~ 12 月平均为：3673800/12 × 10 = 306.15 亿元。2005 年境内居民入港人民币消费量约为：1254.1 × 10000 = 1254.10 亿元。2004 年 3 月至 2005 年年底，估算的境内居民入港人民币消费总量约为 306.15 + 1254.10 = 1560.25 亿元。

5. 香港居民进入内地消费的人民币数量估算：

每年会有人民币被港澳居民以到内地旅游、探亲及消费等形式回流到内地，而且携钞量呈逐年递增，见表 8 – 3。考虑港澳居民与内地消费能力的差别，我们假设港澳居民将花费所携带的人民币数额的 80%。

表 8 – 3　港澳居民入境携带人民币数量（1994 ~ 2003 年）

年份	港澳居民入境	
	人数（万人次）	携钞量（亿元）
1994	3699.7	74.0
1995	3885.2	77.7
1996	4249.5	85.0
1997	4794.3	95.9
1998	5407.2	162.2
1999	6167.1	246.7
2000	7009.9	350.5
2001	7534.5	452.1
2002	8108.4	486.5
2003	7748.8	464.9

数据来源：环亚经济数据库公司（CEIC）2003。

由于 2004 年和 2005 年的携钞量数据不可得，我们使用线性回归来进行初步的估算。以携钞量为因变量 y，港澳居民入境人数为自变量 x，通过统计软件得出线性方程为：$y = -347.21583 + 0.10183x$，显著性水平为 0.05，截距项和系数项的 P 值都很小，均通过显著性检验。

通过表8－4及表8－5估算，2004年，香港居民入境携带人民币数量约为416.3亿元，2004年3月至年底约为416.3/12×10＝346.9亿元；2005年香港居民入境携带人民币数量约为460.7亿元，2004年3月至2005年年底，香港居民入境共携带人民币数量约为346.9＋460.7＝807.6亿元。2003年3月至2005年年底，香港居民在内地使用人民币消费量约为：807.6×80%＝646.08亿元。

表8－4　港澳居民入境情况（2004～2005年）

| 年份 | 港澳居民入境人数（万人次） | | | 香港所占比例（%）(4)＝(1)/(3)×100 |
	香港（1）	澳门（2）	港澳合计(3)＝(1)+(2)	
2004	6653.89	2188.16	8842.05	75.25
2005	7019.38	2573.41	9592.79	73.17

数据来源：国家旅游局官方网站中国旅游网。

表8－5　港澳居民入境携带人民币数量估算（2004～2005年）　（单位：亿元人民币）

年份	港澳居民入境人数	估算的港澳居民携钞量	香港居民携钞量
2004	8842.05	553.2	416.3
2005	9592.79	629.6	460.7

注：①港澳居民入境携钞量通过回归方程 $y＝－347.21583＋0.10183x$ 及港澳居民入境人数计算得出；

②香港居民入境携钞量根据估算的港澳居民携钞量与香港入境人数占港澳入境人数比的乘积计算得出。

数据来源：国家旅游局官方网站中国旅游网。

6. 人民银行深圳中心支行为香港银行在其人民币存款支付的利息的估算：

中国人民银行规定，中国人民银行深圳市中心支行为香港人民币存款的清算行开立清算账户，接受清算行的存款，并支付利息。这部分利息支付，减少了人民币国际化的铸币税收益。

根据表8－6，2004年3月至2005年年底，中国人民银行深圳市中心支行为香港人民币存款的清算行开立清算存款账户共支付利息约为

2.50 亿元人民币。

表8-6　支付利息的估算（2004年3月~2005年12月）　　（单位：亿元人民币）

月　份	人民币存款额月末数	每月平均数	每月支付利息
2004 年 2 月	3	n.a.	n.a.
2004 年 3 月	42	22.5	0.018563
2004 年 4 月	56	49.0	0.040425
2004 年 5 月	63	59.5	0.049088
2004 年 6 月	67	65.0	0.053625
2004 年 7 月	72	69.5	0.057338
2004 年 8 月	—	96.5	0.079613
2004 年 9 月	—	96.5	0.079613
2004 年 10 月	—	96.5	0.079613
2004 年 11 月	—	96.5	0.079613
2004 年 12 月	—	96.5	0.079613
2005 年 1 月	—	126.0	0.103950
2005 年 2 月	—	140.5	0.115913
2005 年 3 月	150	140.5	0.115913
2005 年 4 月	167	158.5	0.130763
2005 年 5 月	193	180.0	0.148500
2005 年 6 月	209	201.0	0.165825
2005 年 7 月	219	214.0	0.176550
2005 年 8 月	224	221.5	0.182738
2005 年 9 月	226	225.0	0.185625
2005 年 10 月	225	225.5	0.186038
2005 年 11 月	—	225.5	0.186038
2005 年 12 月	226	225.5	0.186038
合　　计	n.a.	n.a.	2.500000

注：①人民币存款额中的"—"号表示该月数据无法获得；

②2004年3月、4月和5月的数据为计算所得；

③每月平均数计算公式 =（上月或具有数据的最上一月月底数 + 本月月底数）/2；

④对于无法得到数据的月份，假设其等于最下一月平均数；

⑤每月支付利息 = 每月存款额平均数 ×0.99%/12 其中0.99%为人民银行确定的清算
行人民币转存款利率（年息），假设不变。

数据来源：人民银行网站、香港金管局网站及 Google、百度搜索引擎。

经过以上估算，2004年3月至2005年年底，在与香港的经济交往中，人民币获得铸币税收入为：− 787.56 + 1560.25 − 646.08 − 2.50 = 124.11亿元。其中，由于内地与香港的贸易为顺差，铸币税主要贡献来自于内地居民赴港旅游消费。事实上，出国旅游消费是人民币流入港澳及东南亚地区的重要途径。

二、减少汇率风险，降低交易成本，弥补结算手段的不足，促进国际贸易

（一）减少汇率风险

随着我国参与经济全球化速度的加快和程度的加深，对外贸易步入了空前的发展时期，进出口总额逐年增长。同时，我国外汇储备也不断增加，2005年年底，已达8188.7亿美元[①]；在2006年年初，我国已超过日本，成为世界上外汇储备最多的国家。图8 − 1为1978年至2005年，我国进出口额与外汇储备变动趋势对照图。从中可以看出，进出口额与外汇储备变动趋势基本一致，这也反映了进出口的增长对外汇储备的相关性。

一国应保有一定的外汇储备，以应付国际支付、调控汇率及防止外部冲击。但并不是越多越好。我国当前外汇大约占GDP的40%，已大大超出了实际需要。这一方面使得外汇占款越来越大，央行利用货币政策调控经济的难度增大；另一方面，自"7·21"汇改后，人民币对美元不断升值（见图8 −2），使得外汇储备大幅缩水。对外贸易的快速发展使外贸企业持有大量净外币债权，由于货币敞口风险较大，因此汇价波动会对企业经营产生一定负面影响。

人民币国际化后，对外贸易和投资可以更多地使用人民币计价。对外贸企业来说，其面临的汇率风险也将随之减少，可以进一步促进我国对外贸易和投资的发展。对于国家来说，外汇储备过多的状况也将得以改善，也降低了由于汇率的不利变动造成的损失。

但是必须指出：现阶段，我国贸易顺差主要来源于美国、荷兰、西班牙、意大利等西方发达国家（见表8 −7）。对于人民币已在周边流通的

[①] 数据来源：中国国家外汇管理局网站。

（单位：亿美元）

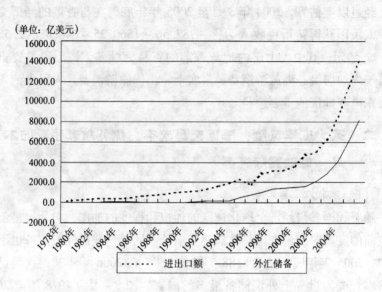

图 8－1　进出口额与外汇储备趋势图（1978～2005 年）

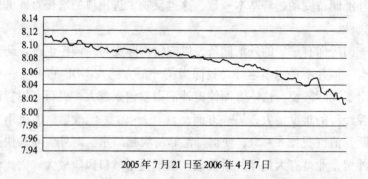

2005 年 7 月 21 日至 2006 年 4 月 7 日

图 8－2　人民币汇率变化趋势（人民币兑美元的直接汇率）

国家（地区）来说，除中国香港地区外，其余的对我国的贸易顺差贡献较小。要在与发达国家的贸易中，使用人民币结算，需要做出更大努力。

表 8－7　2005 年前十位贸易顺差来源地　　（单位：亿美元）

排序	国别（地区）	贸易顺差
1	美国	1141.7
2	中国香港地区	1122.5

排序	国别（地区）	贸易顺差
3	荷兰	229.5
4	英国	134.5
5	阿联酋	66.8
6	西班牙	63.5
7	意大利	47.6
8	加拿大	41.4
9	比利时	37.3
10	土耳其	36.3

数据来源：中国商务部网站。

（二）降低交易成本

1994 年我国实行汇率并轨，对中资企业实行强制结售汇制度，1996 年将外商投资企业也纳入结售汇体系，实行全面的银行结售汇制度。目前，企业外汇结算账户限额为上年经常项目收汇额的 50% 或 80%①，超过部分必须结汇，从而使企业不能按预期存储自有外汇，只能卖给外汇指定银行，需用外汇时，又得从银行购汇；而外汇指定银行则按照当日央行外汇牌价为基础，加减一定的点数，贱买贵卖，从中赚取差价。这就增加了企业的交易成本，在一定程度上阻碍了对外贸易的发展。

人民币国际化后，在对外贸易和投资中，将更多地使用人民币结算，这将大大降低企业因使用外币而增加的交易费用。

（三）弥补结算手段的不足

目前，对于人民币与我国有贸易往来的周边国家，特别是我国与其贸易为顺差的一些国家，普遍存在着国际贸易外汇短缺、国际贸易结算手段不足的现象，这在一定程度上限制了对这些国家的贸易发展（见表 8-8 和表 8-9）。

---

① 见国家外汇管理局关于放宽境内机构保留经常项目外汇收入有关问题的通知。

表 8 − 8   2005 年与部分周边国家贸易顺差情况   （单位：亿美元）

国家（地区）	进出口额	出口额	进口额	顺差额
孟加拉国	24.81	24.03	0.79	23.24
缅甸	12.09	9.35	2.74	6.61
柬埔寨	5.63	5.36	0.27	5.09
朝鲜	15.80	10.81	4.99	5.82
老挝	1.29	1.03	0.26	0.78
尼泊尔	1.96	1.88	0.09	1.79
越南	81.96	56.44	25.52	30.93
哈萨克斯坦	68.10	39.01	29.09	9.92
吉尔吉斯斯坦	9.72	8.67	1.05	7.62
塔吉克斯坦	1.58	1.44	0.14	1.30
土库曼斯坦	1.10	0.91	0.19	0.72

数据来源：中国商务部网站。

表 8 − 9   部分国家外汇储备额（1996 ~ 2005 年）   （单位：亿美元）

年份	柬埔寨	老挝	越南	尼泊尔	哈萨克斯坦
1996	2.52	1.59	17.19	5.63	9.49
1997	2.87	1.00	19.73	6.18	12.56
1998	3.15	1.06	20.00	7.48	10.74
1999	3.88	1.01	33.25	8.37	12.54
2000	5.02	1.39	34.16	9.38	15.94
2001	5.86	1.28	36.60	10.30	19.97
2002	7.76	1.86	41.21	10.10	25.54
2003	8.15	1.89	62.22	12.13	42.35
2004	9.43	2.08	70.41	14.53	84.72
2005	9.53	n.a.	n.a.	14.90	60.83

数据来源：IMF International Financial Statistics Online。

加大与这些国家贸易中的人民币结算比例，有助于缓解双边交往中结算手段的不足，推动和扩大双边经贸往来。另外这些国家多为自然资源丰富、市场供应短缺的国家，与我国自然资源短缺、市场供应过剩的经济有很大的互补性。

三、提升我国的国际地位

从历史经验来看，一国货币国际化的过程，也是该国国际地位逐渐提高的过程。随着人民币境外流通范围和规模的扩大，充当的国际货币职能越来越丰富，其国际影响力也会不断提高。人民币国际影响力的提高会在以下几方面提升我国的国际地位。

1. 人民币国际化有助于我国成为金融、贸易和投资大国。首先，人民币的国际化为我国金融业的国际化提供了契机。人民币国际化加快了国内金融改革的步伐，带动国内金融服务的国际延伸，增强了我国金融参与国际竞争的能力。其次，人民币更多充当国际贸易结算和计价的手段，有利于我国贸易的发展和对外投资的扩大。

2. 人民币成为国际货币，为储备国的国际储备提供了更多的选择，有利于其降低汇率风险；促进了国际货币的多元化，优化储备货币结构，改善国际货币格局。

总之，人民币国际化提升了人民币的国际影响力，促进了我国的经济发展，提高了我国的经济实力，必然从整体上提升我国的国际地位。

第二节　人民币国际化的不利影响分析

一、加大货币政策调控的难度，影响调控效果

货币政策是一国宏观经济政策的重要组成，是宏观调控的重要手段。在封闭经济条件下，一国的货币政策只受国内经济变量的影响，货币政策所调控的也只是国内经济；而开放经济下，外部经济变量将对国内经济产生影响，一国在利用货币政策等宏观政策来调节经济时，必须考虑外部经济变量将对国内经济产生的影响。人民币国际化后，我国经济将具有"三自由"[①] 特征，即：人民币的自由兑换性、人民币汇率的

---

① 刘力臻、王益明：《人民币国际化下的货币政策效应分析》，《税务与经济》2005 年第 4 期。

自由浮动性、资本的自由流动。由于经济的开放性，资本流动、货币替代等因素会影响到国内货币需求、货币政策传导机制等，从而影响到货币政策的执行效果。

(一) 货币需求函数更加复杂

传统的货币需求理论主要有费雪的现金交易说、剑桥学派的现金余额说、凯恩斯的"流动性偏好"理论及弗里德曼的货币需求函数。由于所处的时代，传统货币需求理论均在封闭经济的框架下进行分析，仅仅考虑国内的经济变量对货币需求的影响。相对其他货币需求函数，弗里德曼的货币需求函数分析得更具体，考虑得更全面。作为现代货币主义的代表人物，弗里德曼基本上承袭了传统货币数量论的长期结论；同时，他也接受了剑桥学派和凯恩斯以微观主体行为作为分析起点和把货币看做是受到利率影响的一种资产的观点。弗里德曼的货币需求函数比较有代表性的公式①是：

$$\frac{M_d}{P} = f\left(y, \; w; \; r_m, \; r_x, \; \frac{1}{P} \cdot \frac{dP}{dt}; \; u\right) \tag{8.1}$$

式中，$\frac{M_d}{P}$ 表示实际货币需求，y 表示实际恒久性收入，w 表示非人力财富与人力财富的比率；r_m 代表货币预期收益率，r_x 表示其他资产的收益率，$\frac{1}{P} \cdot \frac{dP}{dt}$ 是预期物价变动率；u 是反映主观偏好、风俗及客观技术与制度等因素的综合变数。在上述影响货币需求的因素中，y、r_m 与货币需求成正向关系，w、r_x 与货币需求成反向关系。

当人民币走向开放步入国际化进程后，影响人民币需求的各种经济变量就不仅源于国内还源于国际。人民币国际化下的货币需求函数一个重要的特征是考虑到了国外居民对人民币的需求。国外居民出于追逐利润、资产保值增值、规避风险的目的，也会对人民币产生需求，这部分人民币或者由个人、企业持有，或者通过外汇储备的形式由外国政府持有。人民币国际化下的需求函数为：

$$M_d = f_1\left(y, \; w, \; r_m, \; r_{m*}, \; r_x, \; u\right) + f_2\left(y^*, \; r_m, \; r_{m*}, \; E, \; u\right)$$

$$\tag{8.2}$$

---

① 黄达：《货币银行学》，中国人民大学出版社 1999 年版。

其中，r_{m^*}表示外币的收益率，y^*表示国外居民的恒常收入，E表示人民币与外币的汇率。式中，第一部分表示国内居民对人民币的需求，第二部分表示国外居民对人民币的需求。两部分中，都包括r_{m^*}和r_m是因为两类居民中都存在货币替代现象，影响国外居民对人民币需求的因素还有其国外居民的恒常收入和该国货币与人民币之间的汇率[1]。

由（8.2）式可以看出，人民币国际化后，央行在制定货币政策时，面临的货币需求函数更加复杂，其不仅要考虑国内居民对人民币的需求，还要考虑国外居民对人民币的需求。这就增大了央行货币供给的难度。如果仅考虑国内的货币需求进行货币供给，由于部分货币会被国外居民持有，可能造成国内银根紧缩，不利国内经济的发展。

（二）货币政策目标实现难度加大

货币政策目标是通过货币政策工具的运用来实现的。如何运用货币政策工具，最终实现既定货币政策目标，既涉及货币政策的传导机制，也与中介指标的选择有关。

这里有必要明确几个概念。货币政策目标是央行利用货币政策调控经济所要达到的目标，包括：充分就业、经济增长、物价稳定和国际收支平衡。货币政策工具是包括公开市场业务、再贴现率和法定准备金等。货币中介指标是央行为了实现货币政策目标，利用货币政策工具调节和影响的指标，包括超额准备金、基础货币等近期指标和利率、货币供给量等远期指标。货币政策的传导机制，就是通过一定的货币政策工具的运用，引起社会经济生活的某些变化，最终实现预期的货币政策目标的过程。

封闭经济下，央行是凭借货币政策工具对国内经济变量的影响来实现既定货币政策目标。相应的理论，主要有凯恩斯学派和货币学派的传导机制理论。

凯恩斯学派的货币政策传导机制理论，可以归结为：通过货币供给M的增减影响利率r，利率的变化则通过资本边际效益的影响使投资I以乘数方式增减，而投资的增减会进而影响总支出E和总收入Y。更直

---

[1] 更多相关分析，请见本书第十一章第一节。

观地可表示为：

$$M \to r \to I \to E \to Y$$

货币学派的货币政策传导机制理论与凯恩斯学派不同。货币学派认为，货币需求有其内在的稳定性，相对于货币需求，货币供给是外生变量。货币供给发生变化时，货币需求并不发生改变，公众手持货币量会超过他们所愿意持有的货币量，从而必然增加支出。因而，货币学派认为利率在货币传导机制中不起主要作用，而更强调货币供应量在整个传导机制中的直接效果。他们论证的传导机制可表示如下：

$$M \to E \to I \to Y$$

基于理论依据的不同，上述两个学派在对货币中介指标的选择上也有所不同。凯恩斯学派主要通过对利率的调控和影响来达到既定的货币政策目标，而货币学派则认为利用货币供应量更容易达到目标。

人民币国际化，经济高度开放，一些在人民币不可兑换、汇率固定和资本管制等条件下发生作用的货币政策，有可能会受到汇率变动、资本频繁流出流入的影响而失效。如果央行欲通过提高利率来抑制国内的通货膨胀，不考虑外部变量的影响，其发生作用的机制如下：

$$M \downarrow \to r \uparrow \to I \downarrow \to E \downarrow \to Y \downarrow \to P \downarrow$$

其中 P 为物件水平。

人民币国际化后，此政策目标可能在以下几个方面发生偏离。

1. 在考虑汇率自由变动和外汇管制取消后，利率变动会通过以下两个途径对国内物价产生影响。

一方面，利率上升引起短期资本的大量流入，本币升值，出口减少，收入下降，结果导致物价进一步下降。

$$M \downarrow \to r \uparrow \to e \uparrow \to Y \downarrow \to P \downarrow$$

其中 e 为汇率（直接标价法）。

另一方面，本币升值导致资本的进一步流入，货币供应中外汇占款增多，利率下降，进而导致国内价格的上升。

$$e \uparrow \to K \uparrow \to M \uparrow \to r \downarrow \to I \uparrow \to E \uparrow \to Y \uparrow \to P \uparrow$$

其中 K 为资本流入。

在其他条件不变的情况下，国内价格究竟是上升还是下降，要看出口减少导致的价格下降与因外汇占款的增多导致的价格上升的相互抵消

的程度。因此，在开放经济下，特别是货币国际化条件下，以高利率控制通货膨胀的效果，具有不确定性，其结果可能会偏离原目标。

2. 开放经济下，汇率也成为一国货币政策的重要中介指标。考虑币值稳定对一国保持内外平衡的重要性，人民币国际化后，不可能任由人民币大幅或频繁浮动。如保持汇率稳定也是央行的一个重要目标，这就会与抑制通货膨胀的目标发生矛盾，出现实现内外平衡之间的矛盾。

总之，人民币国际化后，货币需求函数变得更加复杂，央行对货币供给量的准确控制难度加大。货币政策工具的使用不仅会对国内经济变量产生影响，同时也会引起对外经济变量的变化；再加上内外经济目标的冲突的影响，加大了货币政策目标的实现难度，甚至导致货币政策失效。

二、国内经济遭受外部冲击的可能性加大

人民币国际化的一个直接结果就是我国经济的开放度逐渐加大，与外部经济的联系越来越紧密。在享有人民币国际化带来好处的同时，国内经济不可避免地受到外部经济的冲击。

（一）人民币国际化逆转风险[①]

一国货币国际化过程实质上是该国货币被非居民不断选择并持有的过程。当条件发生变化时，非居民持有人可能放弃货币发行国货币，转而持有其他国货币，货币国际化就发生了逆转。货币国际化发生逆转的原因有：

1. 货币发行国货币发生贬值。一国货币贬值的原因很多，既有由于经济基本面恶化导致的货币贬值，也有为了一定的经济目标主动采取措施的贬值。货币发行国货币发生贬值，非居民持有者会转而持有那些币值稳定的国际货币，本国居民也会增大外币资产的持有量，从而对本国经济造成冲击。一旦出现恐慌性资金外逃，伴随的就是货币危机的爆发。

2. 货币储备国由于国内经济的需要，而减持发行国货币。近日美

---

① 李华民：《铸币税的国际延伸：逆转风险与人民币强势战略》，《经济学家》2002年第六期。

国财政部公布了全球各经济体 2006 年 1 月持有美国国债的数据。作为全球持有美国国债最多的经济体，日本在 1 月大幅减持了 166 亿美元美国国债，这创下了自 2000 年 3 月以来日本单月减持美国国债的最高纪录。日本减持美国国债是紧缩流动性的一种手段，以配合国内货币政策的调整。我国为了调整外汇储备的结构，也开始减持美国国债。从 2004 年 6 月到 2005 年 10 月，中国持有美国国债总量与当月外汇储备比值由 41.28% 降至 31.55%[①]。

这种货币回流相当于发行国原获得的货币发行收益以资本品形式回流储备国，铸币税收入发生逆转。如果回流量足够大，就会引发发行国货币市场供给的异常波动，对发行国国内经济造成冲击。

（二）货币替代

所谓"货币替代"（Currency Substitution），是指一国居民因对本币的币值稳定失去信心，或本币资产收益率相对较低时发生的大规模的货币兑换，从而使外币在价值贮藏、交易媒介和计价标准等货币职能方面全部或部分地代替本币，换言之，是一种资金外逃行为，如果发生资金恐慌性外逃即恐慌性地货币替代，这一过程必然引发货币和金融危机。

人民币国际化为人民币发生货币替代提供了可能。货币替代会扰乱我国正常的金融秩序，削弱央行对金融体系的控制权，妨碍我国货币政策的独立性并影响货币政策对宏观经济的效果。

1. 央行对货币供给量的控制发生困难。货币替代出现后，国内经济领域中存在大量的外币供给，货币供给不只局限于央行的发行行为，而货币需求的变动也包含了对人民币和外币两部分需求的变化，这就使央行很难控制货币供给量。

2. 货币政策的中介指标不易确定。货币替代后，由于国内货币供给和需求量的不确定，使得利率的决定更加复杂；外币的大量涌入也会使货币总量超出央行的控制范围。这样，央行就很难把握货币政策中介指标的变动，从而无法利用一定的货币政策工具实现既定的政策目标。

---

① 徐以升：《亚洲减持美国债悄然上演　中国单月减持 46 亿美元》，《第一财经日报》2006 年 1 月 16 日。

（三）国际资本流动冲击

人民币国际化后，资本国际流动变得更加容易。一定量的资本流动有益于我国经济的发展。投资资本的流入，可以满足我国经济发展对资金的需求，又会为我国带来先进的技术和管理经验。但是，大量的、频繁的资本流动，特别是投机资本的流入，会给我国经济造成剧烈震动。其不利影响包括以下几点[①]：

1. 资本流动会对人民币的汇率产生大幅偏离的压力。大量资本流入倾向于增加我国外汇来源，这样，原有的外汇供求态势会被打破，致使人民币面临升值压力；反之，当资本大量流出时，则可能出现外汇短缺，产生货币贬值压力。

2. 资本流动会对我国资本市场利率产生影响。大量资本流入倾向于增加人民币需求，包括外汇兑换为本币的需求以及相关配套经济活动的货币需求。这样，即使货币政策保持相对稳定，市场利率仍面临上升压力。

3. 资本流动会使国内资产价格出现剧烈变化。大量短期资本流入往往投资于国内货币市场、证券市场，其结果会导致国内资产价格大幅上扬，甚至出现资产价格泡沫。一旦短期资本撤出，资产价格便会出现大量"缩水"，并产生"负财富效应"，导致居民消费大幅下降，出现有效需求不足，形成经济衰退。

4. 资本流动导致外汇储备的较大变化。大量资本流出会对外汇储备产生不利影响，一旦这种不利影响被市场预期追逐，便可能发生投机性资金出逃，使我国外汇储备急剧减少，货币面临大幅度贬值的压力。为了防止发生货币危机，中央银行可能从维持对外均衡出发，采取提高利率的对策以吸引外资，但这样做，却会极大地伤害国内经济。

5. 大量短期资本的流出流入是发生金融危机的导火线。一旦国内出现资本外逃时，预期性的货币贬值压力可能会向其他经济联系密切的国家蔓延或传染，并可能进一步造成区域性甚至全球性货币危机和金融危机。

三、面临"特里芬难题"

特里芬难题，最早是由美国耶鲁大学教授特里芬在 1960 年出版的

---

① 刘力臻、王益明：《人民币国际化下的货币政策效应分析》，《税务与经济》2005 年第四期。

《黄金与美元危机》中提出的。其最初的含义是指：美国为提供国际结算与储备货币，需要长期贸易逆差；而美元作为国际货币的核心前提是必须保持美元币值稳定与坚挺，这又要求美国必须保持长期贸易顺差。这两个要求互相矛盾，成为一个悖论。实际上，对于任何货币国际化国家来说，都会面临特里芬难题。

有的学者指出，日元和欧元作为重要的国际货币，其发行国日本和欧盟却是净贷款者，因而认为特里芬难题不成立。笔者认为，出现这种情况的原因在于，日元和欧元的国际化程度不如美国，2000 年美元、欧元和日元的国际度指标分别为 10.25、2.27 和 1.17,[1] 而且其对美国贸易保持长期顺差，也在一定程度上弥补了其对其他货币储备国的逆差。

但是，未来的国际货币的格局不会出现布雷顿森林体系下的美元"一元独霸"的局面，而会呈现国际货币多元化的趋势。各国为了避免汇率风险，也会倾向于增加储备货币的币种。某一国际货币发行国对货币储备国的逆差，可能会从其他国际货币发行国那里得到弥补。因而，像美国这样巨额贸易顺差的情况可能不会出现。但是，这并不能说特里芬难题不成立了。特里芬难题更广泛的意义在于，它指出了货币发行国在以贸易逆差向储备国提供结算与储备手段过程中，本币贬值的压力与保持本币币值稳定间的冲突。

目前中国国际收支的地位是比较强大的，多年的双顺差和大量的储备使中国在为周边国家和地区提供人民币资产时并没有面临以上问题的冲突。在贸易方向上，中国对亚洲出现贸易逆差，但是对美国等国家的顺差则稳定了人民币币值。随着人民币国际化程度的深化，必然会面临因贸易逆差造成的贬值压力与保持币值稳定的冲突。如何解决，是我们必须考虑的问题。

第三节　结　　语

人民币国际化是把"双刃剑"，其既会对我国产生如增加铸币税收

---

① 数据来源：李瑶：《非国际货币、货币国际化与资本项目可兑换》，《金融研究》2003 年第 8 期。

入、促进对外贸易等有利影响，也会带来如降低货币政策效力、外来冲击加大等不利影响。本文对人民币国际化的有利影响和不利影响进行了一定的定量和定性分析，以期为人民币国际化中趋利避害的政策制定提供一定的帮助。

第 九 章

香港人民币存量估计

——M₁口径的考察

伴随着人民币国际化进程的推进，人民币在周边国家及地区的流量和存量不断上升，这使得掌握人民币境外流通的确切数量，变得越来越为重要。因为这对于央行货币政策的制定过程和实施效果，以及人民币国际化战略的进一步实现都是非常重要的且必须了解的现实情况。但由于人民币境外流通大量存在于银行体系之外①，而且目前又缺少有效的统计监控途径，因此官方难以掌握其确切情况，以至于目前有关数据都是基于经验的粗略估计。

而人民币国际化的进程，又具有浓厚的周边渗透色彩——其主要流通于中国边境接壤的周边国家和地区，如：中国香港、缅甸、泰国、越南、蒙古、朝鲜等等。其中人民币又以在香港的流通量为最多，所以估计在香港的人民币流通情况对于了解人民币国际化的进程情况有重要的参考意义。另外，近年来在香港建立人民币离岸市场的呼声也很高，所以也期望下文的探讨会对该问题的研究有所助益。

第一节　以往的估计方法及其缺陷

国内已有不少学者和研究机构对香港的人民币数量进行过估算，具

---

① 其中在香港特别行政区，从 2003 年底暨 2004 年初，由于实行了一些宽松的政策（如，允许香港银行办理个人人民币业务）这一现象已有所缓解。但香港的人民币流通事实上仍未完全纳入正常银行体系。具体参见易宪容：《香港的人民币业务为何难开展》，《香港商报》2004 年 9 月 17 日。

体如下：

中国人民银行深圳中心支行的张丽娟、孙春广（2002）通过实地调查，将香港的人民币供求情况进行分类考察，并根据经验对相应的平均水平做出假设①，得出如下的估计结果：2001 年人民币现钞在港流量在 600 亿元左右；而人民币存量方面，其根据不同的估计方法得出的结论差异很大，从十几亿到上百亿元不等。

巴曙松（2002）的估计为：1996 年到 2001 年间，香港接待了内地 1890 万游客，如果这些游客仅仅将 6000 元中的一半花在香港，则香港市场上应当至少有 570 亿元人民币。

易宪容（2003）则指出，从 1997 年香港回归后，随着两地经贸往来及旅游业的开展，香港民间的人民币流量就开始一路攀升，当时的存量大概在 500 亿至 700 亿元之间②。

黄少明（2004）根据 2003 年的访港游客数量（682 万人）和官方规定每个游客携带人民币数量不得超过 6000 元的限制，估计 2003 年人民币流入香港的数量为 410 亿元。

瑞银华宝公司也做了一个测算，假定 2002 年内地游客增长 50%，假定随后每年增长 15%，如果内地游客将 6000 元中的 3000 元花在香港，2005 年香港市场的人民币规模会达到 1570 亿元；如果内地游客将 6000 元全部花在香港，则 2005 年香港市场上的人民币会达到 3130 亿元的规模。

可以发现，以往的估计方法存在以下不足：

一是估计手段粗略，比如按内地到港游客数量与携带人民币限额简单相乘计算。这样的估计忽略了人民币入港的其他正常方式，也没有考虑人民币回流的情况，主观性强。

二是多为流量估计，即估算人民币在某段时期流入或流出香港的人民币数量；流量虽然与存量关系密切，但由于存量增加额等于当期流入量减去流出量，因此两者之间在规模上并无必然的关系。而且从政策意义来看，也更需要对存量进行估计。

---

①　例如：考察港人供养内地亲属对人民币的需求方面，其计算家庭数量时按每个家庭为 3.5 人计，然后乘以估计的一般水平。这种估计方法是比较粗略的。

②　杨磊：《700 亿元在港人民币急寻出路》，《中国经营报》2003 年 8 月 11 日。

三是以上这些估计所凭借的数据和方法都是得自正常渠道的人民币入港情况，并没有反映出其他非正常渠道的人民币流入数量及其对存量的影响。

四是由于各估算的方法和结果的样本期不同，故对人民币在港情况没有形成一个具有持续性的数量波动分析。这使得各种政策及经济事件对于人民币在港存量的影响难以获知。

第二节　相关假设及估计方法

一、相关假设

为克服以往估计方法的上述缺点，对人民币在港存量做出较为客观的估计，本文拟采用"缺口估计"的方法进行研究。其相关假设如下：

假定1：香港地区的各种货币供给存量之间存在以下关系：

$$M_s = M_h - M_o + M_r + M_f \qquad (9.1)$$

其中 M_s 为香港地区范围内的货币供给总量，其包括各种货币但排除了流通在外的港币；M_h 为港币的供给总量；M_o 为在港之外的港币数量，这里以负数计入表示对其做了剔除的考虑；M_r 表示人民币在港的数量；M_f 表示除了港币和人民币之外的外币在港数量。以上变量都是存量。

假定2：共同整体货币假定。人民币的在港地位与其他外币不同。从政治意义上来看，内地与香港属于一国；从经济意义上来看，在港人民币以交易职能为主[①]，而外币则以投资和其他资产职能为主。而且20世纪90年代中期以来，由于人民币与美元汇率的高度稳定，以及同一时期香港与美元之间的联系汇率制度，人民币与香港之间的汇率也是高度稳定。基于这些考虑，我们将港币与人民币设想为一种共同的整体货

---

① 张丽娟、孙春广（2002）的调查显示：在香港对人民币的需求主要源于：港人到内地旅行、度假、购物等消费需求，港人在内地买楼按揭，港人供养内地亲属，港商在内地工厂发薪、购买原材料等；而香港人民币的供给渠道主要有：内地访港旅客带入的主要常规途径，港人或其他国家与地区的旅客从内地带入，周边国家或地区流入，旅客或港人超限额带入，地下渠道流入。

币，将之与其他在港外币区别开。并认为这种共同体货币的数量受到某些相同因素的一致影响。因此将假定 1 改变为：

$$M_s - M_f = M_h - M_o + M_r \qquad (9.2)$$

上式左边即为在港的共同整体货币数量，令其为 M_u，得下式：

$$M_u = M_h - M_o + M_r \qquad (9.3)$$

其中关于 M_o，Peng and Shi（2003）在前人的基础上对其有修正性的研究，下文将借用其关于港币在外流通量约占狭义货币量 16% 的结论[1]，即：

$$M_o = 0.16C_0 \qquad (9.4)$$

C_0 为流通中的现金。再将（9.4）式代入（9.3）式，得到：

$$M_r = M_u - M_h + 0.16C_0 \qquad (9.5)$$

由于 M_h 和 C_0 的数据都可得，因此我们将通过估计 M_u 来获得 M_r。

假设 3：关于样本期分段。为了估计得到 M_u，我们需要将考察的样本期间以某个时点 t_0 为分界点，分为两个时间段。分界点可以由具有重大影响的经济转折为标志，并将分界点前后的时间段分别标识为 P_1 和 P_2。分界点的选择应该使 P_1 期的人民币在港存量相当小，以至于 $M_r = 0$ 从而使（9.5）式转化为：

$$M_u = M_h - 0.16C_0 \qquad (9.6)$$

上式是 P_1 期 M_u 的描述，与之不同的是，P_2 期的人民币在港存量已经达到不可忽视的地步。此时，若根据 P_1 时期的各种信息估计出 P_2 时期的 M_u，我们便可利用（9.5）式获得人民币在港存量 M_r。由于（9.5）式是以缺口的形式估计得到 M_r，因此称之为缺口估计法。

假定 4：P_1 期 M_u 的决定机制同样适用于 P_2 期，即 P_1 期 M_u 的各种影响因素以相同的机理影响着 P_2 期的 M_u。

这个假定成立的原因在于：香港是一个成熟完善的市场经济体，各种影响因素对 M_u 发生作用的大小比较稳定；且所涉及的估计时期并不很长，所以其间的制度及心理因素变化并不大。另外可能有争论认为，货币供给的形成机制在时间分界点前后会有重大变化。笔者认为这种观

---

[1] Peng and Shi（2003）同时也指出，由于常数比重估计方法的局限性，导致该比例在早期有可能高估，后期则有可能低估。在下文中，我们在使用其结论的同时，也将考虑到这点局限。

点所指的货币供给实际上仅限于港币的货币供给量（M_h），而非共同整体货币总量（M_u）。从 M_u 角度考虑，则两个时期的货币量决定因素及其发生作用的机制变化并不大，真正显著的变化在于 M_u 的构成，这也正是我们要考察的。

二、估计方法的说明

关于分界点的选择有两种方案。其一，人民币大量在港流通，很大程度上是由于 2001 年以来，我国对外经济迅速发展，国际收支大量顺差，人民币面临越来越大的升值压力所致。其二，也可能选择东南亚金融危机的发生时间作为 t_0。选择这一时间作为分界点是出于如下考虑：这一时间正值香港回归，之后其与内地的经贸关系更为密切；同时，东南亚金融危机爆发后，人民币承诺不贬值，国际信誉大增，人民币国际化进程也是从这个时候才真正明显开始的；而此前人民币在港的数量虽然不为零，但与此后相对而言很小，所以在人民币入港方面这也有可能是时间上的分水岭。因此我们在后文中也将尝试以此为时期分界点的第二种方案，并对所得结果进行比较和取舍。

对于 P_2 期的 M_u 估计，也有两种方法可以使用："无条件缺口估计方法"和"条件缺口估计方法"。前者原理如图 9-1 所示：先由 P_1 时期的全部信息——包括：M_u 的各种影响因素（如：物价水平、产出、利率、汇率等）和 M_u 的实际数据——得到 P_2 期 M_u 的估计值；再根据（9.5）式，结合 P_2 期的 M_h 和 M_o 计算得 M_r。现代时间序列分析方法中的时域分析方法适合做无条件估计。下文将尝试运用向量误差修正模型来对 P_2 期的 M_u 进行"无条件缺口估计"，进而对 M_r 做出估计。

"条件缺口估计方法"的原理如图 9-2 所示：我们同样先由 P_1 期的全部信息——包括各种影响因素及其实际数据——得到该时期 M_u 决定机制的描述。据此再结合 P_2 期的各种相关因素实际信息，得到 P_2 期 M_u 的估计值。再根据（9.5）式得到 M_r 的估计。传统时间序列分析方法比较适于条件缺口估计。

关于两种方法的取舍，有以下分析：

首先，条件缺口估计方法，在估计过程中除了利用无条件方法所用到的信息之外，还利用了"P_2 时期与 M_u 有关的各种影响因素的实际信

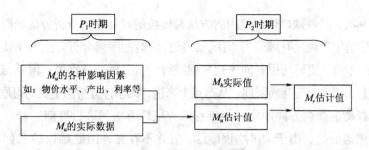

图9-1　无条件缺口估计法示意图

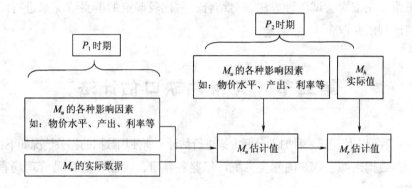

图9-2　条件缺口估计法示意图

息"。这通过比较上面两图可知。而无条件方法则是通过一个"全部变量都是内生变量的系统"来同时估计 P_2 时期的 M_u 以及与之有关的各种影响因素变量。从此角度看，条件方法利用的实际信息更为充分。而且这里采用的条件缺口估计方法是"条件预测"（conditional forecast）的一个特殊运用，由于所给条件值[1]全部都是预测期[2]的实际值，因此以该方法进行估计是比较理想的。[3]

---

① P_2 时期与 M_u 有关的各种影响因素变量的数值。

② 即 P_2 期。

③ 条件预测的误差通常来自于三个方面：设定的不确定性（specification uncertainty），新信息的不确定性（innovation uncertainty）以及参数的不确定性（parameter uncertainty）。第一个方面的误差，可以通过利用信息准则、残差相关图等，再辅之以理论进行判断和选择从而使其降低到最低程度；第二种误差，由于这里 P_2 时期的相关实际信息是可获得的，所以不存在这种误差；第三方面的误差与上文的假定4讨论有关。关于这三个方面的详细讨论，参见迪博尔德：《经济预测》，中信出版社2003年版，第223～226页。

其次，条件缺口估计使用的方法是传统的时间序列分析方法，而无条件方法适用于现代时域分析方法。虽然传统时间序列分析方法对于认识时间序列本质、更好利用时间序列数据进行计量分析非常重要，但其与现代分析方法相比仍有其局限性。从这点上来说，无条件分析似乎更为可取。

权衡上面两方面因素，很难在两种估计方法间进行事前选择；更为让人焦虑的是，由于 P_2 时期 M_u 实际值并不存在，因此难以检验何种方法更优。在此我们借鉴 *M. Hashem Pesaran* 和 *Hossein Samiei*（1995）的思路，先依次尝试两种方法，再结合一些比较确定的事实情况来进行间接地判断并取舍。

第三节　无条件缺口估计法

我们先使用第一种时期分断方案进行估计，所使用数据的相关情况如下：

数据来源：IMF 国际金融统计年鉴各卷册，以及香港金融管理局官方网站。

数据性质及范围：经过调整的季度数据，从 1985 年 1 季度到 2005 年 3 季度。

时期划分：以 1999 年第 4 季度为时期分界点，将 1985 年 1 季度至 1999 年 4 季度划为 P_1 时期，之后记为 P_2 期。这是一种审慎的划分，在此有意将分界点提前到预想的之前，这样能保证 P_1 时期的数据更为纯粹，从而使得假定 3 更可能成立；同时这种划分对分界点稍后的过渡期也并不会产生坏的影响。但其缺点是可能会缩短样本期，从而有可能加长了待估计的区间影响估计质量。

所用变量：从货币理论出发，选取以下变量进行估计。港币的狭义供给量 M_1[①]，实际 GDP，汇率水平 EX[②]，消费者物价指数 CPI[③]，利率

---

① 包括流通中的港币现金和港币活期存款。
② 港币对美元的直接汇率，为各时期平均值。
③ 以 1994 年第 1 季度为 100。

水平①。我们以 M_1 来表示 M_h。另外需要说明的是，由于在 P_1 时期，港币在外数量 C_o 非常小②，因此认为在此期间（9.6）式有以下形式：

$$M_u = M_h \tag{9.7}$$

因此，我们将通过以 M_h 作为 M_u 的替代指标，对其在 P_1 时期的信息进行分析。估计中利用上面的可得数据，进行转化得到以下变量：

$LnM1$：对各期 M_u 取对数；

$LnCPI$：对各期消费者物价指数取对数；

$LnRY$：由名义 GDP 根据 GDP 平减指数进行折算，然后取对数；

LnR：对利率水平取对数；

$LnEX$：对汇率值取对数。

下面综合考虑影响 M_h 变动的各种因素，基于 P_1 时期来考察决定其向量误差修正模型（VECM），并对 P_2 期的情况进行无条件缺口估计。

一、P_1 时期各变量的平稳性检验

首先对数据的平稳性进行检验。在此使用基于残差的 ADF 检验，并采用 Mackinnon 临界值，最优滞后期选取标准采用 AIC 准则。检验结果见表1。

表9-1 各变量的单位根检验结果

变量	检验类型（c，t，n）	ADF 值	1% 临界值	5% 临界值	是否平稳
LnCPI	（c，t，0）	1.742387	-4.198503	-3.523623	不平稳
LnEX	（c，t，2）	-0.540170	-4.127338	-3.490662	不平稳
LnM1	（c，t，1）	-1.010585	-4.124265	-3.489228	不平稳

---

① 这里选择香港三个月期定期存款利率作为利率指标，原始数据为月度数据，经移动平均调整为季度数据。

② Peng and Shi(2002) 的研究显示，以 2001 年为期末的时期，港币在外的数量约占流通中现金 C_0 的 16%；而在本文限定的 P_1 时期，C_0 占港币流通中的现金比重平均为 24.46%，因此其占 M_1 的比重平均数为 3.91%。并且根据 Peng and Shi 对其研究结果的评价，这是一个高估早期数据、低估后期数据的结果。因此我们在 P_1 时期并不考虑 C_0，到 P_2 期再将其纳入考查。这种处理，对于借用 Peng and Shi 的高估早期—低估后期的数据，也恰好有抵消修正的效果。在下面的条件缺口估计中，我们将采用同样的处理。

变量	检验类型 (c, t, n)	ADF 值	1% 临界值	5% 临界值	是否平稳
LnR	(c, 0, 1)	−2.816422	−3.548208	−2.912631	不平稳
LnRY	(c, t, 1)	−2.974884	−4.124265	−3.489228	不平稳
△LnCPI	(c, t, 0)	−3.989427	−4.124265	−3.489228	是＊＊
△LnEX	(c, t, 0)	−8.095760	−4.127338	−3.490662	是＊＊＊
△LnM1	(c, t, 0)	−3.911370	−4.205004	−3.526609	是＊＊
△LnR	(c, 0, 0)	−6.055667	−3.548208	−2.912631	是＊＊＊
△LnRY	(c, t, 0)	−5.488011	−4.124265	−3.489228	是＊＊＊

＊＊：表示在5%的水平上显著，＊＊＊：表示在1%的水平上显著；△：表示一阶差分。

从表9-1可以看到，各变量的时间序列数据在1%和5%的显著性水平下均为非平稳序列，在经过一阶差分后各变量在5%显著性水平下均通过单位根检验，且 EX、R 和 RY 的对数值取一阶差分后在1%显著性水平下也为平稳序列。综上，从检验结果中可以看出，在样本期 P_1 内，各变量的非平稳性是非常显著，选取的所有时间序列季度数据均是含有一阶单整的非平稳序列。

二、建立各变量相互作用的 VECM 模型

首先做向量自回归，使用 AIC、BIC 信息准则，同时考虑到合理的自由度，取 VAR 最大时滞为5。之后对生成的各残差序列进行自相关、正态性、平稳性检验，也表明 VAR（5）较好。由于该无约束 VAR 模型的最优滞后期为5，因此协整检验的 VAR 模型滞后期为4。本文在协整检验时采用的模型假设是时间序列中有确定趋势且协整方程中存在趋势项，使用 Johansen 方法进行检验。该方法从不存在协整关系这一零假设开始逐步检验。如表9-2所示：得到结论在5%显著水平上 $r = 3$，并且最大特征值对应的协整关系为：

$$\ln M_1 = 1.334\ln CPI + 72.458\ln EX - 0.601\ln R + 3.456\ln RY - 0.024 TREND$$
$$\quad\ (2.585)\qquad (5.362)\qquad\ (-8.465)\quad (6.940)\qquad\qquad (2.000)$$

$$(9.8)$$

其中，TREND 为趋势项，括号内为 t 值。可以看出，所有变量都显著地进入协整关系，意味着这些变量都对保持协整系统的长期均衡存在

起着重要作用。

表 9 - 2　Johansen 协整检验结果

特征值	迹检验统计量	5%水平临界值	1%水平临界值	原假设 H0	备择假设 H1
0.766578	158.5625	88.80380	97.59724	r = 0	r ≥ 1
0.442988	78.54249	63.87610	71.47921	r ≤ 1	r ≥ 2
0.359957	46.35825	42.91525	49.36275	r ≤ 2	r ≥ 3
0.224711	21.81613	25.87211	31.15385	r ≤ 3	r ≥ 4

注：Johansen 协整检验临界值来自 Eviews5.0。

基于上面的协整检验，我们建立起 VECM 模型，得到输出结果①。从整体来看，所得 AIC 与 BIC 值分别为 - 29.57441 和 - 24.53782。另外，从各个单方程来看，R^2 在 0.68 到 0.87 之间，拟合程度较高；对各残差序列进行自相关、正态性、平稳性检验，结果也比较理想。

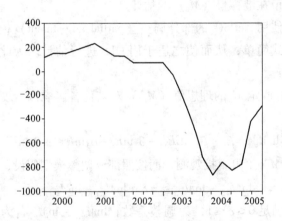

图 9 - 3　人民币在港存量（Mr）的无条件缺口估计 NC1

三、估计结果

用上面的模型进行无条件估计，得到 P_2 时期的 M_u 的多步预测的点估计值 $\hat{M}_u$。再根据 (9.5) 式，得到人民币在港存量 M_r 的估计。估计结果记为 NC1，如图 9 - 3 所示，其在短期内比较符合感性认识，但其

---

① 由于输出结果篇幅较长，在此不详细列出。

在 2001 年后期及此后出现了大幅下降，甚至严重为负。这与经验事实非常不符，原因一方面可能是由于该法前述的缺点：没有充分利用可得的确定性信息；另一方面也可能与待估计区间过长有关①。下文将运用条件缺口估计方法，并对两种方法所得结果进行比较。

第四节　条件缺口估计法

一、存量调整模型的建立

在此方法中，我们运用存量调整模型的动态方法来确定 P_1 时期 M_u 的决定机制，进而结合其他信息确定其在 P_2 时期的估计值 $\hat{M}_u$，从而最终得到人民币在港存量（M_r）的估计。

我们将使用 Nerlove 的部分调整（partial adjustment）模型，由于其干扰项的形式简单，从而使之适于用 OLS 进行估计。为此，需先增加下面的假定：

假定 5：假定 M_u 的理想值（M_u^*）对其他各影响因素变量有如下的函数形式：

$$\ln M_{u,t}^* = \beta_0 + \beta_1 \ln CPI_t + \beta_2 \ln R_t + \beta_3 \ln RY_t + \beta_4 \ln EX \qquad (9.9)$$

理想值 M_u^* 不可直接观测，而按照部分调整模型假设，有：

$$\ln M_{u,t} - \ln M_{u,t-1} = \delta \left(\ln M_{s,t}^* - \ln M_{u,t-1} \right) \qquad (9.10)$$

其中 δ 满足 $0 \leqslant \delta \leqslant 1$，为调整系数；$\ln M_{u,t} - \ln M_{u,t-1}$ 为货币数量的实际变化，而 $\ln M_{s,t}^* - \ln M_{u,t-1}$ 为其理想变化。

方程（9.10）假定任意时期 t 的货币供给量变化是该时期的理想变化的某个分数 δ。如果 $\delta = 1$，则意味着实际货币供给存量等于理想存

---

① 由于 M_u 的真实值无法获得，因此难以对其 P_2 期的估计情况直接做出评价；但我们可以通过验证该 VECM 模型中其他变量的估计情况，以此作为一种间接评价。因为该模型系统中，对 M_u 的估计在很大程度上依赖于对其他变量预测的准确性；同时其他变量值具可得，我们对这些变量的估计进行评价是可能的。为此，使用 Gauss – Seidel 算法对该 VECM 系统做 1000 次的动态随机模拟估计，结果显示各变量的估计值在短期内（2 至 5 个季度的长度）比较接近真实值；但长期与真实值都相差很大，甚至其 5% 的置信区间都没有将真实值包括进来。

量；即实际存量瞬时调整到理想水平。但若 $\delta = 0$，则意味着时期 t 的实际货币供给存量无异于前一时期所观测的存量，所以没有改变。由于行为惰性和契约义务以及政策时滞等因素，货币供给存量的调整往往是不完全理想的。因此，比较一般的情况是，δ 会落在两个极端值之间，从而得到部分调整模型。将（9.9）、（9.10）式合并，得：

$$\ln M_{u,t} = \delta\beta_0 + \delta\beta_1 \ln CPI_t + \delta\beta_2 \ln R_t + \delta\beta_2 \ln RY_t + \delta\beta_2 \ln EX$$
$$+ (1 - \delta)\ln M_{u,t-1} + \delta u_t \qquad (9.11)$$

二、P_1 时期 M_u 的决定机制

上面的（9.9）式为货币供给存量的均衡需求函数，而（9.11）式为货币供给存量的短期需求函数。在此我们需要估计的是（9.11）式。而其中各变量的值都可观测，且存量调整模型适于用 OLS 方法来解决。下面给出其估计结果：

$$\ln M_u = 0.762\ln M_u\,(-1) - 0.115\ln CPI - 5.500\ln EX - 0.044\ln R$$
$$(13.980) \qquad\qquad (-2.124) \qquad\quad (-2.474) \qquad (-3.611)$$
$$+ 0.613\ln RY + 11.280$$
$$(4.700) \qquad (2.454) \qquad\qquad\qquad\qquad (9.12)$$

括号中为 t 值，调整后的 R^2 为 0.998。并且各项系数所表示的经济意义也比较合理。但由于解释变量中含有回归子的滞后项 $\ln M_u$，此时 DW 检验不再适合进行残差的自相关性检验，我们改用 Breusch-Godfrey 序列相关检验，结果也发现残差在滞后长度为 1~7 的情况下都不拒绝虚拟假设[1]，因此残差通过了自相关性检验。另外对残差进行正态性检验（Jarqe-Bera 检验）也同样获得了理想结果[2]。

另外，如前文所述，条件估计的误差通常来自于三个方面：设定的不确定性，新信息的不确定性以及参数的不确定性。其中第二种误差，由于这里 P_2 时期的相关实际信息是可获得的，所以这种误差不存在；第三方面的误差与上文的假定 4 讨论有关。而第一种误差，即设定偏误，在此使用 RESET 检验，结果也不拒绝原模型形式

---

① 该检验的零假设为，原序列没有任何阶的自相关。
② JB 值为 0.477，对应的 P 值为 0.788。

没有被误设的假定。这些都保证了下面的估计受到误差干扰的可能性较小。

三、对 P_2 时期 M_r 的估计及结果的取舍

根据（9.12）提供的 M_u 形成机制，再结合 P_2 时期各影响变量的实际值，我们可 M_u 值进行条件估计，但由于估计期长度不同，其准确程度也有不同，估计效果随时期的延续而渐次减弱且趋势明显。因此待估计样本期越长，估计效果就越差。

基于上面分析，我们根据（9.12）式对 P_2 时期的 M_u 进行条件估计，再结合可得到的 M_h 值和估计的 M_o，进而得到人民币在港存量 M_r 的估计。结果记为 $C1$，如图 9 – 4 所示。

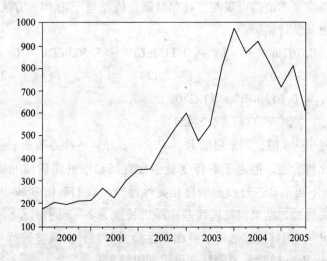

图 9 – 4　人民币在港存量（Mr）的条件缺口估计 $C1$

在此将无条件缺口估计和有条件缺口估计的结果进行比较。首先，无条件估计方法没有将预测期的偶然性外部冲击信息包括进来，因此其中一些变量的预测与实际值严重偏离；而条件估计方法不存在这一问题，因为该方法利用了 P_2 期的各个可观测变量，将 P_2 期的各种可得信息进行了充分利用。其次，条件估计虽然使用传统方法进行估计，但由于我们采用了各种措施来限制条件预测估计中的三种误差源，所以将其可能产生的误差降到了最小程度。最后，从两种方法估计所得结果来

看：将图9－3与图9－4进行比较，发现后者更接近经验性描述和客观发展趋势。因此，在第一种分界点方案中，选择条件缺口估计方法的结果$C1$。

第五节　两种分界点方案估计结果的比较

以东南亚金融危机的发生为界，采取同样的原则，将时期分为两段：1997年2季度及其之前为P_1期；其后为P_2期。使用类似的估计方法，得到其无条件和有条件的估计结果①，分别记为$NC2$和$C2$。为方便对比，将这些估计结果按估计方法分类得到图9－5和图9－6。

图9－5为两种分期方法的无条件缺口估计结果，其在2003年后的大幅下降直至呈现负缺口，这与经验事实严重不符。这很可能是由于前文所述该方法的缺陷所致。另外图9－6中的两个条件缺口估计结果，在2000年到2003年期间的大部分时期都非常接近。事实上，若将四种估计结果置于同一图中，则会发现$C1$、$C2$和$NC1$在此期间内都非常接近，三者的全距一般在30亿美元上下。这一方面说明了不同估计方法所得结果在一定时期内具有一致性，另一方面也说明了无条件缺口估计方法在短期内的估计也是相当有效的——虽然其在长期内的表现令其显然地失去可信性。② 继续比较$C1$和$C2$，发现二者虽有相似的趋势，但在2004年开始二者间的差异愈趋明显。在理论上，由于$C2$的方法中所选取分界点较早，因此样本区间相对较短，而待估计区间更长，这些原因都使其在长期中的估计结果可信度明显弱于$C1$，特别是其在2004年后期与事实的严重背离更是验证了这一点。因此，我们确定$C1$是相对较为可信的估计结果。

---

① 由于篇幅所限，估计结果备索。
② 关于无条件缺口估计结果的详细说明请见本书附录4。

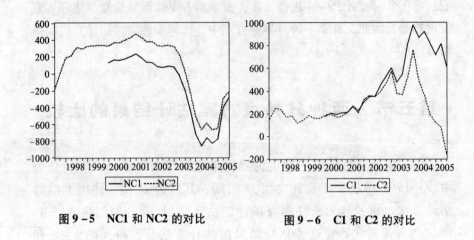

图 9－5　NC1 和 NC2 的对比　　　　　图 9－6　C1 和 C2 的对比

第六节　结论的说明及其评价

下面结合估计结果 $C1$，将人民币在港存量的变动分为六个阶段。

第一个阶段：2000 年之前，人民币在港存量并未达到显著规模，数量较少。

第二个阶段：2000 年至 2001 年初，在港人民币开始以一定规模存在，但未见持续大幅增长态势。前者是由于：香港经济自金融危机陷入低谷之后又开始温和复苏，其季度实际 GDP 呈平稳上升状。且内地赴港旅游对此具有相当的贡献，而人民币也正是通过该渠道大量流入。因此，共同整体货币数量应时而显著上升，人民币的数量也在同时上升。但另一方面，物价水平的持续下降和利率的高位稳定，使得这一时期的港币 3 个月期存款实际利率一直维持在 5％ 上下。而当时人民币在港通常以地下状态存在，多为现金，因此其持有的机会成本较大。这些变量的综合影响最终使得人民币在这一时期的存量显示出在一定规模水平的稳定状态。另外，2000 年 6 月起，香港针对汇款代理及货币兑换业颁布新的监管法规，这种限制措施也强化了上述的利率机制，更加使得在港人民币持有成本较高，从而使其存量上升受到抑制。这一阶段的大部分时期，人民币存量维持在 200 亿港元左右的规模。

第三阶段是自 2001 年末至 2003 年初, 到港游客数量在以前的基础上又大幅增加, 经济形势有明显的上升趋势, 而考虑到物价水平因素的 3 个月期存款实际利率在此期间降至 1% 以下, 并一直维持。这一方面导致共同整体货币数量上升较快, 并且导致人民币的数量上升也呈同步伴随状态; 另一方面港币的低利率使得人民币持有成本下降。这两方面重要的原因共同致使该时期人民币在港存量迅速上升。根据估计结果 $C1$, 该时期人民币在港存量规模, 从期初约 300 亿港元直升至期末约 600 亿港元。

第四阶段是 2003 年初开始到 2003 年中后期结束, 其间发生了非典疫情。由于人民币在港存量的增加与内地和香港间的人口流动以及香港的旅游业有很大关系, 而持续的非典疫情使得两地间的人口流动数量大幅下降, 旅游业也受到严重打击。这些经济事实又通过 GDP 总量出现显著下降等变量的传导最终作用于人民币在港存量, 使其规模大幅下降, 其值从上期的约 600 亿港元急降至最低水平约为 477 亿港元, 降幅超过 20%。

第五阶段是从 2003 年后期到 2004 年初, 非典疫情结束, 经济形势恢复正常走势, 人民币在港存量以更快的速度在短期内大幅回升。至 2004 年 1 季度, 人民币在港存量规模已达 978 亿港元, 折合人民币已逾千亿。

第六阶段是从 2004 年初至 2005 年后期。其中, 2004 年 2 月央行批准在港人民币个人业务, 其内容包括人民币存款、兑换、汇款和信用卡四项业务。与此同时, 港币的实际和名义利率都开始显著上升, 这很可能是官方为避免出现大批港元兑换成人民币的情况而进行的配合性调整。通过个人业务的办理, 人民币的即时可得性问题被解决, 因此现金形式持有的预防性动机大大降低; 另外, 更重要的是通过港币利率的相对提高, 人民币持有成本上升。因此, 该阶段人民币在港存量降至约 600 亿港元的规模。

上面的估计已较为具体地刻画了人民币在港存量近年来的变化情况, 但还存在一些不足之处尚待改进。例如: 条件估计方法中的三种误差可以分别采取措施加以限制, 但其中的第三类误差, 即"参数的不确定性"则与假定 4 有关, 而对于一个可以无限延伸的长期预测区间来

说，其似乎难以成立。另外，如果 P_2 时期过长，尽管由 P_1 时期获得的模型形式对于该时期可能是设定正确的，但对于 P_2 时期也很难再有精确的估计效果，甚至模型的估计形式也难适用。由于这一点，条件估计的方法受到了很大的局限，使得这一方法难以随着估计区间的延长而任意地添加估计。

第四篇

还需冷眼观热点——
人民币国际化政策选择的理性探索

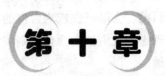

"一国四币"的整合及其实现路径分析

　　1997 年和 1999 年香港和澳门相继回归祖国，2001 年中国大陆和台湾又先后加入世界贸易组织（WTO），这必将更加有效地促进两岸四地（大陆、香港、澳门和台湾）政治、经济等诸多方面的发展和融合。作为区域经济合作最高层次的货币合作终将随着两岸四地经济的发展和交流而被提上日程。如何整合现有的"一国四币①"，促进"中华经济体②"的发展，为最终货币统一奠定基础；如何认识"一国四币"整合对人民币国际化进程的影响；如何在推进人民币国际化的同时开展"一国四币"的整合；如何在亚洲货币合作的背景下看待"一国四币"的整合；通过什么样的路径来整合现有的四币，这些都是值得研究的问题。

第一节　"一国四币"整合的背景和意义

一、两岸四地的经贸发展与"中华经济体"的形成

（一）大陆与台湾的贸易和投资情况

　　大陆改革开放 20 多年来，尽管大陆与台湾的经济贸易关系一直受

---

　　①　四币包括人民币、港币、澳元和新台币。

　　②　1993 年国际货币基金组织和世界银行发表的一份正式报告中首次使用了"中华经济区"一词，作为一个整体分析单元，包括中国大陆、中国香港、中国台湾和中国澳门。考虑到两岸四地的紧密关系与一个中国的特征，笔者用了"中华经济体"一词。待两岸政治分歧解决后可考虑用"中华共同体"一词。

到政治对峙的羁绊，但由于两岸的经济本身的互补性强，血缘地缘优势明显，在市场利益的驱动下，贸易和投资往来日益频繁，形成了互补互利、互依互存的格局。目前，大陆已经成为台湾的第三大贸易伙伴，第二大出口市场和台商最理想的投资地。而台湾则成为大陆的第五大贸易伙伴和第二大外资来源地。

贸易方面，大陆和台湾是重要的贸易合作伙伴关系。根据中国海关统计，截至 2000 年，两岸贸易总额达 2049.66 亿美元，其中台湾对大陆出口 1776.588 亿美元，2000 年两岸贸易首次突破 300 亿美元，达 305.33 亿美元。而根据台湾方面的统计，则达到 323.85 亿美元，其中对大陆出口 261.62 亿美元，占台湾出口总额的 17.6%，大陆成为台湾重要的出口市场和第一大出超来源地。

投资方面，大陆是台湾主要投资地。截至 2000 年，大陆累计批准台资企业 4.7 万家，合同金额 263.8 亿美元。仅就 2000 年而言，新批项目 3082 家，同比增长 22.2%。另根据台湾经济部统计，2000 年 1 月~11 月台商对大陆投资占台湾岛外投资近 38%，创历史新高。大陆已经成为台商投资的首选地。

加入 WTO 后，两岸的贸易与投资将得到更广更深层次的发展。两岸必须履行共同承诺的义务和遵守共同的规则，从国际法的角度确立两岸的经贸关系，保障两岸经贸关系向正常化方向发展，"戒急用忍"和"宽进严出"等限制两岸经贸交往的政策现状将得以改变。大陆关税的大幅削减，非关税壁垒的消除将为两岸贸易发展提供广阔的市场空间。台湾对大陆的投资歧视将难以维持，大陆投资可以通过多样化的渠道进入台湾，从台商对大陆的投资看，一方面"戒急用忍"政策的松绑放宽了台商对大陆投资的限制，另一方面，大陆政策的四大效应即内销比率取消与企业经营权改善效应；关税削减与配额取消效应；资本市场开放与企业并购效应；高科技产品零关税和服务业开放效应将大大促进台湾对大陆投资的发展。总之，在大陆与台湾经济联系日益紧密的情况下，维护和推动海峡两岸的正常经贸交流，无疑会促进两岸社会福利的共同提高，对大陆和台湾的经济发展具有重大的现实意义。

（二）内地与香港的贸易与投资情况

内地是香港第一大贸易伙伴。香港与内地的贸易往来由来已久，尤

其是 1978 年，内地改革开放后得到了突飞猛进的发展。1985 年至今，内地一直是香港最大的贸易伙伴，1982 年起内地在香港进口来源地中的比例排居第一位，1984 年起是最大的转口市场，1995 年开始，内地取代美国成为香港本地产品最大的出口市场。近年来香港与内地的贸易与投资情况请见表 10 – 1。

表 10 – 1　香港对内地贸易与投资情况　　　（单位：亿美元）

年　份	1997	1998	1999	2000	2001	2002
香港产品出口	81.9	71.9	64.6	69.4	63.5	53.1
进口	780.0	744.4	778.9	916.7	874.4	919.4
转口	569.1	522.3	511.8	626.7	636.7	733.2
香港对内地贸易额	1413.0	1338.6	1355.3	1612.8	1574.6	1705.7
香港对外贸易总额	3937.2	3559.9	3515.0	4141.9	3909.2	4076.8
内地所占比重	6.3%	37.6%	38.6%	38.9%	40.3%	41.8%
香港对内地投资额	215.5	194.0	174.0	167.3	179.4	191.7
内地引进外资总额	523.9	475.6	424.5	493.6	496.7	550.1
香港占内地引进外资额比例	41.1%	40.8%	41.0%	33.9%	36.1%	34.9%

资料来源：《香港经济年鉴》；香港特区政府统计处 2003 年网上公布资料；《中国统计年鉴》。

香港是内地的重要贸易伙伴。内地一直是香港商品出口的重要市场，内地大量的资源性产品出口到香港，既为内地丰富的资源开辟了市场，又为香港的制造业提供了廉价的原材料，内地供给香港的农副产品更是香港市民生活的基础。20 世纪 80 年代以来，香港制造业大举迁往内地，更是带动了内地对香港加工贸易的发展。如表 10 – 2 所示：2002 年，内地出口到香港的贸易额为 584.83 亿美元，占内地全部出口额的 18%，成为仅次于美国的第二大出口市场。此外，香港在内地与其他地区的中转贸易方面发挥着重要作用，由于香港本身具有的得天独厚的地理位置、良好的基础设施和成熟的市场运行机制及国际金融中心与贸易中心的地位，为内地对外贸易的发展起到了桥梁和中介的作用，推动了内地对外贸易的发展，2002 年按转口目的地和转口来源地划分的香港转口贸易中，内地分别占了 40% 和 60%。

表 10 – 2　大陆、香港、台湾三地间贸易对比关系　　（单位：百万美元）

项　目	香港/大陆	台湾/大陆	台湾/香港
出口			
1991 年	32138	595	3967
2002 年	58483	6590	4438
所占比例			
1991 年	0.447	0.008	0.040
2002 年	0.180	0.020	0.022
进口			
1991 年	17543	3639	9600
2002 年	10788	38082	14922
所占比例			
1991 年	0.275	0.057	0.096
2002 年	0.037	0.129	0.071
进出口总额			
1991 年	49681	4234	13567
2002 年	69271	44672	19361
所占比例			
1991 年	0.366	0.031	0.068
2002 年	0.112	0.072	0.047

　　说明：香港/大陆：表示大陆对香港的进口或出口；所占比例表示大陆对香港的进口或出口占大陆对外出口或进口总额的比例，其余同。

　　转引自 Yin – Wong Cheung；Jude Yuen：“The Suitability of Greater China Currency Union”；CESIFO Working Paper NO. 1192 May 2004.

　　香港与内地的投资往来较之贸易往来起步要晚，直到 1978 年内地实行改革开放后才有真正意义上的投资往来，但发展速度非常之快，对促进两地经济一体化产生了深远的影响。香港是内地最大的外资来源地。香港凭借其地理位置和同根同族的优势成为内地实行改革开放政策后，最先到内地投资的地区。自 20 世纪 80 年代以来，香港一直是内地最大的海外投资者。截至 2002 年底，香港对内地直接投资额累计 1941.5 亿美元，占同期内地引进外资总额的 47%。

1997 年后，内地逐渐成为香港的重要投资者（其中 1998 年的情况见表 10 - 3）。截至 2000 年年底，内地对香港直接投资累计 1430 亿美元，占同期香港外来投资总额的 31%，居第二位。但据香港有关专家分析，内地可能事实上已经是香港最大的外来直接投资者了，因为在香港外来投资中居首位的英属维京群岛对港投资中，很大一部分乃是为避税而外流的香港资金以另一种形式回流①。

表 10 - 3　中资企业资产在香港各行业总资产中所占比重（1998 年）

中资企业在港投资行业	中资企业占香港该行业的资产比重
外贸业	22%（根据贸易额）
银行业	22% ~25%（根据存款量计算）
保险业	2% ~25%（根据保费收入为标准）
货物运输业	22% ~25%（根据运输量为标准）
旅游业	25%（根据旅客收入）
建筑业	12%（根据已完工项目）

资料来源：屠启宇：《货币一体化的国际政治经济学》，高等教育出版社、上海社会科学出版社 1999 年版。

（三）内地与澳门的贸易与投资情况

澳门虽然地域面积较小，人口较少，但与内地的经贸关系也十分密切。截至 2003 年年底，澳门累计对内地实际投资 53.5 亿美元，2003 年两地贸易总额达到了 14.7 亿美元。内地对澳门的投资、贸易、旅游在澳门经济中占有举足轻重的地位。

（四）"中华经济体"的形成

从上述分析可以看出，目前两岸四地的经济已经形成了"你中有我，我中有你"的状态，我们已经隐约可以看到未来中华经济体的轮廓。2003 年中国大陆 GDP 达到 13499 亿美元，位居世界第 6 位，中国

---

① 香港金融管理局 2002 年 10 月网上公布资料。

台湾 2003 年 GDP 为 3023 亿美元，居第 14 位，中国香港为 1671 亿美元，居第 26 位①。即使不考虑三地建成自由贸易区为经济发展带来的动态效应，就三地现有的 GDP 总值相加，中华经济体的经济规模已经接近 20000 亿美元，将超过英国和法国，位居美、日、德之后。正如在世界银行《2020 年的中国：新世界的发展挑战》的结论部分所说，过去 20 年里中国取得了惊人的成就，经济有了快速、稳定的发展，未来 20 年可望取得同样的成绩。如果考虑包括大陆和港澳台组成的中国经济体，那么我们不难发现，其 GDP 是仅次于美、日、德的第四大经济体，其国际贸易仅次于美、日，其国际储备则是全球首位。中国自身典型的大国经济特征，稳健的经济成长，以及人民币的持续强势，使得人民币有可能成为世界货币格局中引人注目的"第四极"货币。如果两岸实现"三通"，建成两岸四地自由贸易区，实现贸易与投资的自由化，那么再经过 10 到 20 年的发展，中华经济体的经济规模将超过日本和德国成为世界第二经济强国。

二、促进人民币国际化的发展

（一）人民币国际化程度与"一国四币"的整合

货币国际化实际上是一国货币成为国际货币的历史进程。所谓国际货币，就是在世界范围内可自由流通的货币，具有国际结算、国际信贷、国际储备三大基本功能，并为国际社会广泛接受，也就是它具有世界范围的可接受性、购买力的稳定性和金融便利性②。

在第七章第一节，我们已经介绍过，以 2000 年数据及同期汇率为基准计算的美元、欧元、日元和人民币的国际化指数分别是 10.25、2.27、1.17 和 0.19。可见，即便相对于国际化程度相对较低的日元，人民币国际化还有相当长的路要走。一国四币的整合不仅可以在现有的基础上继续扩大人民币在香港、澳门和台湾地区的流通和影响，而且香港是自由港，在人民币现阶段不可自由兑换的前提下，人民币在香港的流通将为人民币走向周边和世界打开一个窗口，就如同当年香港作为中

---

① 数据来源于世界经济统计资料（吴海英，刘仕国）。

② IMF Working Paper: The Internationalization of yen and Key Currency Questions Prepared by Toru Iwami, April 1994, p. 14.

国对外贸易的窗口一样，进而大大提升人民币的国际化进程，提高人民币国际化指数。

（二）货币的制度国际化与非制度国际化

货币的制度国际化是指在一国货币在国际贸易与投资广泛使用的基础上，通过与其他货币的某些制度安排来实现货币的国际化，是货币国际化的高级阶段。

货币的非制度国际化是指一国货币虽在国际贸易与投资领域被广泛采用，但这种接受和采用并不是通过某项制度安排来实现的，而是因为该种货币在国际贸易、投资中的便利性、地缘性等多种原因形成的。

正如本书第一章所介绍的：历史上金本位时期，英镑通过与黄金的挂钩完成了制度国际化，美元在布雷顿体系下通过美元与黄金的挂钩，其他货币与美元的挂钩完成了制度国际化，反观日元国际化进程，虽然日本在 20 世纪 80 年代初就已经成为世界第二经济强国，日元在世界贸易与投资中的比重逐步上升，并在一定程度上发挥了国际储备货币的职能，但日元在国际化的进程中始终没有完成某项制度安排，这和日元在当今货币体系中的弱势地位不无联系。欧洲已经完成了货币一体化，通过货币联盟这一制度安排确立了其在国际货币体系中的地位。人民币有可能发展成为世界货币体系的第四极或者第三极。那么就当前人民币的实力和中国经济发展水平来看，在相当长的一段时间无法实现，人民币如何开展国际化进程，不仅要通过经济的发展，对外贸易与投资的增加来实现，更重要的是要适时把人民币国际化制度化，通过与周边地区乃至其他经济大国的货币制度安排来实现。

如本书第二篇所进行的调查表明，在越南、泰国、缅甸、柬埔寨、朝鲜、蒙古、俄罗斯、巴基斯坦、尼泊尔等国家，人民币作为支付和结算货币已经被普遍接受；中国香港、中国台湾、孟加拉国、马来西亚、菲律宾、新加坡、韩国等国家和地区，与人民币有关的部分业务开始陆续出现。尤其是在东南亚的许多国家和地区，人民币已经成为硬通货，其中柬埔寨把人民币作为国家的储备货币。可以认为，当前人民币的非制度国际化已经开始。那么就涉及到人民币何时和如何开始制度国际化的问题。我们认为中国大陆与香港、澳门与台湾的货币制度合作是切合实际的现实选择。因为虽然四地同属一个中国，但由于历史的原因，四地又属于不同的货币区，各个地区都有自己的独立货币制度和金融体系。如果通过制度安排来推进四币的融合和统一，不仅可以为人民币参与区域货币合作积累经验，甚至对将来中华共同体的货币有效参与国际货币体系改革，提高中国货币地位不无裨益。

三、参与亚洲货币合作中"支点货币"的竞争

（一）亚洲货币合作已经开始

区域经济一体化的浪潮可谓一波未平一波又起。为促进本组织内各国经济的发展，增强在全球化进程中的竞争力，降低区域经济组织内部成员国之间的交易成本，提高经济福利，有效防御金融风险，货币合作作为区域经济合作的高级阶段正逐渐被引起重视。欧洲作为货币合作的模范已经完成了欧盟的货币统一，创立了自己的区域货币——欧元。在北美，包括美国、加拿大和墨西哥的北美自由贸易区得以建立，未来很有可能发展为包括拉美等国在内的美洲自由贸易区，美元凭借其实力正在成为本地区的主导货币，拉美美元化趋势正在加强。作为世界经济发展第三极的亚洲在遭遇了1998年的金融危机后，逐渐认识到：区内经济结构不尽合理，而且各经济体共同钉住美元的汇制宜发生传染性贬值性的自我实现，这些都更加凸显出加强区域货币合作的重要性。1998年过后，一系列关于亚洲货币合作的问题成为焦点，货币互换协议，建立亚洲货币合作基金等不断被提出，亚洲特别是东亚在未来需要创立自己的统一货币的认识越来越成为东亚人的共识，中国政府正在以积极的姿态参与到亚洲货币合作的进程中来。

目前，在亚洲货币合作中面临着一个重要的障碍，即亚洲货币合作中缺乏领头羊，换言之，亚洲还没有出现真正的有领导能力的区域支点货币。

（二）亚洲区域支点货币的选择

一国货币成为区域支点货币必须具备几个条件：

1. 该国具有庞大的经济总量和稳定的经济增长速度；

2. 同该区域内各国具有紧密的贸易投资往来；

3. 拥有巨大的开放的金融资本市场；

4. 该国的中央银行实力雄厚，可以充当区域最后贷款人的角色；

5. 具有完备的经济体系、合理的经济结构，对外依存度较小，在经济与金融危机中能够有效隔离内外经济传导。

一国货币成为国际区域内的支点货币，不论对该国经济的发展还是对维护该区域经济的稳定都具有重要意义。首先，一国货币如果成为国际区域板块中的支点货币，就可以获得可观的铸币税收入。其次，有益于支点货币国提升经济地位，增强在世界政治经济发展中的影响，瓦解金融霸权。最后，如果一国的货币成为了区域支点货币，那么该国可以有效地减少爆发边缘性金融危机的风险，提高其驾驭和管理金融的能力。

区域货币合作中支点货币选择的本质是货币竞争的结果，货币联盟是由多个主权国家构成的联合体，在组建过程中，货币竞争不可避免，实力较强的货币将在竞争中胜出，成为货币同盟中的核心或支点货币，在推动区域内贸易和投资活动、稳定各国货币间的汇率、确定共同货币的价值等方面发挥主导作用。如欧洲货币合作过程中的德国马克，美洲货币合作中的美元等。在亚洲货币合作的进程中，同样要涉及到多种货币的竞争。由于东盟10国和韩国的经济规模较小，"支点货币"的选择主要放在人民币和日元的身上。虽然日元早已成为三大国际货币之一，但近10年日本经济一直沉溺在紧缩的泥潭中，发展乏力，而中国经济的发展令人瞩目。因此，就涉及到日元和人民币谁能胜出的问题。

陈雨露在《东亚货币合作中的货币竞争问题》一文中认为，货币竞争主要取决于：发行国的经济实力；制造品生产领域的比较优势；发达的金融体系；稳定的货币价值和交易网络的规模等几个因素。并从以上几个方面对人民币和日元的竞争力作了比较分析，认为现阶段，东亚地区还没有一种货币能够占据绝对的竞争优势，日元和人民币难分伯仲[①]，但也都存在着制约其未来发展的因素。

---

① 具体见表 10－4 所示。

表 10 −4　中、日部分经济指标对比　　（单位：百万美元）

年份	中国			日本		
	2000	2001	2002	2000	2001	2002
GDP	1080500	1160012	1238186	4817056	4153603	3993320
国际贸易总额	463788	498133	607135	714766	791076	697713
对外直接投资	2239	7092	2849	31783	38658	31579

数据来源：国家统计局、日本中央银行网站。

（三）"四币整合"有利于中国货币成为东亚区域货币的"支点货币"

从中国自身的约束条件看，人民币目前无法担当亚洲货币合作中支点货币的角色，主要原因是中国自身经济实力有限，人民币还不是完全可自由兑换货币，中国的金融银行体系还不够健全和发达。现阶段人民币在周边国家流通的一部分原因还是这些国家本国货币的币值不稳和外汇美元的匮乏（从边境贸易进出口人民币结算比例的对比可以看出）。

这就需要我们苦练内功，继续推进经济体制尤其是金融体制的改革，不断发展壮大自身的实力，但并不是说这个过程就需要我们静待中国经济的发展而被动地等候，我们有自身的优势来积极主动地推进人民币成为亚洲支点货币的进程，一国四币的整合为我们提供了很好的契机和平台。大陆、香港、澳门和台湾两岸四地的货币金融合作可以为中国金融体制改革提供外力，加快大陆现代金融体制的建立，加快我们发展的步伐。

四、益于各地降低金融风险，增强抵御金融危机的能力

1998 年始于泰国的金融危机席卷了整个东亚地区，甚至波及了俄罗斯等国。中国香港、台湾的金融及港币和新台币遭遇了不同程度的打击。东亚各国货币的竞争性贬值严重阻碍了东亚区域经济的复苏。中国大陆为了维护本地区的稳定，保持了人民币不贬值的政策，为此也付出了沉重的代价，1998 年外贸出口锐减，国内失业人数上升。与此同时，中央人民政府为了维护香港的社会经济稳定，在帮助香港特区政府击退国际炒家的过程中给予了资金和人员上的支持。金融危机过后，得出的最重要的经验教训就是要加强各国的金融合作，共同担负起维护地区金融与货币稳定的责任，单一的以邻为壑的恶性竞争只能带来更大的损失。

东亚金融危机中新台币之所以能保持相对稳定的汇率，与人民币和港币的坚持不贬值也有很大的关系。人民币的稳定对新台币的汇率也起到了间接的稳定作用。当然新台币的稳定也有助于港币、人民币的稳定。因此随着大陆、香港、澳门和台湾经济联系日趋紧密，未来更需要金融政策的协调配合，共同担负起两岸四地的稳定汇率、金融市场和经济安全的职责。

作为一个整体，大陆、香港、澳门、台湾的外汇储备总和居世界第一，经济总量居世界第三，两岸四地的金融货币合作将大大增强各方抵御金融风险的能力。即使排除掉金融危机发生的汇率制度因素，就货币整合后的中华经济体的经济规模和外汇储备总量也能对国际游资起到有效的威慑作用。金融货币的合作还具有加速中华经济体形成和发展的功能，从而实现中华民族的伟大复兴。

五、有利于和平解决两岸的政治分歧

经济发展是两岸政治统一的基础，以经济促统一，和平解决两岸的政治分歧，完成祖国统一大业，是从海峡两岸人民福祉和中华民族利益出发的最优选择，也是成本最小的选择。

内地开放20多年来，两岸的经济融合日渐加深，人员往来日益频繁，经济依存度不断上升。两岸实现自由贸易与共同货币区，人员实现互动，将有益于两岸相互了解，加强对话，无论内地用武力解决统一问题，还是台独分子分裂台湾的成本都会伴随经济、金融融合的深入而逐渐增大。反过来，在经贸合作的基础上，"一国四币"的整合会使两岸通过和平手段解决政治分歧的机会逐渐增大，成本会逐渐降低。

第二节　"一国四币"整合的成本收益分析

一、货币整合的收益

（一）降低交易成本，消除汇率风险

货币合作及货币一体化，有利于减少"大中华经济圈"内贸易的交易成本和汇率风险，增加贸易创造收益，因此也有利于"大中华经济

”的整体建设，加快两岸四地经济一体化的步伐。

货币合作是降低交易成本的重要途径。随着经济金融全球化、一体化趋势的增强，全球货币交易成本不断上升。Gros. D 和 Thygesen. N. (1998) 根据 Frankle (1996) 所做的实证分析指出，全球用于外汇兑换的支出约占全球贸易的 6.5% 以上。以香港和内地 2000 年为例，当年两地贸易总额为 1612.82 亿美元。按照换汇成本占贸易额的 6.5% 计算，如果人民币、港币实现整合，每年可以节约 105 亿美元的兑换费用。新台币和人民币都是不可自由兑换货币，在贸易与投资中都需要用美元等外汇进行结算，因此两岸的货币兑换费用更高。

消除汇率风险是货币整合的另一项收益。1994 年大陆实行了以市场供求为基础的、单一的、有管理的准钉住汇率制；港币实行联系汇率制度，港币和美元汇率挂钩；澳门通过港币间接钉住美元；台湾虽然于 1978 年 7 月宣布放弃固定汇率制度，改采用浮动汇率制度，并于 1979 年 2 月建立了外汇市场，推行了货币自由化，但从台币和美元汇率走势看，新台币也是高频钉住美元，1997 年东亚金融危机爆发后，由于宣布人民币不贬值，大陆的汇率制度转化为事实上的钉住美元的汇率制度。然而，这种共同钉住同一种货币的汇率制度并不能保证四种货币间消除汇率风险，1998 年东亚金融危机中国际游资对港币的冲击，2003 年国际炒家对人民币升值的炒作就是很好的例子。而且，未来两岸四地的货币都面临着增加汇率弹性，逐步向浮动汇率制转换的汇率制度改革。人民币必将走向自由浮动，港币对美元的联系汇率制度必然随着中、港、美经济关系的发展而调整，那么两岸四地的汇率风险就会凸现，如果实现货币整合，组成单一货币区，就可以未雨绸缪，先行消除四地间的汇率风险。

（二）节约外汇储备，降低外汇储备成本

货币整合后，任何成员都可以用区域货币来清偿对其他成员的债务，从而不必为处理成员单位之间的国际收支持有美元等外汇储备。所以货币区内共同外汇储备的数量比成员单位单独拥有的外汇储备数量之和少得多。虽然外汇储备是以生息形式存在，但其利率低于一般外汇资产利率，更低于资本投资利润率，二者之间有较大的利差损失。而且，外汇储备的减少，还可以节约大量的储备管理成本，提高外汇资金的利用率，由此衍生的收益更为可观。

（三）增加市场透明度，提高福利收益

外汇交易成本导致的经济损失大于显见的直接成本。有研究表明，即使没有贸易障碍，地区间的价格差距仍能高达40%至170%，这主要是由于货币兑换成本和多种货币引致的信息成本所产生的间接影响。而消除这种影响恰恰是货币一体化的间接收益所在。近年来，两岸四地的贸易与投资和其他经济交往不断扩大，但由于历史原因形成的生产要素非自由流动、生产成本差异及市场信息不对称，四地间仍存在较大的客观或人为的价格差异。这种用货币分割的市场与价格差异隐含了社会福利的损失。两岸四地的货币一体化会大大提高四地市场价格和供求信息的透明度，从而减少和消化信息成本（见图10－1所示）。一方面节约交易成本，另一面可以挽回由于汇率风险而压抑的交易活动的损失。

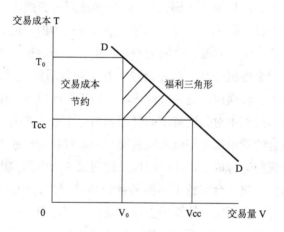

V_0：货币一体化前四地间的贸易额

V_{cc}：货币一体化后四地间的贸易额

图 10－1①　货币一体化前后的福利效应对比

（四）提升中国的金融国际竞争力

金融国际竞争力是国际竞争力的重要组成部分，是一国金融体系效

---

① 参考黄燕君：《港币—人民币一体化：意义、条件、前景》，中国社会科学出版社2003年版，第130页。

率的集中反映。金融国际竞争力主要包括资本成本竞争力、资本效率竞争力、股票市场活力和银行业效率等四个方面。当前提高中国国际金融竞争力的改革主要集中在推进利率市场化改革、加强金融监管、完善货币工具、化解国有商业银行不良贷款等内部因素上。香港是国际金融中心之一，金融业比较发达，金融体系也较为完善，台湾也走过利率市场化改革的道路。所以货币整合的过程能有效地从外部推进中国金融体系的改革，缩短改革历程，节约内地的改革成本，从而有益于中国金融国际竞争力的提高。

二、货币整合的成本

（一）货币转化和组织成本

两岸四地货币整合的结果无论是保留其中的人民币还是推出新的另一种共同货币，比如说"中国元"，都要涉及到转换成本。转换成本主要是新币的设计、印刷、保管、运输、市场流通中旧币的兑换回收，新币使用后计价单位的修改、合同的修订、银行等金融机构清算与支付系统的设计，对金融机构员工和公众进行有关新货币知识的培训等成本。从成本划分上，转换成本是一次性成本，属于沉淀成本。组织成本是在整合货币运作过程中对共同货币的管理和四地金融政策的协调成本。包括为保证整合的货币制度与政策顺利实行的监督和调整成本和共同的中央银行的设置与运行成本。两岸四地虽然同属一个中国但由于历史的原因，内地和港、澳、台实行了不同的社会经济制度，四地在金融制度、监管机构设置、货币银行体系的安排与设置上存在很大的差异，因此在货币整合中与整合后都需要付出较大的磨合成本。

（二）货币主权的让渡和铸币税的损失

实行单一货币就意味着原来具有独立货币发行权的四地要让渡各自独立的货币发行权。铸币税是指货币面额与货币发行费用之间的差额，是国家发行货币时所得到的收益。就四地货币整合过程而言，将包括两个方面，一是对原本已经征收的铸币税的放弃，实际上是对原已征收的铸币税的返还。这一成本主要由地区的各自货币当局来分别承担。二是对未来铸币税的放弃，实行单一货币后，货币将由统一的中央银行发行。

（三）调节内外经济平衡效率的损失

在区域货币一体化过程中和实行单一货币后，不论是内地还是香港、澳门、台湾（与台湾的货币统一会受到中国统一进程的制约）都将丧失独立使用货币工具和汇率工具调节经济的权利。当各地区经济面临冲击时，可能会因为四地在经济发展水平和经济结构上的差异而面临困境。例如，当内地面临经济过冷需要采取扩张的货币政策刺激经济发展时，而其他三地经济发展稳定或过热需要采取紧缩的货币政策时就会面临两难困境。而且由于是同一货币区，一个地区的经济波动会迅速波及另外三个地区。这时进行有效的政策协调，做到维持货币汇率和经济的稳定要付出较高的成本。

三、四币一体化的成本——收益对比分析

从上面的分析可以看出，就转换成本而言，它是一次性的、有限的。而货币交易费用的节约和外汇储备成本的节约是连续的、持久的。货币整合后的铸币税损失虽然具有累积的性质，但从中华经济整体考虑，实际上这种铸币税的损失只是铸币税在不同地区分配的问题。而整合后的货币会因为货币实力的增强和国际地位的提高，逐渐发挥国际货币的职能，成为重要的国际支付和储备货币，反而具备对外征收铸币税的能力。

货币一体化的组织成本和调节内外经济平衡效率的损失要相对复杂得多，具有很大的不确定性。因为在经济发展过程中各地区面临外部不对称冲击和波动是不可避免的。组织成本的高低主要取决于实现货币一体化的条件成熟程度和准备充分与否，如果准备充分，时机得当，那么成本就相对较低。货币一体化带来的调节各地内外经济平衡的效率损失值得关注，从最优货币区理论看，当某些地区的要素流动性强时该地区组成单一货币区较为有益，反过来，一个单一货币区也可以通过深化要素流动性来解决地区间经济冲击的不对称问题，因此各地在面临经济的不对称冲击时还具备其他的调节内外经济平衡的工具，而这种调节会促进经济一体化发展，从而降低组织成本和调节成本，实现整体区域经济的效益和福利的最大化。

综上所述，两岸四地的货币整合，无论从整体看还是分别从各地区看，均是收益大于成本，重要的是如何在合适的时机和合适的国际政治

经济环境下，有计划、有步骤地完成四地货币的整合。

第三节　"一国四币"整合的路径选择

一、港币——澳门元的整合

(一) 香港、澳门具有相似的货币与汇率制度

澳门的货币制度：澳门的货币制度是在 1903 年建立的，1905 年澳门政府委托大西洋银行印制和发行澳门自己的货币。1995 年，中国银行澳门分行发行的澳门币开始加入流通。澳门的货币制度规定，澳门元的发行，必须选择一种外国货币作为挂钩货币，并制定一个中心汇价，保证按此中心汇价自由兑换外币，发钞要有十足的储备金（主要是美元和港币）。具体的发钞程序是，澳门的两家发钞银行在发行钞票的第二个月，按照当时澳门元汇率将等值的美元或港币存入澳门货币暨汇兑监理署（AMCM），换取等值的负债证明书，作为对所发行的澳门元的汇兑能力保障。澳门货币制度的特殊性表现为澳门元的流通范围狭窄，多限于日常消费的小额开支和官方指定的使用范围。而港币在澳门的货币流通中发挥重要作用，成为大宗交易计价货币和交易媒介。因此，在澳门关于货币供应量的官方统计中，活期存款和储蓄存款部分除澳门元外，还包括各类非澳门元组成的存款。

1906 年到 1977 年，澳门的汇率采取与葡萄牙货币埃斯库多固定的联系汇率制度。20 世纪 60 年代后期以来，由于葡萄牙政治不稳，经济持续衰退，埃斯库多不断贬值，严重影响了澳门元币值的稳定。1975 年 4 月，澳门政府决定每日定出港币兑换价，银行可照价兑换；1977 年 4 月，澳门宣布澳门元与埃斯库多脱钩，改与港币挂钩。1983 年港币实行联系汇率制度以前，澳门元与美元和其他外币自由浮动，通过中介货币—港币的联系，间接地完成了浮动机制。1983 年之后，澳门元与港币固定联系，港币钉住美元，实行自由兑换。目前，澳门元和港币的固定汇价为 103 澳门元兑换 100 港币。一般公众和商业银行只能与大西洋银行和中国银行两家发钞银行进行兑换，也只有两家发钞银行可与

澳门货币暨汇兑监理署（AMCM）直接发生业务往来。

香港的货币制度：香港的法定货币是港币，港币是由政府通过法律授权某些大商业银行发行的。目前，发行港币的三家银行是汇丰银行、渣打银行、中国银行，其发钞量占市场流通量的比例分别是80%、15%与5%；港币在发行时必须以1美元比7.8港币的汇价缴存美元作为发钞准备，换取金融监管局在外汇基金项目下发生的无息负债证明书才能发行等值港币，以此作为港币的物质保证。

从澳门和香港的货币汇率制度的比较看，两地的货币制度基本相同，汇率运行机制也基本一致。两地同属小型高度开放经济体，因此金融管理当局都不具有独立的利率与货币政策，两地回归祖国后，同属一个主权国家，因此，在货币整合过程中的转换组织成本和面对经济不对称冲击的效率损失都较小。

（二）香港、澳门经济基本面具有较好的相融性

如表10-5：通过香港和澳门的主要经济指标对比可以看出，香港和澳门在经济基本面上有较好的联系和融合。澳门的经济总量虽不能同香港相比，但人均GDP差异并不大，经济增长速度也比较接近，香港和澳门的经济结构完全相同，因此，两地采取的经济政策基本一致，如作为高度开放的自由经济体，两地都是自由港，不征收关税；两地自然资源贫乏，都积极发展第三产业，第三产业在两地经济总量中的比重均高达85%。生产要素在两地的自由流动，使两地的失业率几乎相同，使各自政府不需要通过降低利率刺激经济发展；两地同属高度开放地区，并有不断上升的趋势。

表10-5　香港与澳门主要经济指标比较

经济指标		1997 年	1998 年	1999 年	2000 年	2001 年
GDP（亿美元）	香港	1710	1636	1558	1650	1670
	澳门	70.09	65.05	61.58	59.2	62.0
人均 GDP（亿美元）	香港	26050	24613	23643	24810	24702
	澳门	16729	15259	14145	14379	14595
通货膨胀（%）	香港	5.77	2.87	-4.00	-3.68	-1.61
	澳门	3.49	0.18	-3.20	-1.61	-1.98

续表

经济指标		1997 年	1998 年	1999 年	2000 年	2001 年
财政赤字占 GDP（%）	香港	-6.56	1.85	-0.81	0.62	5.20
	澳门	-1.36	-0.08	-0.62	—	—
外债占 GDP（%）	香港	23.6	30	34.3	33.8	—
	澳门	—	—	—	—	—
兑换比率	港币/澳门元	1.030	1.030	1.030	1.030	1.030
一年期利率（%）	港币	6.4	8.3	5.8	5.4	2.5
	澳门元	—	—	—	—	—
失业率（%）	香港	2.2	4.7	6.2	4.9	5.1
	澳门	3.2	4.6	6.3	6.8	6.4
国民开放度（%）	香港	232	219	222	—	—
	澳门	60.35	62.96	68.85	—	—
一、二、三产业比重	香港	0.12:15:84.88				
	澳门	0:15:85				

数据来源：http：//www. adb. org/Documents/Books/Key – Indicators/2002/HKG. pdf.
http：//www. dsec. gov. mo/html/English/index. html.

《中国统计年鉴》，中国统计出版社 2000 年版；《中国金融年鉴》，中国金融年鉴 2000 年版。

（三）两地具有共同的历史、文化、社会和政治制度

香港和澳门不仅在经济方面具有较好的融合，而且存在较少的政治障碍和社会制度差异。香港和澳门的货币一体化是同一主权国家内的货币融合，香港和澳门人民在语言、文化、风俗习惯方面都极为接近，其根本利益是一致的。因此可以降低货币整合的磨合成本。社会制度方面，两地同属高度发达的资本主义经济，奉行自由不干预政策的市场经济，例如，两地都由政府掌握货币发行权，但都不设立地区政府的中央银行，都授权商业银行从事货币发行，汇率制度上，都实行联系汇率制，货币发行都有充足的外汇储备作为保障，货币政策上也基本保持一致。

（四）澳门地区货币流通现状为两地货币整合奠定了基础

如表 10 - 6 所示：在澳门市场上自由流通的主要货币有三种，即澳

门元、港币和人民币。其中港币所占比例最大。从表中可以看出 1999年澳门广义货币 M_2 中港币占 52%。澳门元只占 32%。在狭义货币 M_1 中澳门元也只占 43%，不足一半。澳门的生产、生活高度依赖进出口贸易，而香港又是其最主要的贸易伙伴，外贸大都使用港币计价结算。而且澳门与其他地区的贸易，尤其是大宗交易、楼宇买卖等方面，长期习惯以港币标价和结算。可见港币虽然不是澳门的法定货币，但在实际经济中发挥着比澳门元更为重要的作用，所以在短期内进行港币和澳门元的整合是现实可行的。

表 10-6　澳门货币流通构成结构

货币供给（百万澳门元）	1996 年	1997 年	1998 年	1999 年
狭义货币供给量 M_1	20438	18953	20171	21045
澳门元	8691（42.5%）	8279（43.7%）	8477（42.0%）	9223（43.8%）
港币	9719（47.6%）	8577（45.3%）	9693（48.1%）	9600（45.6%）
其他货币	2028（9.9%）	2098（11.0%）	2001（9.9%）	2222（10.6%）
广义货币供给量 M_2	74744	78358	86217	90140
澳门元	22834（30.5%）	24180（30.9%）	25796（29.9%）	28169（31.3%）
港币	41046（54.9%）	41599（53.1%）	45530（52.8%）	46702（51.8%）
其他货币（包括人民币）	10864（14.5%）	12579（16.0%）	14891（17.3%）	15268（16.9%）

转引自沈国兵、王元颖：《论"中元"共同货币区的构想与实现路径》。

资料来源：http://www.stats.gov.cn/ndsj/zgnj/muluw.html.

二、港币——人民币的整合

（一）粤港两地货币民间的跨区流通勾画了统一货币区的雏形

港币在内地的流通自中国改革开放以来已经较为普遍，在内地的流通区域主要集中在珠江三角洲地区，港币不但满足了两地居民的探亲、旅游和购物的需求，而且在贸易结算、金融和投资往来方面也大量使用了港币现汇。据估计，在亚洲金融风暴前，内地流通的港币已经超过200 亿元，占港币流通量的 25% 以上。在香港特区，人民币也早有使用，特别是经历了 1997 年香港回归和 1998 年的亚洲金融风暴后，随着内地经济的发展，人民币在香港的流通量出现了较大幅度的增长，内地居民赴港个人游开放后，内地与香港居民互访和旅游消费不断增多，人民币在香港市场不断聚集。据统计，近年国内访港旅客平均增幅20.8%，2002年为53.4%，达到了682万人次。据瑞银华宝公司估计，2005年香港市场的人民币将达到3100多亿元。在香港几乎所有经营外币兑换业务的银行都开展了人民币兑换业务；能够兑换人民币的外币找换店比比皆是，大部分商场酒店也都接受人民币买单。

由于港币是自由兑换货币，事实上在内地的珠江三角洲地区形成了港币的离岸市场；有关在港开办人民币业务的问题也会在不久的将来解决，在香港将形成一个人民币离岸市场。民间的货币交易还可以向政策制定者传递一定的价格信号，粤港地区经济的紧密联系和人民币与港币双币共同流通的格局已经勾画了粤港统一货币区的雏形。

（二）人民币汇率制度改革和港币联系汇率的调整是两币整合的必然趋势

人民币汇率制度改革是中国金融开放的必然选择，随着布雷顿森林货币体系的崩溃，各国原有的固定汇率制度受到了严重冲击，浮动汇率开始兴起。继而关于两种汇率制度选择的争论也成为讨论的热点。事实上，任何一种汇率制度都不是一成不变的，都有其存在的历史条件，判断一种汇率制度的好坏主要应该看这种汇率制度是否适应那一阶段经济的发展。改革开放以来，中国根据本国的情况进行了几次汇率制度的改革，主要经历了1981年到1984年的官方汇率与贸易内部结算汇率并存；1985年到1993年的官方汇率与外汇调剂并存；1994年到1997年的有管理的浮动汇率制；1997年至2005年事实上的钉住汇率制；2005年"7.21"汇率制度改革实行参考一篮子货币的有管理的浮动汇率制五个发展阶段。1994年的汇率制度改革结合了固定汇率和浮动汇率制度的优点，确立了以市场供求为基础的人民币汇率形成机制，对我国的经济发展起到了促进作用。1997年人民币承诺不贬值，与美元挂钩，使人民币成为国际上币值稳定的货币，增强了人民币的国际信用。

但是，应该看到人民币有管理的汇率制度是建立在中央银行对各外汇指定银行的结售汇周转余额实行比例管理的基础上的。汇率的形成并没有完全实现市场化，人民币汇率在一定程度上存在人为扭曲。例如，近年来我国国际收支出现持续的大幅度顺差，银行结汇大于售汇，各外汇指定银行的结售汇周转余额必然超过其上限比例而不得不抛售外汇，结果是要么中央银行为维持人民币汇率稳定，介入外汇市场购进外汇，要么任由人民币升值。相反当国际收支出现大幅度逆差时，要么中央银行抛售外汇平抑汇价，要么任由人民币贬值。这种情况下，只有中央银行唯一不受约束，是外汇市场最大的交易者，不仅左右着市场的汇价，而且是外汇市场上最后的风险承担者。中央银行成为了金融危机爆发的潜在根源。

在这种情况下，人民币汇率的改革必然要向市场化、逐步取消管制的方向发展，人民币最终将实现完全自由兑换，汇率制度也将朝着更加自由，浮动幅度更大的方向调整。

香港是小型开放经济，相对而言对独立货币政策的需求不那么强烈。维护汇率的稳定对香港经济的发展意义重大。香港建立的与美元的联系汇率制度对香港经济的发展起到了积极的作用。但从长远看，港币汇率欲想保持稳定，避免国际投机资本的冲击和促进香港经济的稳定，需要在时机成熟时对其现有的联系汇率制度进行改革。从已有的关于香港联系汇率制度改革问题的讨论看，多数学者并不提倡港币自由浮动，讨论的焦点集中在港币为保持汇率稳定采取和哪种货币联系的选择问题。我们也认为，就香港的经济结构和经济特征而言，香港的联系汇率制度改革的关键是和哪种货币联系，这需要依据香港经济未来发展的定位和周边的经济环境而定。

通过对表10 - 7的分析可以看出，香港对内地的贸易呈现递增的趋势，尤其是从内地的进口比重已经占香港进口总额的40%以上。相反香港对美国的贸易比重却呈小幅度下降趋势。这表明香港的对外贸易中心已经从美国转移到了内地。

表10 - 7　香港对内地和美国的贸易关系　　　（单位:%）

年份	香港出口到内地	香港出口到美国	香港从内地进口	香港从美国进口
1987	0.233	0.279	0.311	0.085
1988	0.270	0.248	0.312	0.083
1989	0.257	0.253	0.349	0.082
1990	0.248	0.241	0.368	0.051
1991	0.271	0.277	0.377	0.075

续表

年份	香港出口到内地	香港出口到美国	香港从内地进口	香港从美国进口
1992	0.296	0.231	0.371	0.074
1993	0.323	0.230	0.375	0.074
1994	0.328	0.232	0.376	0.071
1995	0.333	0.218	0.362	0.077
1996	0.343	0.212	0.372	0.079
1997	0.349	0.218	0.377	0.077
1998	0.344	0.234	0.406	0.075
1999	0.334	0.239	0.436	0.071

数据说明：转引自丁剑平《关于香港联系汇率制度可持续性的研究》。

数据来源：IMF《贸易方向统计年鉴》。

中、港、美过去 13 年 GNP 的实质增长情况也显示，香港的经济增长率更趋向于与内地同步，而与美国相关不大。这说明，由于中国内地和香港经济的融合，香港的经济发展也日益与大陆同步，而大陆国内市场广阔，其经济发展与美国必有差异，所以香港的经济发展与港币和美元的联系汇率这两方面已经形成了潜在矛盾。香港与内地进一步的市场融合逐渐扩大，到最后，香港的货币政策将不得不以本地发展为目标，而放弃港币与美元的固定的联系汇率制。所以港币需要逐步淡化与美元的联系，减少对美国经济和货币政策的依赖，加强与人民币的联系，在人民币成为完全可自由兑换货币时建立起与人民币相联系的汇率机制。

丁剑平在《关于香港联系汇率制度可持续性的研究》一文中通过对香港和阿根廷等货币局制度的比较分析认为，由于中国内地的存在，使得香港的联系汇率制度与其他实行货币局制度的国家的汇率安排有很大的不同。尤其是香港回归后，中国内地对香港经济的支持在维护港币的稳定方面发挥了重要作用。在几次金融危机中，尤其是在 1998 年的东亚金融危机中香港的联系汇率制度岿然不动，不仅归功于香港健全的金融银行体系，而且与中国内地的支持是分不开的。中国内地的存在成为了香港联系汇率制度的一种特征。所以港币汇率制度的未来发展必然

要取决于内地经济的发展和人民币未来的发展。

（三）CEPA的签订和内地香港自由贸易区的发展为人民币和港币的整合提供了新推动力

2003年6月中央政府和香港特别行政区签订了《内地与香港关于建立更紧密经贸关系的安排》（简称CEPA）。这一协议的签署，标志着香港和内地的经济关系已经进入了一个通过制度性安排去规范和推动经济整合的新阶段。

CEPA从制度层面重新确立了香港在中国现代化中的地位和角色。香港经济是在扮演中介功能的历史中崛起的。但20世纪90年代后，伴随着内地开放广度和深度的加大，香港传统的中介地位相对下降。CEPA向香港开放了分销、物流、货物、运输和仓储等服务业，有利于香港现代物流的发展，进而形成拥有庞大国际商业网络和高效率的先进商业模式的商业平台，协助内地企业扩大规模和改善贸易条件，提升中国商品的国际竞争力和市场占有率。内地对香港开放了制造业和服务业，2004年1月1日起对进入内地的273种商品实行零关税，这有利于国外公司在港设立公司开展业务，为香港经济增添活力，继续发挥为内地引资和服务的功能。在金融方面CEPA降低了香港银行业进入市场的准入条件，支持内地银行把国际资金外汇交易中心向香港转移，确定了内地在金融改革和发展中，香港担当国际金融中心地位的角色。

面对越来越多的人民币在香港市场流通的现实，又苦于香港银行不能吸收人民币存款和无法为吸收的人民币找到出口，2003年11月19日，中国人民银行与香港金融监管局签署了关于允许香港银行开办个人人民币业务的合作备忘录。至此，香港银行可办理人民币在港的存款、兑换、信用卡和汇款四项业务。人民币在港业务的开展为人民币提供了清算和回流机制，从而更加便利两地经贸和人员的往来，为将来香港人民币离岸中心的创立奠定了基础。

三、新台币的回归

（一）台湾经济对大陆经济的联系与依存

最近十几年，海峡两岸贸易和经济依存度都有了长足的进展。到祖国大陆投资的台资超过了 400 亿美元。根据统计，从 1979 年到 2000 年，大陆向台湾出口总额为 310 亿美元，进口总额 1909 亿美元，大陆方面的贸易逆差为 1228 亿美元。前几年平均每年从台湾销往大陆的商品总额为 250 亿美元，而大陆销往台湾的仅仅 50 亿美元。台湾销往大陆的商品年增长率为 10%，大陆销往台湾的商品年增长率是 6%。

潘文卿、李子奈（2000）建立了"大陆和台湾宏观经济连接模型"，从商品贸易方面定量研究了台湾对大陆的依存度。其研究表明，台湾对大陆商品出口依赖度较强，1992～1998 年模拟期内，台湾对大陆贸易顺差对台同期 GDP 年均增长率的贡献率高达 17%，已超过台投资增长对 GDP 增长的拉动作用。若大陆 100% 的削减从台进口商品，将造成台湾经济全面萎缩，不仅实际与名义 GDP 年均增长率分别下降 0.22% 和 0.5%，而且还将造成诸如居民收入、民间消费、投资、固定资本形成、进出口、就业等的整体下滑，尤其对居民收入、就业水平影响最大。同时，大陆完全削减从台湾进口商品也会对自身经济运行产生不利影响，但相对来说要小得多，模拟期间大陆实际与名义 GDP 年均增长率分别下降 0.01% 和 0.02%。

大陆和台湾加入 WTO 后，台湾对大陆商品的人为限制将逐步取消。届时，台湾对大陆经济的依存度会更高，在大陆、香港和澳门组成统一货币区后，台湾为了自身经济发展，避免经济边缘化，加入统一货币区也将势在必行。

（二）GG－LL 模型的分析

在关于一个区域内各经济体是否选择加入货币区的理论分析中，比较有代表性的是克鲁格曼（Krugman，1990）的"GG－LL"模型。这一理论研究了单个国家或地区如何判断是否加入货币区，以及加入货币区后的成本收益之间是否有一个权衡标准。

图 10－2 中横轴表示加入国或地区与货币区内其他经济体的经济紧密程度，它可以用经济交往占 GNP 的百分比表示，纵轴表示加入国收益与成本，其中 GG 为收益曲线，斜率为正，说明一个国家与其所在货币区经济一体化程度越高，跨国贸易与要素流动越广泛，加入单一货币区的收益就越大；LL 曲线为成本曲线，其斜率为负，说明一个国家的经济与其所在货币区的经济紧密程度越大，加入货币区的经济稳定性损

失越小。总之，一个国家与其所在货币区的经济一体化程度越高，加入货币区就越为有利。

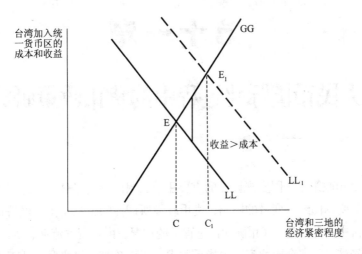

图 10 - 2　台湾加入统一货币区的成本收益分析

GG 曲线与 LL 曲线的交点为 E，它决定了一国是否加入货币区的经济一体化临界点 C，当该国与货币区一体化程度大于 C 时，加入货币区有净收益。否则，该国或地区将选择不加入统一的货币区。

此外，通过 GG—LL 模型还可以判断，一国经济环境的变化如何影响其加入货币区的选择。例如当货币区内他国出口需求增加，在经济一体化的任一水平上，汇率工具的缺失将导致该国产出和就业的不稳定性增大。LL 曲线将右移到 LL_1，结果加入货币区的临界点由 C 变到了 C_1，使该国加入货币区的难度加大。

待大陆、香港和澳门三地自由贸易区建立后，台湾与三地的贸易与投资联系将更加紧密，对大陆经济的依存度也将继续增大。因此，未来台湾加入统一货币区的收益将远远大于成本。

即使未来台湾经济和大陆、香港、澳门三地统一经济体在某些方面存在某种程度的趋同竞争，那么以三地的巨大经济规模和市场容量也足以包容这种不稳定。所以台湾加入共同货币区的临界点向右移的可能性并不大。

第十一章

人民币国际化过程中的货币政策研究

货币政策是一国宏观调控的重要手段：封闭经济条件下，一国的货币政策只受国内经济变量的影响，货币政策所调控的也只是国内经济；在开放经济中，尤其是人民币国际化过程中的情况，由于资本流动、货币替代、国外经济等因素会影响到国内货币需求、货币政策传导机制，从而影响到货币政策的执行效果。人民币国际化下，货币政策的制定不仅要考虑国内政策变量，还要考虑境外人民币的需求、国际游资对人民币投机等干扰因素。在人民币自由兑换、浮动汇率制、资本自由流动前提下，在人民币成为周边国家的流通货币的状况下，货币政策的效力将会受到哪些干扰？如何化解货币政策的失效？将是人民币国际化进程中面临的重要课题。

国内外学者对于资本自由流动和货币替代对一国货币政策的影响做过许多研究。从近年来的研究成果看，Augustine C. Arize（1991）通过对韩国货币替代的实证检验得出本外币利差是替代的主要原因，并因此而导致了当时韩国货币政策的失效。范从来、卞志村（2002）通过对我国 1992～2000 年间货币替代成因的考察认为，在此阶段引发我国货币替代的主要原因是汇率风险，货币替代是导致当时货币供给失调的重要原因。周晓明、朱光键（2002）认为，资本流动通过储备货币、货币乘数、人民币配套资金影响货币供给，应该通过放宽汇率的波动幅度和冲销干预来消除其对货币供给量的负面影响。马勇、高翔（2003）认为，随着资本流动障碍的不断减少，在从"汇率非均衡"到"汇率超稳定"的实现过程中，我国货币政策将受到更高的挑战，外汇储备的内生性决定了执行货币政策时存在一定难度。曹凤岐、林敏仪（2004）

认为，资本流出入的规模和结构既受国内财政和货币政策的影响，又对财政和货币政策起到反作用，这种反作用表现在资本流动存在扩大或缩小财政和货币政策效果的机制，从而偏离宏观调控所预期达到的目的。汪洋（2004）通过对我国 1982～2002 年资本流动的考察认为，我国资本流动的不完全双向自由流动的特征，从本质上决定了我国 1998 年以来实行稳健货币政策的效果为何不明显。这些研究都或多或少地揭示了资本流动和货币替代对货币政策的影响。

第一节　人民币国际化过程中的货币需求函数及其货币政策

一、人民币国际化进程中的货币需求函数

人民币国际化可以从两个层面上考察，一是人民币的对外开放性，主要表现为三个自由原则：即人民币交易的自由兑换性、人民币汇率的自由浮动性、资本境内外的自由流动性。二是人民币的国际货币的角色。货币国际化是一个伴随该种货币发行国的经济不断强大而逐步走向世界的过程，现阶段人民币已在中国周边国家扮演着国际区域货币的角色。当人民币走向开放，人民币步入国际化进程后，影响人民币需求的各种经济变量就不仅源于国内还源于国际。

由于凯恩斯货币需求函数形式过于简单，忽略了其他许多影响货币需求的具体因素，所以这里我们采用弗里德曼的货币需求函数。弗里德曼的货币需求函数是这样表述的：

$$M = f\ (P,\ R_m,\ R_x,\ W,\ Y_P,\ U) \qquad (11.1)$$

式中，M 表示名义货币需求量；P 表示价格水平；R_m 表示货币收益率；R_x 表示其他资产的收益率；W 表示非人力财富与人力财富的比率；Y_P 为恒常收入，用来代表财富；U 表示其他随机因素。

若剔除物价变动因素，则可得实际货币需求函数：

$$M/P = f\ (R_m,\ R_x,\ W,\ Y_P/P,\ U) \qquad (11.2)$$

在上述影响货币需求的因素中，Y_p、R_m 与货币需求成正向关系，

W、R_x 与货币需求成反向关系。

人民币国际化条件下，货币需求函数的一个重要特征是考虑到国外居民对人民币的需求。国外居民出于追逐利润、资产保值增值、规避风险的目的，也会对人民币产生需求，这部分人民币或者由个人、企业持有，或者通过外汇储备的形式由外国政府持有。人民币国际化下的需求函数为：

$$M = f_1\ (P,\ R_m,\ R_m^*,\ R_x,\ W,\ Y_P,\ U)$$
$$+f_2\ (R_m,\ R_m^*,\ Y_P^*,\ E,\ U) \tag{11.3}$$

其中，R_m^* 表示外币的收益率，Y_p^* 表示国外居民的恒常收入，E 表示人民币与外币的汇率。式中，第一部分表示国内居民对人民币的需求，第二部分表示国外居民对人民币的需求。两部分中，都包括 R_m 和 R_m^* 是因为两类居民中都存在货币替代现象，影响国外居民对人民币需求的因素还有其国外居民的恒常收入和该国货币与人民币之间的汇率。由（11.3）式可以看出人民币国际化后，央行的货币供给变得复杂了。货币供给内生性理论指出公众的货币需求会直接影响中央银行的货币供给，因此，公众调整货币需求会对中央银行的货币政策效果产生不确定的影响，货币供给内生性本身对经济发展并无害处，但它加大了宏观经济政策实施的难度，并使货币政策的有效性下降（万解秋、徐涛，2001）。

二、人民币国际化后的货币政策传导机制

随着我国对外开放程度的加深，货币政策开始通过影响汇率，再由后者影响国际收支，最后反馈到国内货币市场和资本市场；同时国际冲击也开始影响到国内货币政策的独立性和效果。由于目前人民币仅仅在经常项目上自由兑换，资本项目受到严格管制，汇率在央行的指导和干预下由银行间市场决定，国际收支对国内货币政策传导的影响，主要体现在由外汇结售制对货币供给量的冲击上，从而波及国内信贷。传导中的汇率机制，基本上是一种通过国内经济迂回的反馈式次级效应，人民币资产与外币资产之间的资产选择效应还不能发挥。从央行的角度看，汇率机制主要涉及外汇干预和汇率政策的配合问题。但即使在这种情况下，人民币汇率的变动也在一定程度上影响了国内货币政策。

在目前我国汇率、利率没有市场化，资本管制较严的情况下，利率只能通过影响国内经济的迂回方式来影响汇率（直接标价法，下同）。

若利率上升，则引起：（1）国内名义总需求下降，进口需求下降，人民币汇率下降（即人民币表示的外汇价格下跌）；（2）货币流通速度下降，通货膨胀下降，人民币汇率下降；（3）进口需求下降和通货膨胀下降使得人民币升值预期增长，企业高报出口、低报进口，资本内流，人民币汇率下降。反之则亦然。可见由于商品市场与金融市场之间的联系，即使资本账户下人民币不能自由兑换，实际利率的变化仍会引起汇率的反向变化。汇率的变化又会引起国际收支和国内生产的相应变化，从而后者又反馈到金融领域，影响货币政策的效果。

人民币国际化后，我国货币政策中的利率以及汇率传导机制的作用和地位将会逐步提高，甚至会占据主导地位。在其他条件不变的情况下，货币政策传导机制的核心内容是：

$$M\uparrow \rightarrow i\downarrow \rightarrow E\downarrow \rightarrow NX（净出口）\uparrow \rightarrow Y\uparrow$$

一般情况下，$i\downarrow \rightarrow E\downarrow$ 之间的机理主要是在实施浮动汇率制和外汇管制取消后，巨额资本可以在全球范围内自由流动，从而当一国利率下降时，就会引起短期资本的大量流出，从而引起本币的贬值。汇率传导机制作用效果的大小取决于利率变动如何影响汇率，汇率的变化又会引起多大的净出口的变化。利率市场化后，货币供给会迅速反映到货币价格——利率上来，然后通过利率平价引起汇率的变化，最后影响一国的外部经济。由于影响利率和汇率的因素非常复杂，在特殊情况下，利率和汇率间也有逆向变动的情况（日元常常处于这种利率和汇率的逆向变动中），这是由于影响汇率的其他外部变量对汇率的影响要大于利率对汇率的影响。可见，在货币国际化后，一国货币政策的利率效应会受到损害，甚至出现货币政策的利率传导机制失灵。

第二节　人民币国际化过程中货币政策的影响因素分析

一、人民币国际化下资本流动对货币政策的影响及其对策

资本的国际流动有利于促进资金资源的全球配置，它既会给相关国

家带来好处，也会带来不利影响，尤其会影响到东道国的货币政策。为此，需要积极采取应对措施，对资本流动加以监控，扬长避短，使资本流动在国际间发挥积极作用。

20世纪70年代以后，随着国际货币制度从布雷顿森林体系向浮动汇率制度转变，国际资本流动金额呈较快增长态势。据粗略估计，20世纪末全球国际游资达到10万亿美元以上，全球外汇日交易额达2万亿美元。90年代以来，流入新兴市场经济体的净私人资本年均大约在1500亿美元，相关国家一年的资本净流入可以占到其GDP的3%~4%。

资本流动对于东道国经济的影响具有正负两面性：一方面，国际资本的流入为东道国提供了外汇资金支持，直接投资还有助于促进技术进步向东道国传递，为其经济发展提供有利条件；另一方面，资本流动会对东道国产生不利影响，国际资本的"大进大出"会对东道国经济活动产生剧烈震动，并对其宏观经济政策尤其是货币政策产生不利影响。如果相关国家不能在政策上及时采取适当的应对措施，资本流动不仅会对东道国经济发展产生危害，而且会给其他国家甚至全球经济带来消极影响，东南亚金融危机及其影响就是一个很好的例证。

人民币国际化后，资本流动对我国货币政策的影响具体表现在以下几个方面：

第一，资本流动使中央银行货币调控面临困难。大量资本流入会直接增加我国的货币投放，中央银行外汇占款的增加可能会导致我国货币供应量失控，如果不及时采取有效的"对冲"措施，便会产生通货膨胀的压力。

第二，资本流动会对人民币的汇率产生大幅偏离的压力。大量资本流入倾向于增加我国外汇来源，这样，原有的外汇供求态势会被打破，致使人民币面临升值压力；反之，当资本大量流出时，则可能出现外汇短缺，产生货币贬值压力。

第三，资本流动会对我国资本市场利率产生影响。大量资本流入倾向于增加人民币需求，包括外汇兑换为本币的需求以及相关配套经济活动的货币需求。这样，即使货币政策保持相对稳定，市场利率仍面临上

升压力。

第四，资本流动会使国内资产价格出现剧烈变化。大量短期资本流入往往投资于国内货币市场、证券市场，其结果会导致国内资产价格大幅上扬，甚至出现资产价格泡沫。一旦短期资本撤出，资产价格便会出现大量"缩水"，并产生"负财富效应"，导致居民消费大幅下降，出现有效需求不足，形成经济衰退。

第五，资本流动导致外汇储备的较大变化。大量资本流出会对外汇储备产生不利影响，一旦这种不利影响被市场预期追逐，便可能发生投机性资金出逃，使我国外汇储备急剧减少，货币面临大幅度贬值的压力。为了防止发生货币危机，中央银行可能从维持对外均衡出发，采取提高利率的对策以吸引外资，但这样做，却会极大地伤害国内经济。

第六，大量短期资本的流出流入是发生金融危机的导火线。一旦国内出现资本外逃时，预期性的货币贬值压力可能会向其他经济联系密切的国家蔓延或传染，并可能进一步造成区域性甚至全球性货币危机和金融危机。

既然资本流动会产生不利影响，所以采取资本管制的有关措施常常是必要的。例如，布雷顿森林体系崩溃以后，瑞士法郎和西德马克急剧升值，大量短期资本为了追逐瑞士法郎和西德马克升值的利益大量涌入这两个国家，为了抑制本币过度升值和减少通货膨胀的压力，上述两国分别采用了对流入的短期资本存款征收利息的措施。20世纪80年代中期，智利为了抑制短期资本大量流入，采取征缴"托宾税"的办法，实行20%的资本流入准备金利率制度，而且不对所缴存的准备金支付利息，使短期资本流入得到了有效控制。一般来说，要避免资本流入对货币政策产生不良影响，就应该在基础货币管理、利率政策、汇率政策等方面做出及时、合理的安排，防止资本流动产生不利影响。

具体政策措施包括：

第一，注意保持基础货币增长的基本稳定。要针对资本流动所引起的基础货币的变化，灵活运用货币政策工具进行"对冲"，使货币供应量保持合理增长。比如，当资本流入引起货币供应大幅增加时，要通过公开市场操作进行债券回购，及时吸收因外汇占款增加所引起的基础货币的过多增加。

第二，要根据资本流动期限的差异性，采取相应货币政策工具进行"对冲"。对于长期资本流入，可考虑采取较长期限的债券回购，使资本流入导致基础货币投放的增加量能够及时得到吸纳；而对于短期资本流入，则使用期限较短的债券回购，及时吸收因短期资本流入造成外汇占款的增加。或建立当巨额短期资本大量涌进时启动税收和收取利息的机制，将投机性的国际游资挡在国门之外。

第三，要保持利率政策的合理性。有的国家使用高利率政策吸收外资和抑制通货膨胀，这样做，短期内可以为其吸引外资提供一定的吸引力，但是长期来看，却会对其经济发展带来不利影响。智利曾利用高利率政策治理通货膨胀，结果导致大量外资流入的同时实体经济受到高利率带来的不利影响，企业经营面临较大困难。

第四，要关注资本流动对国内实体经济的影响，适时调整政策安排。如长期资本流入会对东道国投资和消费行为产生刺激作用，但也有在投资方向和产业升级上出现偏颇的可能，需要货币政策的宏观引导；短期资本的大量流入会带来资金外逃的潜在风险，需要在货币政策方面采取谨慎的措施。

第五，实行灵活的汇率安排。要针对国际资本给东道国外汇供求带来的影响，实行有管理的浮动汇率制度，避免因汇率僵化和货币投机导致外汇供求矛盾积累、激化、汇价扭曲和本币高估，从而降低本国经济的国际竞争力。

第六，要加强与各国宏观经济政策的协调配合，尤其是与各国中央银行加强货币政策之间的协调。建立不同层次的国际间的货币合作机制及危机解救机制。

二、人民币国际化下货币替代对货币政策的影响及其对策

所谓"货币替代"（Currency Substitution），是指一国居民因对本币的币值稳定失去信心，或本币资产收益率相对较低时发生的大规模的货币兑换，从而使外币在价值贮藏、交易媒介和计价标准等货币职能方面全部或部分地代替本币，换言之，是一种资金外逃行为，如果发生资金恐慌性外逃即恐慌性的货币替代，这一过程必然引发货币和金融危机。

目前理论界通常用 F/M_2，即外币资产与公众持有的本币资产的比率来表示货币替代的程度。从对方角度看，货币替代则是大量外币兑换成本币的行为，这会引发通货膨胀和本币升值，从而降低本国经济的竞争力。人民币的国际化，为人民币替代外币和外币替代人民币提供了可能。两种替代都会产生不利的影响。货币替代会扰乱正常的金融秩序，削弱一国货币当局对金融体系的控制权，妨碍货币政策的独立性并影响货币政策对宏观经济的效用。具体来说，货币替代对货币政策的影响主要集中于以下几方面：

（一）使货币数量的衡量发生困难

在传统的封闭经济中，货币的范畴只包括本国货币当局发行的部分；而在货币替代出现后，传统的货币定义就显得过于简单了。由于国内经济领域中存在大量的外币，货币供给不只局限于本国货币当局的发行行为，而货币需求的变动也包含了对本币和外币两部分需求的变化。鉴于用传统的定义难以衡量开放经济背景下的货币变量，所以有人提出了新的货币指标，例如用本国发行的货币加上国内金融体系中的外币存款来近似衡量货币总量。这样，同封闭经济相比传统的货币数量的衡量便发生了变化。

（二）货币政策的中间目标变得不易确定

首先，货币替代使得利率的决定更为复杂。由于一国居民不仅有对本币的需求，还有对外币的需求，在对称性货币替代的条件下，外国的居民也是如此。因此，两国的货币需求函数就要比无替代时复杂许多，因而利率的决定也就不只取决于本国的货币量，还要看本外币之间的相对数量关系，以及本国货币政策与外国货币政策间的差异。

其次，货币替代使得国内信贷总量和货币总量超出央行的控制范围。货币替代的表现形式之一是本外币之间的大量兑换，在特定的条件下，外币会大量涌入并通过国内金融体系转化为本币存款和信贷，这会削弱货币当局对货币总量的调控能力。

（三）本国货币政策的独立性遭到削弱

由于存在货币替代现象，当人们预期到某种货币的币值有下降的危险，就会将其财富转换成那些币值坚挺的外币来保存，流通领域中的外币数量也会增加，货币替代最终使得货币当局独立运用货币政策的能力遭到削弱。货币替代的出现使得货币供求的国际联系更加明显，在完全浮动汇率制下，国内居民对本外币的相对需求变化也会改变国内货币总量，从而阻碍货币政策发挥应有的效用，令本国货币当局的决策或多或少地受到其他国家货币政策的制约。货币替代的存在会使各国的货币政策之间产生高度的相关性，同时也就减少了各国货币政策的独立性和有效性，使得各国货币当局在决策和实施时，不得不考虑其他国家的政策情况。

既然货币替代会严重影响国内货币政策，我们有必要采取一些措施来抵消其不利影响。对于发展中国家来说，危害性更大的是外币大规模地对本币的替代，因此，反替代的政策措施主要针对资金外逃式的货币替代：

（一）提升本国的经济实力，谨慎使用高利率政策

就广义货币而言，利率就是它的收益率，货币替代往往与本外币相对收益率的变动联系在一起，当一国居民明显感到受国内通货膨胀上升和投资收益率下降等因素的影响，持有本币资产的真实收益已远远不如持有外币资产的收益时，从保存财富的实际价值出发，会做出倾向于外币的资产结构调整。因而多数理论认为，防治货币替代（资金外逃）的最有效方法是提升本国经济的国际竞争力，提高本币资产的实际收益率，有效地遏制通货膨胀。高利率政策是防范货币替代的有效手段之一，因为以高利率为代表的紧缩型货币政策在短期内有助于抑制过高的通胀率，从而提高本币的真实收益率，达到反货币替代的目的，但从长期来看，高利率政策常常抑制国内投资和消费的增长，不利于国民经济的持续增长，这一点是发展中国家难以接受的现实，因而它更适合作为一种短期内抑制通货膨胀和货币替代的政策工具，而不应作为一种长期的政策手段加以使用。

（二）维持汇价的均衡和货币币值的稳定

汇价的失衡有两种形态：货币的高估和低估。货币的高估和汇率制度的僵化是引发货币替代的重要因素。本币高估意味着货币名义价值已经超过了实际价值，这会导致该国的对外贸易、债务负担和资产价值等

各方面的国际竞争力下降，并因此而承受更大的损失①。本币高估是汇价扭曲的表现形态之一，如果本币高估不能得到适度释放，其结果必然以本币暴跌的危机形式得以纠正，从而引发恐慌性的货币替代现象即资金疯狂外逃的出现，因此，从防范恐慌性货币替代的角度讲，避免本币高估，保持汇率的均衡状态是极其必要的。一般来说，币值低估预示着未来存在较大的升值可能性，也就意味着本币的相对价值将有上涨的趋势，而持有强势货币无疑能减轻债务负担和获取资产溢价收益，此时外币原有的吸引力自然也就大大降低了。本币汇率的低估程度越大，持有本币的收益也越高，反货币替代的可能性也就越大。当然，本币汇率的低估程度也必须有一定的限制。如果币值过低，则很容易引发人们对真实币值的怀疑，损害公众对本币的信心；而且过低的汇率水平对控制国内通货膨胀有较大的副作用，一旦控制不好就有加剧通胀水平的危险。除此之外，理性预期前提是否成立也是决定汇率低估有效性的重要因素。如果因为制度上的欠缺（如信息不畅通、官方的汇率目标不明朗等）使公众不能形成本币升值的预期时，汇率的低估就很可能不是佳音了。此外，长期的本币低估，会引发国际经贸往来的摩擦，承受更多的国际压力。可见，维持汇价的均衡和币值的稳定是至关重要的。

（三）以财政政策配合货币政策

我们知道，在很多出现货币替代的发展中国家里，中央政府在投资行为方面过度垄断，财政纪律相当松懈。政府从发展本国经济的愿望出发，维持着庞大而低效的公共部门投资，而投资约束的软化和企业行为的非市场化反过来又刺激着财政支出的不断膨胀。随着财政赤字的日益扩张，以及生产效率低下造成的有效供给不足，国内的通货膨胀水平持

---

① 从对外贸易上看，本币高估会使该国以外币表示的出口商品价格上涨，同时以本币表示的进口价格下跌，从而使该国对外贸易在价格上的竞争力下降，出口受到抑制，甚至出现国际收支的巨额逆差，在这种情况下，如果汇率过于僵化，本币不能及时地适度贬值，必然引发国际游资的冲击，最终爆发金融危机；从对债务上看，如果本币高估最终不得不以本币暴跌的危机形式加以纠正，那么该国的对外债务负担必然随本币的大幅贬值而增大，其贬值的部分便是对外债务增大的部分，本币贬值的程度越大，爆发对外债务危机的可能性越大；从资产价值上看，本币高估会使以外币便是的资产价格中含有泡沫，高估的程度越大，资产中的泡沫成分越多，一旦本币出现贬值，即向真实价格回归后，资产泡沫就会崩溃，从而使该国经济遭到严重损害，陷入长期的衰退中。可见，本币高估潜伏着巨大的危机。

续上升，各经济部门（特别是贸易部门）的竞争力大大下降。这些因素都严重地削弱了本币的实际价值，造成人们对本币的信心危机，引发货币替代。如果我们在这种情况下仅仅使用货币政策手段，诸如实施提高利率、减少货币供给量来提高本币真实价值的话，第一是没有抓住货币替代问题产生根源，很难"药到病除"；第二是在实施货币政策紧缩的过程中，有可能加重不必要的政策成本，对国内经济产生不利的影响。因此对不恰当的财政政策进行必要的调整应该是发展中国家面临货币替代威胁时所采取的一个十分重要的手段。

反货币替代的财政政策必须从根本上改变财政预算的软约束状况，有意识地实施适度从紧的财政政策，减少财政扩张对社会总需求施加的膨胀性影响。而财政紧缩又可以分为投资紧缩和消费紧缩两部分：从投资方面来讲，政府应该适当地削减社会经济效益较低而耗资巨大的项目；从消费方面来讲，政府的采购行为应保持节制，用高价采购的手段扶持国内某些行业发展不应成为一种普遍性的做法。谨慎控制财政支出总量，保持一个适度的财政赤字水平，对于防范货币替代的发生或维持货币替代条件下公众对本币的信心，将起到重要作用。

三、人民币国际化下外汇储备对货币政策的影响及其对策

近几年来，我国外汇储备对基础货币的影响越来越大，通过外汇占款途径投放的人民币数量逐年增大。

人民币国际化下，由于干预外汇市场以及防止国际游资的狙击，我国仍然需要保持一定量的外汇储备。外汇储备增加对我国货币政策的影响主要表现在以下几个方面。

第一，外汇储备增加，必然导致人民币信贷资金供给增加。国家外汇结存的增加，主要取决于贸易收支状况和企业持有外汇的比例。在目前情况下，企业要增加出口，银行就要提供相应的外贸贷款保证收购和支持生产；企业向国家结汇，中央银行用人民币买进外汇，基础货币投放增加，扩大国内需求，对国内总供给和总需求平衡产生影响。人民币国际化后，这种影响依然会存在。

第二，外汇储备增加，等同于国内资源出口而没有换回相应的物资资源。在国内原有总需求不变的情况下，外汇储备增加，社会有效供给

会出现缺口，必然破坏原有的供求关系。从结构上看，当出口的是国内供过于求的产品时，不会对国内市场产生直接影响，但当出口产品本身供不应求或供求平衡，国内又无理想的替代品时，外汇储备大量增加，也会造成结构性供求失衡。上述两种情况下，都会从总量或结构上减少国内有效供给，影响人民币币值的稳定。

第三，人民币银根的松紧，也同样影响外汇储备的增减。在其他条件不变的情况下，当紧缩人民币资金时，会抑制企业创汇能力，减少外贸出口，出口收汇和国家外汇储备会相应下降，反之则上升。

目前，中央银行主要是通过控制或收回再贷款来抵消外汇占款对基础货币的影响。但随着外汇交易越来越频繁，短期冲击对本国货币供应量的波动影响也越来越大，因此中央银行应该积极开拓新的金融工具，如通过公开市场业务，外汇市场的掉期、回购协议和远期外汇交易来控制外国资产对本国货币市场的短期冲击。如果中央银行缺乏有效的工具，只是通过减少向商业银行的信贷来抵消，则至少会出现以下问题：一是中央银行只能对数量进行调整，而不能控制结构，即减少信贷，导致商业银行信贷减少，投资减少，生产下降；二是外国资产对货币供应量的短期冲击，中央银行通过减少信贷的方式来控制货币供应量，速度缓慢，导致短期经济的波动过大，不利于宏观经济的健康运行。

第三节　结论

通过以上的分析，笔者认为人民币实现国际化后，需要重点考虑以下几个因素对我国货币政策的影响：

一是人民币的需求函数。在开放经济和货币国际化条件下，人民币的需求由两部分构成：国内居民的需求和国外居民的需求，所以央行在考虑货币供给时，要特别注意国外居民对人民币的需求；二是人民币国际化下的货币政策传导机制。我国目前货币政策主要是通过信贷配给机制传导的，人民币国际化后利率和汇率这两个变量的重要性会提高到前所未有的高度，对外经济开放度的提高使外部经济对一国国内生产总值（GDP）的影响越来越大，所以人民币国际化下的货币政策通过汇率机制来传导的可能性增大；三是资本流动、货币替代、外汇储备。资本流动更多地影响货币政策的稳定性，货币替代主要影响货币供求，外汇储备主要影响国内货币存量，这三者都会影响到货币政策的执行效果，所以一旦人民币实现了国际化，就必须采取相应的对策来规避这些因素的不利影响，同时使这些因素为我所用。最后，人民币国际化后我们可能也会碰到"特里芬难题"。虽然人民币国际化后我们会实行浮动汇率制，但作为一种国际货币，我们不可能让人民币汇率波动过大，否则不但会影响我国的对外经济，还会影响人民币的信誉。人民币的稳定性要求和人民币的输出之间的矛盾就是所谓的"特里芬难题"，我们还需考虑到这个新的问题，由于篇幅所限，不能在这里讨论了。

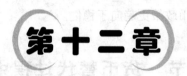

货币替代过程及其自我强化机制

——货币国际化的反向视角

　　某国（下文简称国家 A）强币的国际化过程，都是相应国家（B 类国家）货币被替代的过程。关于货币替代过程对 B 类国家宏观经济的影响，至今还几乎没有人同时就其正负两方面做出理论上的分析。

　　货币替代①的成本方面，根据 Griton 和 Roper（1981）、Grohe（1999）、Camera（2001）、Craig（2001）、Waller（2001）和 Klein（2002）以及姜波克、杨槐（1999）的分析认为，其主要表现在以下几个方面：（1）货币替代程度越大，汇率越不稳定；（2）使得货币数量的衡量、控制都更为困难，破坏了一国货币政策的独立性，并且削弱了本国央行充当最后付款人的能力；（3）使本国政府的铸币税收入外流；（4）货币替代可能会使本国的消费、投资向国外转移，进而使本国总需求萎缩。

　　发生货币替代的 B 国一般在投资与贸易等方面同相应的 A 国存在着较为密切的联系，基于此种考虑，国内学者张宇燕（1999），李扬、黄金老（1999）及一些国外学者 Calvo（1999），Scrrano（2000），Somuano（2000），Izurieta（2002），Ennis（2000）和 Eich（2001）认为，这些 B 类国家所获得的收益主要有：（1）货币替代带来的汇率稳定，使得交易成本大为降低，能够为这些经济体提供一个稳定的经济发

---

　　① 在国内外很多文献中，都将货币替代与美元化不加区分地进行讨论。我们在此认为美元化是货币替代的特例，当然美元化过程也体现出一般货币替代过程中的共性和规律。

展环境；（2）货币替代也为政府带来了更为严格的金融纪律；（3）在此基础上，货币替代有利于金融深化；（4）货币替代发生的可能性，使得各国央行的货币政策更趋向于稳健。

第一节　货币替代过程中自我强化机制的提出

上面的成本、收益分析中，关于货币替代对汇率的影响竟然有着看似矛盾的结论，韦伟、方卫东（2003）则更是认为"一些学者在分析美元化对同一经济变量的影响时竟然得出了相互矛盾的结论，如他们对美元化和汇率关系的研究"。

事实上成本分析中"货币替代程度越大，汇率越不稳定"的观点，与收益分析中"货币替代（美元化）带来的汇率稳定，使得……"的观点不仅没有矛盾，甚至还蕴涵着货币替代过程中颇具一般性的自我强化机制，而这种机制正是汇率"稳定—不稳定"交替强化过程的发生。因为成本分析中的"汇率不稳定"指的是货币替代带来的本、外币汇率不稳定；而收益分析中的"汇率稳定"指的是发生货币替代情况下，某个经济单位完全使用某种外国强币，从而所带来的持有保值性、成本—收入核算稳定性等。所以我们看到，两者并不矛盾；甚至可以发现，正是由于成本分析中的"汇率不稳定"和收益分析中的"汇率稳定"这两条原因，货币替代过程本身存在着一种自我强化机制！

第二节　Griton 和 Roper 的分析模型

基于开放经济条件下货币需求的资产组合说，Griton 和 Roper（1981）对货币替代与汇率波动关系进行了以下的分析（在本章第三节中，我们将对其进行修正，以描述货币替代过程中的自我强化机制）：

首先，其给出了货币需求的一般函数形式：

$$\frac{M_k}{P_k} = L_k \ (r_1, \ r_2, \ r, \ W) \qquad (k = 1, \ 2) \qquad (12.1)$$

其中：

M_k：代表货币 K 的名义余额；

P_k：代表 k 国国内物价水平；

r_1，r_2：分别代表本外币的真实收益率；

r：代表其他非货币性资产的真实收益率；

W：代表本国的真实财富水平，且 r 和 W 都是外生变量。

Griton 和 Roper 认为对某种货币的需求，主要取决于本外币之间以及本外币与非货币资产之间真实收益率的差异，因此一国居民对本外币需求的具体函数形式为：

$$\frac{M_1}{P_1} = \theta_1(W) \cdot \exp[\alpha_1 \cdot (r_1 - r) + \sigma_1 \cdot (r_1 - r_2)] \qquad (12.2)$$

$$\frac{M_2}{P_2} = \theta_2(W) \cdot \exp[\alpha_2 \cdot (r_2 - r) + \sigma_2 \cdot (r_2 - r_1)] \qquad (12.3)$$

其中：

$\theta_k(W)$：代表财富水平对货币需求的决定程度；

a_k：代表货币 K 与非货币资产间的替代系数；

σ_k：代表本外币之间的替代系数。

对（12.2）、（12.3）分别取对数，得到：

$$\ln M_1 - \ln P_1 = \ln \theta_1 + \alpha_1 \cdot (r_1 - r) + \sigma_1 (r_1 - r_2) \qquad (12.4)$$

$$\ln M_2 - \ln P_2 = \ln \theta_2 + \alpha_2 \cdot (r_2 - r) + \sigma_2 \cdot (r_2 - r_1) \qquad (12.5)$$

假设：$a_1 = a_2 = a$，$\sigma_1 = \sigma_2 = \sigma$，将（12.4）式减去（12.5）式得到：

$$\ln \frac{P_1}{P_2} = \ln \left[\frac{M_1/\theta_1}{M_2/\theta_2} \right] - a \cdot (r_1 - r_2) - 2\sigma \cdot (r_1 - r_2) \qquad (12.6)$$

设 E 为本币汇率（直接标价法），其对数形式为 $\ln E = e$，根据购买力平价说，$E = \dfrac{P_1}{P_2}$，$e = \ln \dfrac{P_1}{P_2}$，则（12.6）式可转化为：

$$e = e^* - \phi \cdot \beta \qquad (12.7)$$

其中：$e^* = \ln \dfrac{M_1/\theta_1}{M_2/\theta_2}$，$\phi = \alpha + 2\sigma$，$\beta = r_1 - r_2$。

本外币间的替代系数 σ 被包含在参数 ϕ 之中。

因为货币的真实收益率等于其名义收益率与通胀率之差，故设 π_1、π_2 分别为本国及外国的预期通胀率差异，i_1、i_2 分别为本外币的名义收益率，则有：

$$\beta = (i_1 - \pi_1) - (i_2 - \pi_2) = (i_1 - i_2) - (\pi_1 - \pi_2) \qquad (12.8)$$

又根据多币购买力平价理论，令预期汇率变动 x 等于预期两种货币的通胀率的差异，即：

$$x = \pi_1 - \pi_2 \qquad (12.9)$$

因此：

$$\beta = (i_1 - i_2) - x \qquad (12.10)$$

将 (12.10) 代入 (12.7)，得到：

$$e = e^* - \phi \cdot (i_1 - i_2 - x) \qquad (12.11)$$

上式中的 e^*、i_1、i_2 都是外生变量，再将上式对 x 求偏导，可得：

$$\frac{\partial e}{\partial x} = \phi = \alpha + 2\sigma \qquad (12.12)$$

(12.12) 式就表示了预期通胀率差异对名义汇率变动的影响，显然：σ 越大（本外币之间的替代系数越大），则 $\partial e/\partial x$ 的值也越大，说明货币替代程度对汇率水平有重要的决定作用。在极端的情况下，如果 $\sigma \to \infty$，$\partial e/\partial x \to \infty$，即货币替代程度趋向于无限大，汇率波动也趋向无限大。

第三节　货币替代过程中的
自我强化机制模型

Griton 和 Roper 对货币替代与汇率波动关系的分析模型，说明了货币替代会造成汇率的不稳定性。但该理论主要是从比较静态角度讨论货币替代条件下的汇率决定，而未涉及动态的汇率决定。我们试图从动态的角度对该模型进行一些修正，并加入"货币替代带来汇率稳定"这个收益方面的因素，对汇率变动动态调整路径进行考察。

首先，采用与 Griton 和 Roper 相同的前提进行分析，加入时间因素后，我们得到：

$$e_t = e^* - \phi_t \cdot (\bar{i}_1 - \bar{i}_2 - \bar{x}) \tag{12.13}$$

$$\phi_t = \bar{\alpha} + 2\sigma_t \tag{12.14}$$

加了下标 t 的变量，表示其值随时间发生变化；而加有上划线的变量，则表示我们将其假设为不随时间发生变化的常量，其中：$\bar{x}$ 表示静态预期（对于两种货币间通胀率的差异），$\bar{i}_k$ 表示不变的名义收益率水平，α 表示货币与非货币资产的替代程度不变。其他字母所代表的基本含义与前面相同。

我们再给出关于 σ_t 随时间变化的描述，如（12.15）式所示：

$$\sigma_t = \frac{e_{t-1} - e_N}{e_U - e_N} \tag{12.15}$$

其中，e_N 表示人们根据理性和知识，在心理上赋予汇率应有的一个正常值；而 e_U 则表示人们所能承受的本币贬值所对应汇率值的上限（超过这一上限值的汇率为人们所不能承受）。在各个时期 t，e_t 随时间而变化，而此处我们从汇率波动的角度出发，将所考量的弱币（处于被替代地位的货币）定义为这样的货币：其汇率就在 $[e_N, e_U]$ 这个区间上波动（即在人们所认为的正常汇率值 e_N 右方的区间波动）。如果 e_t 达到 e_U 的水平，则依据（12.15）式，外币对本币将具有完全的替代性；e_t 超出 e_U，则外币将反客为主，实现彻底的替代。

而在货币替代过程中，对其他货币发生替代作用的强币则可定义为 e_t 在邻域 $U(e_N, d)$ 中稳定波动的货币（d 表示汇率较小的波动半径值）。

（12.15）式告诉我们，本期的货币替代程度取决于上一期实际汇率（e_{t-1}）对所认为的汇率正常值（e_N）的偏离程度。通过（12.14）式，我们将（12.13）式、（12.15）式联系起来，得到了包含 e_t、e_{t-1} 在内的一个简单的一阶差分形式，如（12.16）所示：

$$e_t + A \cdot e_{t-1} = C_0 \tag{12.16}$$

其中：

$$A = \frac{2 \cdot (\bar{i}_1 - \bar{i}_2 - \bar{x})}{e_U - e_N}, \quad C_0 = e^* - (\bar{\alpha} - \frac{2e_N}{e_U - e_N}) \cdot (\bar{i}_1 - \bar{i}_2 - \bar{x})$$

解之得到：

当 $A = -1$ 时，

$$e_t = e_0 + C_0 \cdot t \qquad (12.17)$$

当 $A \neq -1$ 时，

$$e_t = e_0 - \frac{C_0}{1+A}(-A)^t + \frac{C_0}{1+A} \qquad (12.18)$$

因为假定分析的是弱币情况，而且 $e_U > e_N$，所以我们认为 $A \leqslant 0$（即 $\bar{i}_1 < \bar{i}_2 + \bar{x}$）。

下面以 $A = 0$、$A = -1$ 为两个临界点，分情况讨论 e_t 变动的时间路径：

（Ⅰ）$A = 0$ 时，即 $\bar{i}_1 = \bar{i}_2 + \bar{x}$（表示本币的利率收益恰好能够抵消外币的利率收益以及预期的通胀差异所带来的损失）。此时有：

$$e_t = e^* \qquad (12.19)$$

这时的汇率水平恒为 e^*（由初始的外生货币供给量及通胀水平决定），不随时间发生变动。

（Ⅱ）$A = -1$ 时，即 $\bar{i}_2 + \bar{x} - \bar{i}_1 = \dfrac{e_U - e_N}{2}$，表示：外币的利率收益以及预期的通胀差异所带来的损失，该条件下持有本币带来的净成本 $(\bar{i}_2 + \bar{x} - \bar{i}_1)$，与汇率可偏离正常值范围的中点距离 $\dfrac{e_U - e_N}{2}$（我们将此距离称为汇率的安全偏离度）相等。此时按（12.17）式有：

$$e_t = C_1 + C_0 \cdot t \qquad (12.17)$$

（Ⅲ）$A \in (-1, 0)$ 时，如（12.18）所示：随着时间 t 的变动，e_t 的变动有收敛趋势，且最终收敛于 $C_0 / (1+A)$ 的水平。

（Ⅳ）$A \in (-\infty, -1)$ 时，e_t 变动的时间路径符合（12.18）式的描述，但其随着时间变动，有发散的趋势。

现将以上四种情况按收敛、发散性质，表示在下面两个图中：

首先，对处于被替代地位的货币而言，状态（Ⅰ）并不是常态，其条件 $\bar{i}_1 = \bar{i}_2 + \bar{x}$ 很难得到长期的实现，所以这种情况的收敛也很难实现。

其次，我们注意到，以 $A = -1$ 为分界点：当（Ⅲ）$A \in (-1, 0)$ 时，e_t 收敛；当（Ⅱ）$A = -1$ 或者（Ⅳ）$A \in (-\infty, -1)$ 时，e_t 发散。可见 $A = -1$ 这一临界状态的条件非常重要，该条件的表达如下式：

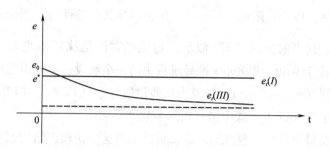

图 12 - 1 e_t 路径收敛的情况

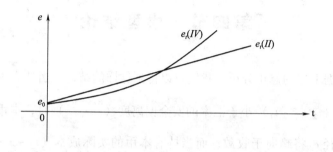

图 12 - 2 e_t 路径发散的情况

$$\bar{i}_2 - \bar{i}_1 + \bar{x} = \frac{e_U - e_N}{2}$$
(12.20)

该条件式中：$(\bar{i}_2 - \bar{i}_1)$ 表示持有本币而不持有外币的名义成本；$\bar{x}$ 表示由于预期的两种货币通胀率差异所导致持有本币的物价缩水成本。

这两者结合就得到了持有本币带来的实际成本。而 $\frac{e_U - e_N}{2}$ 则是上面已经指出的汇率安全偏离度。（12.20）式表明的就是 $A = -1$ 的条件，而当：

$$\bar{i}_2 - \bar{i}_1 + \bar{x} < \frac{e_U - e_N}{2}$$
(12.21)

时，$A > -1$，e_t 的动态路径收敛；当：

$$\bar{i}_2 - \bar{i}_1 + \bar{x} \geqslant \frac{e_U - e_N}{2}$$
(12.22)

时，$A \leqslant -1$，e_t 的动态路径发散。

显然，以中点距离 $(\frac{e_U - e_N}{2})$ 作为临界状态条件的一部分非常缺乏一般性，其中的分母"2"似乎太过武断。但是我们不难发现，这个"2"来源于 Griton 和 Roper 推导过程中的一个假设：本外币之间的替代系数相同 $(\sigma_1 = \sigma_2 = \sigma)$，以及由此假设所导致（12.4）、（12.5）式合并后产生于（12.6）式中第三项的系数"2"。

要获得更具有一般性的结论，可以取消这个比较严格的假定并展开进一步的分析，以使得汇率安全偏离度的形式更具一般性。

第四节　模型结论

根据上述的修正分析，我们可以得到这样的结论：当持有本币的实际成本 $(\bar{i}_2 + \bar{x} - \bar{i}_1)$ 小于汇率的安全偏离度 $(\frac{e_U - e_N}{2})$ 时，本币汇率的时间路径 e_t 将趋向于收敛；而当持有本币的实际成本 $(\bar{i}_2 + \bar{x} - \bar{i}_1)$ 大于或等于汇率安全偏离度 $(\frac{e_U - e_N}{2})$ 时，本币汇率的时间路径 e_t 将趋向于发散（当然，如前面指出：汇率安全偏离度的形式有待进一步改进）。后者即为货币替代过程中自我强化机制的描述。

如果某一外部冲击导致本币的实际持有成本 $(\bar{i}_2 + \bar{x} - \bar{i}_1)$ 大于或等于汇率安全偏离度 $(\frac{e_U - e_N}{2})$，则本币汇率的贬值将趋于发散式的发展，同时本币被替代程度也越来越高，这又导致本币贬值程度进一步加剧（更加远离安全偏离度 $\frac{e_U - e_N}{2}$）……

如此循环强化，以至于本币最终完全被外币所取代。在此过程中，该国政府可以单方面采用一些政策工具，或与他国联合干预来阻挡这一趋势，从而将本币的实际持有成本 $(\bar{i}_2 + \bar{x} - \bar{i}_1)$ 降低到汇率安全偏离度 $(\frac{e_U - e_N}{2})$ 之内，这样就能使本币的汇率变动路径重新回到稳定收敛的趋势中。但事实上，由于货币被替代国家的经济规模相当小，且出现此情况的国家数量并非鲜见，再加上其基本经济状况在短期内难有重大改善，所以其往往难以争取到强币国家的联合干预，而且其单方面收敛性的政策干预也通常难以有根本性的成果。所以一旦弱币国家的本币持有成本上升到或者超过汇率安全偏离度（$\frac{e_U - e_N}{2}$），则货币替代过程中的自我强化机制将最终引领其货币走向消亡。

所以说，货币替代的过程一旦开始就没有了回头路。从这个意义上说，我们赞成多恩·布什1999年在德国《明镜》周刊发表的观点：在20年之后，国际货币体系中将剩下为数不多的几个世界性货币[①]。

第五节　人民币国际化进程中的货币替代浅析

人民币国际化的进程，对于周边小国来说也是一种货币替代过程。但是该货币替代过程有其特殊性，具体而言：

从人民币流出的原因来看：在东南亚金融危机之后，由于人民币为了兑现币值稳定的承诺，实行了事实上钉住美元的汇率制。七年多以来，这一缺乏弹性的僵化的汇率形成机制导致人民币面临强大的升值压力。这是当前持有人民币能够获得较高预期收益以及人民币在周边国家和地区颇受欢迎的主要原因。从这个角度上讲，现在发生在周边国家和地区的人民币替代行为是一种变相的美元化行为——表层上反映的是对人民币的信心，更深层次上反映的则仍然是人们对于美元的信心。在改变汇率形成机制并释放升值压力之后，即持有人民币所能够获得的预期升值收益变现之后，其币值的稳定仍将面临经济基本面因素的长期考验。持续健康运转的实体经济，及以此为基础形成自己独立的不依赖于美元的汇率形成机制，才能使人民币国际化进程在真正意义上展开。而现阶段由于僵化的钉住美元的汇率制造成的人民币在升值压力下的国际化，多少都掺杂了些"狐假虎威"的嫌疑。

---

① 胡建国：《人民币，未来的国际货币》，《国际金融报》2000年10月9日。

从人民币流出的途径看，人民币对周边国家和地区的主要流出途径是：边境非法交易（赌博、毒品、走私等），旅游者携带出境，边境贸易等等。这些流出方式零星分散，总量也较小。而一般国际货币输出货币的重要途径都是资本项目下的本币输出，但是由于人民币在资本项目下的不可自由兑换，而且国内建设也亟须资金，因此人民币形式的对外投资和单纯资本流出并没有成为人民币流出的主要途径。而这方面的改变也将是人民币国际化进程中的重要一环。

因此，从上面人民币流出途径来看，对那些有人民币替代本币的周边国家地区而言，人民币的可得性较弱，从而使人民币与本币的可替代性 σ 受到了限制，使人民币对本币的汇率所受到的发散性冲击较小。人民币对其本币的替代过程中的自我强化机制由此受到扼制。

再从上面的人民币流出原因来看，目前基于僵化汇率形成机制下的人民币低估是造成持有人民币收益高于本币——从而使人民币替代本币的最直接原因。但是当人民币的升值压力以某种形式释放出来（可能是宣布人民币升值或者汇率形成机制的根本性改变）之后，这一直接原因将不复存在。最终人民币的国际化还是有赖于稳定发展的宏观经济、稳健的宏观经济政策和良好的汇率形成机制。只有这样才有可能在长期内实现持有人民币的较高收益，从而使人民币国际化进程顺利推进，实现人民币对他国货币替代的自我强化机制效应。

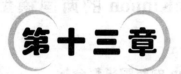

国际货币体系更迭时期的国际政策协调

这里的"国际货币体系更迭"特指牙买加体系背景下关键货币的更迭变换——以新生国际货币的国际化扩展和原有成熟国际货币地位受到竞争性冲击为标志。从历史上来看，牙买加体系形成初期就属于这一范畴，表现为：美元在世界货币体系中地位的弱化，以及与此同时马克和日元等货币地位的显著提高；而 1999 年欧元的诞生，在之后几年中对美元和日元等国际货币地位的显著冲击，也列入此范畴。

多年来，随着我国综合国力的持续强劲提升，以东南亚金融危机为契机，人民币以其优秀的表现获得了良好的国际声誉。可以预期，随着国内金融体制改革的深化以及人民币可自由兑换进程的推进，人民币将具有相当大的实力问鼎国际货币的地位，从而使现存国际货币体系的格局再度发生较大的变化。

下面将从一个三币（成熟的国际货币、成长中的国际货币、仅在本国流通的货币，下文分别简称为 a、b、c 币）模型分析出发，对货币供给量进行分析，并根据 b 货币成长过程进行分阶段考察，得出国际货币体系更迭的一般过程中各国及世界货币供给量变动的内在趋势，以此试图为该时期各国进行国际政策协调提供理论基础。

第一节　McKinnon 的两国模型介绍及质疑

一、McKinnon 的两国模型分析

这里使用的分析模型是以 McKinnon（1982）为基础进行扩展所得到的。McKinnon 提出的是一个两币（美元和其他外国货币）模型，并基于此解释了美国国内通胀率主要源于世界货币供给总量的增加，而并非美元供给量的单纯增加，他还进一步提出了世界美元背景下国际政策协调的一些建议。

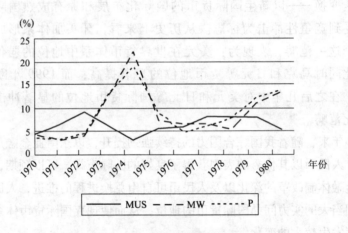

图 13 - 1　美国的通胀率和世界货币供给增量

由图 13 - 1（详细数据请见附录中的表 F5 - 1）我们可以直观地看到：在 1970 年到 1980 年间，美国的国内通胀率（P）与其说与美元供给的增量（MUS）有密切关系，还不如说与世界货币的增量（MW）有密切关系。McKinnon 基于此认为，控制世界货币供给总量的大幅变化对于防范通胀，以及由此引发的货币替代有着重要作用，保持世界货币总量的平衡应该成为各国经济政策协调的一项重要内容。接着，他假设了一个只有两种货币（美元和另一种外国货币）的世界经济体系，其中的各个货币供给量关系如下（其口径为美联储所公布的L层次货币供

给量）：

$$M^W = M + e \cdot M^* \tag{13.1}$$

$$M^* = A^* + M_r/e + B_r/e \tag{13.2}$$

$$M + M_r = A \tag{13.3}$$

$$M^W = M + e \cdot M^* = A + e \cdot A^* + B_r \tag{13.4}$$

其中，M^W 代表世界货币总量；M 和 M^* 分别代表美元和外国货币数量；e 是汇率（对于非美元货币而言是间接标价法）；A^* 是以外币计价的外国资产；M_r 是外国存放于美联储的美元存款；B_r 是外国居民持有的美国政府债券；A 是美联储的资产项目，由本国货币供给量（M）和外国拥有的本币存款（M_r）构成。

（13.1）式表示世界货币供给量以美元表示的构成，（13.2）式反映了外国货币供给的三部分构成情况，（13.3）式反映了美联储的资产负债情况；（13.4）式由（13.2）、（13.3）式代入（13.1）式中得到。

McKinnon 认为，在货币替代的前提下，货币资产的跨国流动会导致（13.4）式中各变量值的相对变化，为了保持世界货币供给总量的稳定，就需要两国相应地调整其货币政策，但是不同类型的政策调整对于世界货币总量的影响是不一样的。他将这些政策调整分为"外汇干预的非冲销调整"和"外汇干预的被动性冲销调整"两类。

在第一种"非冲销"调整的情况下，当外国获取的美元数量增加（其在美联储的美元存款 M_r 大幅上升）时，其本币资产总量 A^* 不变，结果导致 M^* 增加。与此同时，美元大量流出，M 相应下降。根据（4）式，因为美元的流出量恰好等于外国在美元联储存款的增量（$\Delta M = \Delta M_r = e \cdot \Delta M^*$），所以 M^W 保持不变。

但在第二种"被动性冲销"的情况下，外国获取美元数量的增加部分（ΔM_r）被转化为美国政府的债券，这意味着 M_r 并没有变动，而 B_r 却有所上升。此时，原本应流出的美元又通过购买国债返回了美国，使得 M 没有发生变化。这一方面避免了汇率的波动及其引起的外汇市场干预；但另一方面，B_r 的上升却使 M^* 增加。同样由（13.4）式我们得到 M^W 上升的结论。

可见货币替代下经济政策的不协调会使得一国的通胀传递到另一

国，造成两国的通胀率都有所上升。因此国际间的政策协调十分必要。根据上面的分析，McKinnon 还进一步得出结论：外汇干预的"非冲销调整"要优于"被动性冲销调整"——他所提出的国际政策协调方式也都是以此为出发点的。

二、对 McKinnon 的两国模型分析的两方面质疑

按 McKinnon 的研究结果，通胀应是由外国传递给世界货币国家（美国），那我们在此选取一些国家的数据，分别做这些国家的通胀率与美国通胀率的格兰杰因果关系检验（Granger Causality Tests）以进行验证。具体过程及结果如下：

选取的时间段及理由：1969～1991 年。由附录 5 中的表 F5 - 2 可以看到，以 1991 年为分界点，美元在各国外汇储备中所占份额从降势转为升势，这一点结合各年的详细数据更为明显。这当然有其相应的历史背景，我们在此就将 1991 年之前的这段时间作为牙买加体系形成及其初期阶段进行考察。

选取考察的国家范围包括发达国家及发展中国家中的典型样本，具体来说有以下这些国家：英国、法国、荷兰、日本、加拿大、意大利、瑞士、卢森堡、爱尔兰、瑞典（德国本应是较理想的样本，但其数据不可得）、韩国、新加坡、马来西亚、泰国、印尼、墨西哥、阿根廷。

选取的数据性质：各国 CPI 年度数据，来源于 IMF 的国际金融统计年鉴各卷。

数据处理方法：第一步，检查各时间序列的平稳性。结果得到美国的通胀率数据是平稳的 $I(0)$，而其他国家的数据有的是 $I(0)$，而有的则是 $I(1)$。第二步，将美国与其他各国分别进行两国间通胀率的格兰杰因果关系检验，对于满足平稳性的时间序列，我们直接将美国与该国的数据进行检验，根据时滞 1 或 2 的长度，我们得到的结果见附录 5 中的表 F5 - 3。对于仅满足一阶平稳的情况 $I(1)$，我们采用两种处理方法：A. 将美国与该国的数据都进行一阶差分得到平稳化的数据之后再进行格兰杰因果关系检验；B. 将该国经过平稳化的数据同美国的原始数据进行格兰杰因果关系检验。

格兰杰因果关系检验中时滞的选取：因为我们所选用的是年度时间序列数据，所以按常规的做法选择滞后期为 1 或 2 进行检验。

由上面的方法 A、B，我们得到的结果见诸于附录 5 中的表 F5 - 4、F5 - 5。

将上面的结果分为四类（详见附录 5）：A（1）、A（2）、B（1）、B（2）。括号内的数字表示相应方法所采用的时滞（如：A（1）表示使用方法 A 处理，并采用时滞 1）。

四类分析结果的分析：显然，A 方法的效果要优于 B。因为 A（1）、A（2）的结果分别都比 B（1）、B（2）更为显著，而且 A（1）、A（2）还体现了其间通胀因果关系随时间推移的弱化——这表现为 A（1）与 A（2）体现的因果关系同向，但前者更为显著。所以，我们采用 A 组方法来观察。

另外，即使将以上四组结果都进行考察：除了 B（1）的结果不够理想之外，其他三种方法的分析结果都一致显著地支持这一结论：相对于"其他国家通胀率是美国通胀率的格兰杰原因"而言，"美国的通胀率是其他国家通胀率的格兰杰原因"更应当成立——而这一结论却与McKinnon（1982）的结论相矛盾。

而附录 5 中的表 F5 - 3 中，其他国家与美国的通胀率同样为平稳时间序列的情况下，对两组时间序列进行格兰杰因果关系的检验也进一步支持了上面的结论。

关于 McKinnon 对附录中的表 F5 - 1 中数据的解释，他侧重指出：美国的通胀率与世界货币供给增量存在密切的关系，这一关系的密切程度要甚于它和美国货币供给量之间的关系。McKinnon 基于此分析认为，美国通胀率主要受世界货币供给增量的影响，而非美国货币供给量增量。但是，相关关系并不意味着因果关系，两者不能等同。

我们对附录中的表 F5 - 1 中的三个时间序列进行平稳性检验，得到 P 和 MUS 为 I（0），而 MW 为 I（1）。也就是说前两个时间序列为平稳的，而 MW 则要经过一阶差分后才能平稳。我们再用格兰杰因果关系进行检验，利用附录中的数据，得到结果如表 13 - 1、表 13 - 2、表 13 - 3 所示。

表 13 – 1　P 与 MUS 的 Granger 因果性检验

滞后长度	Granger 因果性	F 值	p 值
1	P→MUS	4. 15644	0. 08086
	MUS→P	7. 15800	0. 03175
2	P→MUS	0. 69625	0. 55023
	MUS→P	4. 30927	0. 10049

表 13 – 2　P 与 ΔMW 的 Granger 因果性检验

滞后长度	Granger 因果性	F 值	p 值
1	P→ΔMW	2. 60280	0. 15780
	ΔMW→P	3. 01989	0. 13292
2	P→ΔMW	2. 81823	0. 20473
	ΔMW→P	0. 57193	0. 61599

表 13 – 3　ΔP 与 ΔMW 的 Granger 因果性检验

滞后长度	Granger 因果性	F 值	p 值
1	ΔP→ΔMW	1. 22137	0. 31143
	ΔMW→ΔP	0. 41525	0. 54315
2	ΔP→ΔMW	3. 67259	0. 15616
	ΔMW→ΔP	3. 02603	0. 19079

　　由上表可以看到——且不论表 13 – 2、表 13 – 3 哪种方法检验效果更好——表 13 – 1 中得到的由 MUS 至 P 方向的 Granger 因果性所对应的 p 值分别为 0. 03175（时滞为 1）、0. 10049（时滞为 2）。这两个 p 值指标都明显地优于后两个表中相应的 p 值指标情况。所以从 Granger 因果性检验分析上来看，美国的通胀率仍在更大程度上受美国货币供给增量的影响，而非世界货币供给增量。

第二节　对 McKinnon 的两国模型的扩展性修正

一、不考虑汇率变动情况下的修正

　　我们将引入第三国因素，对 McKinnon 的两国模型进行修正分析，

以给出更为符合实际情况的理论解释。首先，对要使用到的变量说明如下：

M_i：i 国的货币供给量　　　A_i：i 国的其他本币资产

M^W：世界的货币供给量　　　B_{ij}：i 国持有的 j 币债券

1：世界货币国（美国）　　　e_{ij}：i 币与 j 的汇率（j 的直接标价法）

2：成长中的国际货币国　　　M_i^1：i 国在 1 国中的 1 币存款

3：弱币国（仅在本国流通）M_i^2：i 国在 2 国中的 2 币存款

其中 $i=1$，2，3；$j=1$，2，3（且 $i \neq j$）。

再根据 2 币成长过程，将时间分为三阶段考察：第 I 阶段，2 币是弱币（与 3 币具有相同的地位），其还未发展成为国际货币；第 II 阶段，2 币初步实现国际化，外国持有一些 2 币存款，但外国并不以债券形式持有 2 币的资产；第 III 阶段，2 币实现较高级的国际化，外国同时持有 2 币的存款和债券等形式的资产。

下面给出反映这三个阶段货币供给情况的方程组①：

（一）对于第一阶段，有：

$$M^W = M_1 + \frac{M_2}{e_{12}} + \frac{M_3}{e_{13}} \quad (13.5.1)$$

$$M_1 = A_1 - (M_2^1 + M_3^1) \quad (13.5.2)$$

$$M_2 = A_2 + M_2^1 \cdot e_{12} + B_{21} \cdot e_{12} \quad (13.5.3)$$

$$M_3 = A_3 + M_3^1 \cdot e_{13} + B_{31} \cdot e_{13} \quad (13.5.4)$$

$$M^W = A_1 + \frac{A_2}{e_{12}} + \frac{A_3}{e_{13}} + B_{21} + B_{31} \quad (13.5.5)$$

类似于（13.1）~（13.4）式：（13.5.1）式表示了世界货币供给总量的构成，是三国货币供给量之总和（以货币 1 表示）；（13.5.2）式是简单地由美联储资产负债方式表示的美国货币供给量；（13.5.3）式、（13.5.4）式形式相同，它们表示货币 2、3 在此阶段作为弱币，在存款和债券资产形式上都有单向的货币替代情况（即美元对该国的货币资产有替代作用），该式表明其货币供给量由本币资产、美元存款和美元债券三部分构成；（13.5.5）式是前面四式合并的结果，它表明了世

① 首先假定汇率不发生变化，做简单的分析，到后文中再把这一假定放宽。

界货币供给量的基本构成。

在第一阶段，由于货币2与货币3同质，所以该阶段的情况除了多引入一种货币外，其他方面与McKinnon的二币模型分析并无二致，其结论在此仍适用。

（二）第二阶段：

$$M^W = M_1 + \frac{M_2}{e_{12}} + \frac{M_3}{e_{13}} \qquad (13.6.1)$$

$$M_1 = A_1 - （M_2^1 + M_3^1） \qquad (13.6.2)$$

$$M_2 = A_2 + M_2^1 \cdot e_{12} + B_{21} \cdot e_{12} - M_3^2 \qquad (13.6.3)$$

$$M_3 = A_3 + M_3^1 \cdot e_{13} + B_{31} \cdot e_{13} + e_{23} \cdot M_3^2 \qquad (13.6.4)$$

$$M^W = A_1 + \frac{A_2}{e_{12}} + \frac{A_3}{e_{13}} + B_{21} + B_{31} \qquad (13.6.5)$$

其中：$e_{23} = \dfrac{e_{13}}{e_{12}}$

在此阶段的货币供给量情况中，由于2币实现了初步的货币国际化，其作为一种存款资产开始被国家3的一些经济单位所持有，但2币的货币国际化仍然没有发展到外国持有其债券资产的阶段。此时，我们看到（13.6.3）式、（13.6.4）式相对于上一阶段的（13.5.3）式、（13.5.4）式发生了变化，此时：3国的货币供给量中增加了以2币形式持有的存款部分（M_3^2），而此时由于2币形式的债券资产仍不能为外国所持有，故该阶段2币作为初步国际化的货币，其货币供给政策调整只有单一的"外汇干预的非冲销调整"，也就是说该阶段2币缺乏像1币（美元）那样的政策自由选择权（美元可以在外汇干预的"非冲销调整"和"被动性冲销调整"两类政策间进行选择）。

此时我们看到，假定其他因素不变，2币的初步国际化对世界货币供给量（M^W）并没有影响。但结合该阶段2币处于上升阶段这一事实，M^W的各部分构成有可能发生改变。

在2币地位提高发展成为国际货币的初始阶段，人们对2币的偏好显著增强，其外币形式的货币资产M_2^1、B_{21}会相对有下降的净效应，且该下降部分将会转化为本币形式的货币资产A_2——我们称此为"内部货币偏好转移效应"（或为"转移效应"）。而弱币国3，也会选择使用

2 币形式的存款（M_3^2）来代替 1 币的相应资产 M_3^1、B_{31}，这一原因会导致 2 币的外流进而使 2 国内部有一定程度的紧缩现象，2 国一般会增发本币来满足货币需求——我们称之为"外部货币偏好转移效应（弥补效应）"。以上提出的两种效应一起作用的结果就是 A_2 的显著上升。

而与上面情况相应的是原有世界货币美元地位的削弱，以美元形式持有的 M_3^1、M_2^1、B_{21}、B_{31} 都会有一个明显的下降。由（13.6.1）式，美国国内有明显的通胀压力，此时美国应执行紧缩政策降低 A_1 以缓解通货膨胀压力。但如果紧缩力度不够，不能使 A_1 下降的速度赶上（$M_3^1 + M_2^1$）下降的速度，则其国内仍然会出现通货膨胀。而在此情况下，1 币（美元）往往不愿意牺牲国内经济而使用强力的紧缩政策，所以最终都难免面临 M_1 上升的情况。我们用这一机制来代替 McKinnon（1982）对附录中的表 F5 – 2 的解释似乎更符合 20 世纪 70 年代的情况。

对于 M_3，其组成部分受的影响较小：A_3 没有变化，对其而言只是外币形式的货币资产组成发生了此消彼长的变化，这一点在上面对 M_2 的分析中已有提及。

最后我们看 M^W：由于 2 币形式的存款对美元债券有一定的替代作用，所以 B_{21}、B_{31} 会有所下降，但是存款与债券作为两种不同的资产其替代性并不像同类资产的替代性那么强，所以我们认为这一时期 B_{21}、B_{31} 应该有一个小幅度的下降，直到 2 币的债券资产也为外国所持有时，B_{21}、B_{31} 才会有明显下降的压力。至于 M^W 在这一时期的总体趋势：由于 A_3 不变，B_{21}、B_{31} 以及 A_1 的下降又难以冲销 A_2 的显著上升（实际上附录表 F5 – 1 中的 M^W 就是一些 A_2 的加总），所以该阶段世界货币供给总量 M^W 有一个较明显的上升。但与其说 M^W 上升是美国国内通胀率上升的原因，倒不如说美国国内通胀率和世界货币供给量 M^W 两者都有着共同的原因：2 币地位的上升和美国国内对紧缩政策过虑的谨慎使用。

（三）第三阶段：

$$M^W = M_1 + \frac{M_2}{e_{12}} + \frac{M_3}{e_{13}} \tag{13.7.1}$$

$$M_1 = A_1 - (M_2^1 + M_3^1) \tag{13.7.2}$$

$$M_2 = A_2 + M_2^1 \cdot e_{12} + B_{21} \cdot e_{12} - M_3^2 \tag{13.7.3}$$

$$M_3 = A_3 + M_3^1 \cdot e_{13} + B_{31} \cdot e_{13} + e_{23} \cdot M_3^2 + e_{23} \cdot B_{32} \qquad (13.7.4)$$

$$M^W = A_1 + \frac{A_2}{e_{12}} + \frac{A_3}{e_{13}} + B_{21} + B_{31} + \frac{B_{32}}{e_{12}} \qquad (13.7.5)$$

其中：$e_{23} = \dfrac{e_{13}}{e_{12}}$

在此阶段，货币 2 已经发展成为成熟的世界货币，其债券形式的广义货币资产也开始为外国（3 国）所持有。此时我们看到，前三个式子与第二阶段的形式没什么变化，而（13.7.4）式与（13.6.4）式相比多了一项"$e_{23} \cdot B_{32}$"，这是 3 国持有以 2 币表示的债券资产的结果。而（13.7.5）式也表示 M^W 多了一个构成部分：$\dfrac{B_{32}}{e_{12}}$。

在第二阶段的基础上，此时的货币供给量情况发生了上述的变化。而货币 2 也像美元那样具备了两种政策调整选择：外汇干预的"非冲销调整"和"被动性冲销调整"。以货币 2 为形式的债券为 3 国持有正是这一变化的结果。

再来分析此时各个货币供给量变化的情况：

对于 2 国，由于货币 2 地位的进一步上升，2 币形式的货币资产对美元资产的替代性进一步提升，此时 M_2^1、B_{21} 将进一步下降，结果是"内部货币偏好转移效应"（"转移效应"）进一步增强，A_2 提高。

而 3 国，其对 2 币的偏好也更为增强，因此 M_3^2、B_{32} 对 M_3^1、B_{31} 的替代性也增强，特别是 B_{32} 对 B_{31} 的替代是这一个时期新产生的情况。此时，假定 A_3 不变，则 M_3 的变化仅表现为 2 币与美元资产间的此消彼长。而对于美国，类似于第二阶段的情况仍然继续，美国仍有外来的通胀压力。但是，美国的政策当局可能在上一阶段中已经熟悉了这一过程中的政策效力，因此有可能执行比较有力度的紧缩政策以有效地降低 A_1，从而控制 M_1。

再考察世界货币供给总量 M^W，由于该阶段的 B_{32} 与 B_{31} 的变动抵消，而 A_2 的增量表现为：本国美元债券转变为本币债券，本国美元存款转变为本币存款，为不使本国出现紧缩而满足 3 国持有 M_3^2 所新增的 2 币资产，即：

$$\Delta A_2 = \left(\Delta M_2^1 + \Delta B_{21} \right) \cdot e_{12} + \Delta M_3^2 \qquad (13.8)$$

上面第一项为"转移效应"，第二项为"弥补效应"。

而按上面的描述，A_1 的增量相应地表现为：

$$\Delta A_1 = -\Delta M_2^1 - \Delta M_3^1 \qquad (13.9)$$

将上面的分析代入到（13.7.5）式中：

$$M^W = A_1 - (\Delta M_2^1 + \Delta M_3^1) + \frac{A_2 + (\Delta M_2^1 + \Delta B_{21}) \cdot e_{12} + \Delta M_3^2}{e_{12}} + \frac{A_3}{e_{13}}$$

$$+ (B_{21} - \Delta B_{21}) + (B_{31} - \Delta B_{31}) + \frac{(B_{32} + \Delta B_{32})}{e_{12}} \qquad (13.10)$$

上式共有七项，其中最后两项中的 $-\Delta B_{31}$ 与 $\dfrac{\Delta B_{32}}{e_{12}}$ 相互抵消；第三项

中的 $\dfrac{\Delta B_{21} \cdot e_{12}}{e_{12}}$ 和第五项中的 $-\Delta B_{32}$ 相互抵消；第二项中的变动量

$(\Delta M_2^1 + \Delta M_3^1)$ 同第三项中相应的部分 $\dfrac{\Delta M_2^1 \cdot e_{12} + \Delta M_3^2}{e_{12}}$ 互相抵消（由于

美国实施了比第二阶段更为有力的紧缩政策）。

因此，这一阶段的世界货币供给量 M^W 是不变的，或者说在实际情况中是比较平稳的。这主要是由于美国已经由第二阶段中得到了货币更迭情况下的政策调整经验，能够有效地控制本国货币的供给量了。而从各国情况来看：美国有通胀压力，但有力的政策可使本国的货币供给量较为稳定；2 国的货币供给量则由于其货币地位的提高使两方面的效应继续维持，使得 M_2 的构成中本币形式的货币资产比重显著上升，但其总量也较为稳定；3 国的货币供给量也较为稳定。

二、考虑汇率变动情况下的修正

货币地位的变化往往伴随着相关汇率水平的变化，在此我们重点考察第二、三阶段各种货币供给量的变化情况，首先分析第二阶段：此时 2 币地位上升，我们假定 e_{12} 下降，e_{13} 不变。

$$M^W = M_1 + \frac{M_2}{e_{12}} + \frac{M_3}{e_{13}} \qquad (13.6.1)$$

$$M_1 = A_1 - (M_2^1 + M_3^1) \qquad (13.6.2)$$

$$M_2 = A_2 + M_2^1 \cdot e_{12} + B_{21} \cdot e_{12} - M_3^2 \qquad (13.6.3)$$

$$M_3 = A_3 + M_3^1 \cdot e_{13} + B_{31} \cdot e_{13} + e_{23} \cdot M_3^2 \qquad (13.6.4)$$

$$M^W = A_1 + \frac{A_2}{e_{12}} + \frac{A_3}{e_{13}} + B_{21} + B_{31} \qquad (13.6.5)$$

其中：$e_{23} = \dfrac{e_{13}}{e_{12}}$

根据上面的式子，可得：

M_1 上升（前文已有分析）；M_2 由于构成中本币资产的增加，且配合以 e_{12} 的下降（2 币的升值），以美元表示的 $\dfrac{M_2}{e_{12}}$ 显著上升；另外，虽然 e_{13} 不变，但是 3 国中新增了持有 2 币形式的存款资产 M_3^2，故其以美元表示的 $\dfrac{M_3}{e_{13}}$ 也有所上升。总之，三个国家的货币供给量水平都有不同程度的上升；而且，即使美国执行了有效的紧缩政策，控制了本国的货币供给量，但其他两国货币供给量以美元表示仍有显著增加，所以世界货币供给量 M^W 以美元表示仍会明显上升。这实际上根源于美元地位的下降以及由此直接引起的资产选择行为改变和汇率变动。

再考察第三阶段：

$$M^W = M_1 + \frac{M_2}{e_{12}} + \frac{M_3}{e_{13}} \qquad (13.7.1)$$

$$M_1 = A_1 - (M_2^1 + M_3^1) \qquad (13.7.2)$$

$$M_2 = A_2 + M_2^1 \cdot e_{12} + B_{21} \cdot e_{12} - M_3^2 \qquad (13.7.3)$$

$$M_3 = A_3 + M_3^1 \cdot e_{13} + B_{31} \cdot e_{13} + e_{23} \cdot M_3^2 + e_{23} \cdot B_{32} \qquad (13.7.4)$$

$$M^W = A_1 + \frac{A_2}{e_{12}} + \frac{A_3}{e_{13}} + B_{21} + B_{31} + \frac{B_{32}}{e_{12}} \qquad (13.7.5)$$

其中：$e_{23} = \dfrac{e_{13}}{e_{12}}$

由上面的式子，我们看到：

M_1 不变（前文有分析）；$\dfrac{M_2}{e_{12}}$ 有显著上升（分析同上）；而由于 $\dfrac{M_3}{e_{13}}$ 中以 2 币表示货币资产进一步增加而且引入债券形式，故其上升比上一个阶段更快。

第三节　结论及政策建议

首先，McKinnon 将美国的通胀完全归咎于缺乏国际政策协调有失全面。我们在上面的理论分析和实证检验中都看到，美国的通胀率虽然受到国际因素的影响，但其在很大程度上仍取决于本国的货币供给量，实证检验结果甚至支持通胀率方向是由美国向其他国家传递的。

其次，基于以上分析，关于 20 世纪 70 年代发生在发达国家的滞胀的一种新解释：石油危机等外部冲击只是加剧美国通胀的原因之一，由于其货币地位的相对下降，美国对外贬值和对内的通胀都有其必然性。但美国并没有通过足够有力的紧缩政策来控制国内通胀，而是进一步任其通胀效应在国际上外溢。甚至于当时其一些做法，如限制进口、以非市场手段协调升值等措施，都使与其经贸关系紧密的发达国家面临紧缩压力，而这反过来又恰恰更加剧了美国国内的通胀状况（限制进口抑制了廉价外国商品的流入，从而约束了有效供给的增加，官方相机的协调升值其结果则更是抑制美国国内总供求恢复稳定、平衡）。同样，其他国家的紧缩又会反馈给美国，由此，通胀和紧缩在各国间相互传递，最终造成了发达国家中普遍存在的滞胀。

再次，基于上面的修正分析，为了不至于面临严重的通胀，美国应当在第二阶段就采取有力的紧缩政策以抵消外国持有本币存款的减少，从而稳定本国的货币供给量；另一方面，美国应当放宽进口限制——而不是加强进口限制；此外，美国应当尽早对僵化的汇率体制进行改进，使之反映市场的真实情况，而不是通过官方的不定期协调来调整汇率——这往往会对各国供求情况带来比较大的冲击。以上这些建议既能缓解美国的通胀，又能阻止紧缩在各国间的蔓延，从而更有可能避免通缩之苦。

最后，2 国在成长为国际货币的过程中，各国都会有一个减持美元存款和债券资产、增加 2 币形式的存款和债券资产的行为。而这一行为虽然在长期内总体上为理性，但其在短期内的过度转换却会引起各国货币供给量以及通胀率、汇率等经济变量的较大波动。因此，在国际货币体系更迭时期，各国特别是 1 国和 2 国之间应当加强政策协调，引导国际金融市场的资产币种组合有一个平稳的过渡。2 国应该在不影响本币地位上升趋势的前提下，尽量将货币政策放宽松以减轻短期内给 1 国（美国）带来的通胀压力，另一方面这也能够满足"弥补效应"产生的对 2 币资产的过度需求，以避免出现货币外流造成紧缩状况以及本币的升值压力。

从长远来看，人民币的国际化扩展及其地位的提升也是必然趋势。其作为一种新的国际货币，必然会带来国际货币体系又一次新的更迭。以上的分析对于此过程中的各货币大国进行政策协调都有着积极的借鉴意义。

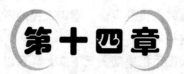

人民币非法流出的防范对策

20 多年的改革开放、制度创新,使中国经济实现了高速平稳的发展,人民币的国际声誉和国际竞争力随之提高。在"良币驱逐劣币"①的信用纸币流通规律作用下,人民币的流通版图越出国境不断地向中国周边国家扩展,并部分地取代了当地货币,获得了东亚"小美元"的声誉。随着人民币进一步开放及周边化、区域化、国际化的推进,人民币的境外需求会不断增大。从人民币流出国境的途径看,有合法流出,也有大量非法流出,而巨额人民币的非法流出,会对中国经济产生严重的不良影响,甚至会成为一种潜在的危机,应引起高度重视,并采取有效的对策加以抑制。

第一节 人民币非法流出的途径

要治理人民币的非法流出,需要了解人民币非法流出的主要渠道。

---

① 在金属货币制度下,货币间竞争规律是"劣币驱逐良币",亦称"格雷欣法则"。然而,在信用纸币条件下,货币间的竞争规律是信用好的、有实力强大经济支撑的货币,取代信用差的、经济实力弱小的货币,"劣币驱逐良币"的法则最终转化为"良币驱逐劣币"法则。按照这个规律,世界上将有大量弱势货币被淘汰,只有少数强势货币能够存续,世界也将因此进入国际区域货币的时代。

一、毒品走私

毒品走私不仅毒害人民的生命、卷走人民的财产，而且是人民币非法流出国境的主要途径之一。

近年来，由于人民币汇率随美元下跌，导致以外币表示的出口商品价格相对下浮，以本币表示的进口商品价格相对上浮，走私现象得到有效抑制，但由于毒品交易存在高额利润，毒品走私活动依然猖獗。随着人民币国际区域化的推进，人民币的国际信誉和境外需求不断增大，人民币不仅是边境贸易结算货币，也成为毒品走私贸易的主要结算币种，人民币因毒品走私而大量流出。据 2004 年中国公安部禁毒局的一份报告指出，地处"金三角"的缅北地区当年的罂粟种植大幅度反弹，达 9 万公顷，预计可产鸦片 900 吨左右①。"金三角"毒品的主要市场是美国、澳洲和欧洲，但近年来，由于毒品南下通道（从缅北进入缅甸南部或泰国，从印度洋海通道运往其他国家）受阻严重，大量毒品囤积在缅北靠中国边境一侧，毒品交易呈现出向中国"多头入境，全线渗透"的趋势，加大了中国打击毒品的压力。近 5 年来查获毒品数量不断攀升，查获万克以上毒品走私大案就达 41 起，查获毒品 11.765 吨。2003年共缴获海洛因 5.364 吨，主要来自"金三角"地区，破获冰毒案近两百起，其中云南破获的"金三角"冰毒渗透案占了近八成。2004 年 1至 3 月，云南省共破获各类贩毒案件 3688 起，平均每天 41 起，同比增加 17.2%，缴获鸦片 220.2 千克、海洛因 1533.7 千克、冰毒 252 千克，同比分别增加 47.4%、11.5% 和 71.7%；缴获制毒配剂 20.7 吨，同比增加 19.7 倍②。2004 年前半年共查获千克以上毒品走私案件 20 起，缴获海洛因、大麻脂、冰毒等毒品 210 公斤，查获案件和缴获毒品数量同比分别增长 100% 和 86%③。

---

① 程刚：《长篇特写：中国西南边境遭遇"毒""赌"挑战》，《环球时报》2004 年 6 月25 日。
② 孙伟：《云南决不是毒品走私的冒险"乐园"》，《云南日报》2004 年 4 月 15 日。
③ 程刚：《长篇特写：中国西南边境遭遇"毒""赌"挑战》，《环球时报》2004 年 6 月25 日。

二、境外赌博

境外赌博，是人民币流出国境的又一非法渠道。

在中国周边国家靠近中国边境地区，以人民币为赌资建立的大大小小的赌场最初只限于云南边境，由于开办赌场收益颇丰，亦是最好的吸纳人民币的方式，中国周边国家相继出现了专门为中国人开办的赌场，其规模和数量均处在上升态势，形成了包围中国的赌博圈。说这些赌场是专门为中国人开设的，是因为它们大都建在同中国接壤的边境地区；90%以上的赌者是中国人；参赌货币主要是人民币和港币；中国的腐败大案很多与贪官携带资金出境赌博有关。目前这个赌博圈正在向外扩展，发展成为一个从日本、泰国、马来西亚，到菲律宾、新加坡、印尼，并一直延伸至澳大利亚及欧美的庞大的、旨在套取人民币的"境外赌博网"。据国外研究机构统计，这一网络每年正吞噬着亚洲国家（主要是中国）约 140 亿美元（约合人民币 1100 亿元）的资金；2010 年，这一数字将增至 230 亿美元[①]。2004 年 12 月上旬，在北京、澳门由北京大学中国公益彩票事业研究所与澳门旅游博彩技术培训中心等联合举办的我国首个公开探讨博彩业的国际学术研讨会上，专家显示的数字是中国每年的赌资外流人民币达 6000 亿。值得注意的是，一些原来禁赌的东亚国家，为了抢占中国人赌博这块大蛋糕，正在考虑修改法令，解除禁赌令，以吸引人民币流入本国。如，新加坡正在讨论是否解除对赌博的禁令；泰国、日本、印度尼西亚也在逐步放松或重新审查其禁赌法令；长期推行赌博合法化政策的菲律宾，则试图保持其"领先地位"[②]。这张在中国周边编织的赌博大网，正在侵蚀中国经济的健康成长，对中国的金融市场构成严重威胁。

---

① 《中国周边赌网罩贪官》，《香港商报》2002 年 7 月 8 日。

② 程刚：《长篇特写：中国西南边境遭遇"毒""赌"挑战》，《环球时报》2004 年 6 月 25 日。

三、境外洗钱[①]

跨国"洗钱"是人民币非法流出的更加隐蔽和复杂的渠道。

将非法获取的"黑钱"通过各种渠道变成合法的钱，被称为"洗钱"。有资料显示，每年通过地下钱庄"洗"出到境外的黑钱在2000亿元人民币左右，相当于国内生产总值的2%[②]。所谓"黑钱"，从狭义上讲，是指具有黑社会性质的有组织犯罪活动产生的货币收入；从广义上讲，是指利用各种非法手段和途径获取的货币收入，包括毒品交易、商品和货币走私、境外赌博、贪污腐败、逃税漏税等等。为了使这些"黑钱"合法化，犯罪分子常常利用对外开放和经济、金融全球化的便利，通过各种合法的与非法的渠道将这些"黑钱"转移境外，改变其非法的性质，形成巨额的资金外逃，从而对国内投资规模、经济增长和资金市场产生不良影响，同时境外的"黑钱"以"漂洗"和投机为目的的大量涌入，也使国内货币、资本市场、金融业的健康发展受到外部冲击，甚至成为引发金融危机的潜在因素。现阶段，境外"洗钱"主要是通过四种方式实现的：（1）利用地下钱庄洗钱。地下钱庄大多具有境外网络，"洗钱"过程是通过境内人民币资金的收付和境外外汇资金的收付进行的，它利用账户划转资金，其手法比较隐蔽，跟踪调查取证存在很大困难；（2）利用进出口贸易洗钱。这种方式是将非法获得的"黑钱"混入合法的对外贸易中，达到资金性质转换和资金境外转移的目的，或利用高报或低报进出口价格的方式进行洗钱。从人民币流

---

① "黑钱""漂洗"称为"洗钱"（money laundering），是指将非法获得的货币收入，通过各种手段掩饰、隐瞒其来源和性质，使其在形式上合法化的行为。现代各国法律对洗钱的解释不完全相同。反洗钱比较权威的金融机构巴塞尔银行的法规及监管实践委员会，从金融交易角度对洗钱进行了描述：犯罪分子及其同伙利用金融系统将资金从一个账户向另一个账户作支付或转移，以掩盖款项的真实来源和受益所有权关系；或者利用金融系统提供的资金保管服务存放款项，即常言之"洗钱"。从司法角度看，洗钱是一种"犯罪屏障"，既妨害了司法活动，也助长了犯罪分子有恃无恐的气焰，促使他们不断实施犯罪。从金融管理秩序角度来看，洗钱活动往往借助于合法的金融网络清洗大笔黑钱，这不仅侵害了金融管理秩序而且也严重破坏了公平竞争规则，破坏了市场经济主体之间的自由竞争，从而对正常、稳定的经济秩序带来严重的负面影响。

② 《反洗钱职责缘何给央行——通过银行网络可发现犯罪》，《北京青年报》2004年7月15日。

出的角度看，犯罪分子主要是将"黑钱"混进合法的进口贸易中，并通过高报进口价格将"黑钱"转到境外，同时隐去了"黑钱"的性质；（3）利用创办企业洗钱。不法分子或犯罪组织通过在境内外设厂将非法所得融入其中，并将资金汇出国外再以外商投资名义来境内设厂，再将收入转移境外；（4）利用现金走私洗钱。有些跨境洗钱集团，专门走私现钞，将其存入境外银行，其中由腐败而生的非法所得经过汇兑转移海外的行为不在少数。

根据已有的数据测算，上述三个非法渠道流出的人民币，每年都达到数千亿元人民币的规模。这种状况若得不到及时有效的治理，将会对中国经济建设和经济安全造成严重的破坏。更为严峻的是现阶段我们对人民币非法流出的总体状况既难以统计又没有有效的抑制手段。由于"毒"、"赌"、"洗"均为非法的地下经济活动，当事人相当谨慎和隐蔽，政府很难全面掌握和了解这方面的真实情况。一般来说，只能通过案发后的总结，掌握和了解案发后的情况，而这很可能只是挂一漏万的冰山一角。例如，对打击毒品犯罪的数据统计都是一些已经破获的数据统计，很难了解这些已破获的案件及已缴获的毒品占境内整个毒品犯罪的比率是多少。因为我们没有更多更好的途径了解境内毒品交易的全貌，这种状况的严重性在于：如果这个比率很小，则意味着贩毒的成功率很高，受到打击和制裁的是少数，逍遥法外的是多数，无形中会增大人们的侥幸心理，产生为获得暴利而冒死一搏的利益激励，在这种利益驱动下，会出现相当数量的潜在的"毒"、"赌"、"洗"交易的后备军，而一旦形成"毒"、"赌"、"洗"犯罪的法不责众的危机，则对巨额人民币非法外流的状况更加难于治理，我们为之付出的代价亦会更高。

第二节　人民币非法流出的治理

巨额人民币的非法流出，给中国经济至少造成内外两大危害，其一是资金外逃对国内投资产生的不良影响：国内投资规模缩小，就业减少，人民生活质量下降，损害国内经济的增长；其二是外逃资金投机性回流对中国金融秩序造成的冲击：资产价格急剧膨胀，引发泡沫经济和虚假繁荣，甚至会成为爆发金融危机的导火索。然而，由于人民币非法流出的利益刺激过大，治理难度极大。从毒品走私的利益驱动上看，统计显示，全世界现有 1.8 亿吸毒者，全球毒品走私年交易额高达 8000 亿至 10000 亿美元，仅次于军火贸易①。在如此巨额利润诱使下，在经济开放的条件下，毒品交易难以杜绝，高压打击和围追堵截的效果并不理想；从赌博资金流向境外的动力上看，一方面中国周边国家希望获得更多的具有外汇功能的人民币资金，对赌场的开设持默许和支持的态度，构成吸引人民币资金的强大引力，另一方面国内缺少合法的博彩行业、缺少顺畅的资金投资渠道，官员们手里掌握着巨额公共资金的支配权和决策权，于是，具有赌博倾向的资金、腐败官员掌管和握有的公共资金和赃款等便直奔中国周边国家的各类赌场。在国内投资渠道不畅、博彩业空缺、资金出现相对饱和的情况下，在外有引力，内有推力的双重作用下，赌博资金的流出更是防不胜防；从"黑钱"境外"漂洗"的冲动上看，由于"黑钱"来源的非法性，黑钱会千方百计地利用各种合法与非法的手段逃往境外，从而既可逃脱法律的制裁，改变其不良的出身，又可达到追求私利的目的，因此，境外"洗钱"很难防范。

我们认为，巨额人民币非法流出及防范无力的现象应引起政府的高度注意，鉴于目前对巨额人民币非法流出防范不利的现状，应树立以疏导为主的治理思路，通过有效的利益驱动机制，配合打压和堵截的手段，从源头上遏制人民币的非法流出。具体建议如下：

一、既要切断毒品交易的供给，更要切断毒品交易的需求

要抑制毒品交易以及由此引发的资金外流，应从切断源头入手。毒品交易的源头有两个：一个是毒品的供给，一个是毒品的需求。从切断供给源头上看，我们已做了很多工作，例如，云南省就将禁毒同禁种相连接，始终把罂粟禁种工作贯穿于整个禁毒国际合作之中，创造性地开展境外罂粟禁种工作。从 20 世纪 90 年代以来，云南省实行政府支持、企业经营、双方平等协商的原则，与邻国政府和地方组织在境外罂粟种植地区开展替代种植、促进替代种植的工作。据不完全统计，90 年代

---

① 《中国禁毒之争趋向终结》，《观察与思考》2004 年 2 月 16 日。

以来，云南省总计投入 5 亿多元人民币，无偿或低价提供各类粮食、经济作物种子和各类经济苗木，派出各类专家和技术人员帮助培训境外专业技术人员，主动帮助缅北、老北地区开展罂粟替代种植工作。2003年，缅甸果敢地区结束了 100 多年罂粟种植的历史，不仅帮助境外毒品产区的群众找到了脱贫致富的捷径，同时也减少了毒品对境内的渗透和危害，从而削弱了境外毒品的再生功能，萎缩了境外毒品的供给。然而，我们认为，这仅仅是控制毒品交易的一个源头，如果不切断毒品交易的另一个源头——对毒品需求这个更重要的源头，毒品交易就难以消除。当我们只是控制和减少了包括禁种、收缴和销毁毒品在内的毒品的供给，而不能有效地控制和逐步消除对毒品的需求时，我们不仅不能有效地控制和消除毒品供给，而且会因为毒品供给减少，需求增多，导致毒品价格高腾，毒品经营成为暴利行业，从而进一步刺激毒品的供给，刺激毒品种植和销售，形成恶性循环。

用切断对毒品需求的方法治毒、灭毒，是一种利益驱动转型的治理方式，即让毒品交易的暴利效应变为毒品交易的无利效应、毁灭效应的治理方法，可称为"需求源头消除法"。如果以此来抑制毒品交易，那么，人民币因毒品走私而外流的现象自然会得到抑制。与仅仅控制毒品供给，包括收缴、销毁、严打、禁种的治理方式相比，这是一种以疏导为主，打堵为辅的治理方法。从治理成本看，亦是一种低成本高效益的治理方式，因为这种治理方式是通过营造毒品交易无利可图的市场环境来遏制毒品交易的，可以达到事倍功半的效果。目前，国家每年用于打"毒"的人力、物力、财力的支出数额巨大，且逐年增加，但由于毒品交易存在暴利，近年来，毒品走私的途径、手段越来越多样化，并利用其现代科技使其更具隐蔽性，在这种情况下，疏导的治理效果要好于打和堵的治理效果。

切断毒品交易需求，可采取以下措施：

（1）政府免费救治吸毒患者以减少毒品需求

政府免费收戒所有的吸毒者，免费提供减量治疗→替代品治疗→康复治疗；加大对吸毒者、复吸者的罚金力度和戒毒成功者的奖励力度。通过这两项措施消除吸毒者对毒品的购买行为。由此会导致毒品需求下降直至最终消失，产生毒品过剩、价格下落，毒品交易无利可图的效应。一旦贩毒无利可图则毒品供给会随毒品需求的衰退而衰退，从而达到在供给和需求两个源头上切断毒品交易。为此，国家可将缴获的毒品作一定量的囤积和严格管控，以备用于毒品价格的调整和吸毒者的治疗，掌握控制毒品价格和对吸毒者治疗的主动权，当然，这需要制定操作层面上的严厉的法律法规与之配合。值得欣慰的是，经过多年的争论，由国家卫生部、公安部和国家药品监督管理局联合制定的《海洛因成瘾者社区药物维持治疗试点工作暂行方案》终于在 2003 年 7 月向各省、区、市下发，同年 12 月底，中央成立的国家试点工作组批准了全国 5 省共 8 个试点机构开始进行工作试点。我们认为，这一措施将会有效地减少毒品需求，达到抑制毒品交易的目的，政府免费收戒的成本会因毒品需求减少而逐步降低。

（2）以价格调节诱导毒品远离中国

通过抑制毒品需求营造毒品境内价格大大低于境外地下毒品市场价格的差价环境，使中国境内的毒品交易无利可图，诱导毒品远离中国。

（3）加大贩毒的成本和风险

在境内毒品交易因需求下降而减少的基础上，严厉打击毒品交易，对毒品犯罪保持高压态势，令贩毒的成本和风险等于倾家荡产和身家性命。随着境内毒品交易因需求的下降而减少，毒品交易的活动会逐渐减少，由此会降低打击毒品犯罪的难度，提高毒品案件的侦破率在全部毒品走私犯罪中的覆盖面，打消潜在的贩毒分子的侥幸心理，产生有效的震慑力，力保不出现新的毒品犯罪，直至达到 100% 的铲除效应。

（4）建立打击毒品犯罪的国际联络网，参与跨国合作，打击跨境的毒品犯罪。

（5）建立"无毒社区"和"无毒城镇"

在吸毒人员全部免费收治的基础上，加大远离毒品和禁毒法律的宣传力度，力保不再出现新的吸毒者，切断对毒品的新需求，从而从需求减少的层面上进一步降低毒品的价格，进一步使毒品走私、贩卖无利可图。

具体操作程序见图 14-1 所示。

建立打击毒品犯罪的法律基础,健全相关的法律法规体系:
　　包括毒品的禁易法、禁运法、禁吸法、戒治法、毒品收缴的管理法等等。

降低和消除对毒品的需求:

　　吸毒者全员由政府免费收戒,免费得到毒品减量和替代品治疗;加大对吸毒者、复吸者的罚金力度和成功戒毒者的奖励力度→消除吸毒者对毒品的购买行为→毒品价格跌落,毒品交易因无利可图而走向衰落→国家可掌管和囤储一定量的缴获毒品用于打压价格和治疗需要→切断一切对毒品的需求。

杜绝新的毒品需求:

　　做好禁毒的舆论宣传工作,普及禁易、禁吸、戒治、毒品管理等方面的法律法规和打击条例,消除这方面的法盲→力保不出现新的吸毒者→切断对毒品的新需求→毒品价格进一步回落,毒品交易衰落。

杜绝新的毒品走私:

　　营造境内外毒品价格的差价环境→境内毒品价格大大低于境外价格→国内对毒品的需求降低→毒品交易在中国境内无利可图→受利益驱动境外毒品远离中国→建立国际网络,参与跨国合作,联手打击跨境毒品交易。

在消除毒品交易生存根基的同时以严打与之配合:

　　在境内毒品交易因需求下降而减少的基础上,严厉打击毒品交易,加大贩毒的成本和风险,使之付出倾家荡产和身家性命的代价。提高毒品走私犯罪的侦破案件在全部毒品犯罪中的比率,以此打消潜在的毒品犯罪者的侥幸心理,产生有效的震慑力,至达到100%的打击效应。

图14－1　以疏导为主的思路打击毒品犯罪

二、创建法律规范下的中国博彩业

　　鉴于中国周边国家以吸引人民币为主要目的的赌场规模和数量不断上升,并已形成环中国的"赌博网"的态势,中国应采取大胆、果断、富有成效的举措,阻断赌博资金流出。

　　由于一方面中国周边国家在极力吸引中国的赌博资金,另一方面中国全境(澳门特区除外)实施禁赌政策,这种境外可以赌,境内不可以赌的两个方面的合力,使中国国内相对过剩的资金、具有赌博偏好的资金、由各种非法手段形成的"黑钱",源源不断地流向国外,而禁赌的打击措施效果并不理想。虽然最近一段时期，国家加大了对官员境外赌的打击力度，以至于使一些中国周边国家的赌场开始倒闭，收到了较好的效果。但我们认为，一时加大的打击力度并没有从机制和体制上解决问题，只要一放松，这种赌博资金的流出仍然防不胜防，官员们境外豪赌的现象多年来屡禁不止，且官员赌博案不断上升的趋势证明了这一点。即便是堵住了官员们利用公款赌博的资金流出，却堵不住民间资本、私人资本的赌资外流。基于这种情况不如换一种治理思路，即变"禁"和"打"为主的治理思路，为以"疏"和"导"为主，"禁"和"打"为辅的治理方法，化解巨额人民币资金非法流出的危机，直面中国周边国家大力吸引中国赌博资金的挑战。

最有效的也是事半功倍的疏导方法，是以其人之道还治其人之身，即为中国的博彩业立法，创建法律、法规、政府准入等严格规范下的内地博彩业。

允许博彩业合法存在，可以收到如下效应：

1. 吸引资金效应。由于允许境内博彩企业（包括经营赌场、赛马等）合法存在，因此能够满足国内相对过剩的资金和具有赌博偏好的资金参与金钱博弈游戏的需求，这部分资金能够留在国内，从而有效地抑制巨额人民币追逐境外赌博而形成的非法流出。如果中国的博彩业能够规范经营，具有竞争力，还可以吸引境外资金流入，使中国的博彩企业获得更多的利益。需要指出的是，一般来说，参与赌博的当事人大多都会亏得血本无归，损失惨重，这无疑会对社会和经济产生不利影响，因此，也是各国政府禁赌的重要因素之一。然而，考虑到境外赌场对中国的威胁；考虑到当事人亏掉的资金被境内博彩企业吸走（不被境外博彩企业和外国政府吸走）；考虑到博彩业的高收益需按比率地上缴国家税款（不被外国政府收缴）；考虑到赌博业的负面效应可以通过法律规范将其弱化，那么，给予法律严格规范下的博彩业合法的相对垄断经营的地位，在吸引和留住资金方面将利大于弊。

2. 就业效应。发展博彩业可增加两方面的社会就业，一方面是博彩业自身吸收的社会就业，一方面是与博彩业相关联的餐饮、旅游、娱乐、咨询等第三产业吸收的社会就业。

3. 税收效应。博彩业是受市场严格准入限制的行业，有一定的垄

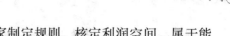

断性，加之博彩企业作为赌博的庄家制定规则，核定利润空间，属于能够获得超高利润的行业，因此可以成为国家税收的大户。

具体操作程序见图 14－2 所示。

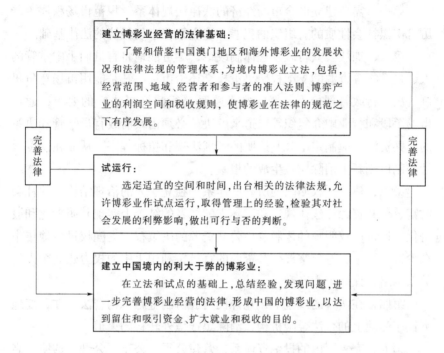

图 14－2 创建法律规范下的中国博彩业

需要指出的是，境内博彩业的合法存在，只能吸引相对剩余的有赌博偏好的合法资金，对于那些寻求境外"洗钱"的非法收入，起不到留在国内的作用，因为那些由非法收入构成的"黑钱"，为了不暴露其非法的性质，亦不敢在境内公开参与赌博，因此，从自身利益看，这些"黑钱"会不断地外逃，改变其不良出身，从外部环境看，这些"黑钱"则是中国周边国家赌场猎取的对象。因此，抑制"黑钱"流出境内需另辟蹊径。此外，创建法律、法规、市场准入等严格规范下的博彩业，也使中国在经济法规的制定和执行上（博彩业经营方面）面临挑战。

三、釜底抽薪，消除"黑钱"生成的基础

寻求境外"洗钱"的非法收入主要源于三个方面：即黑社会性质

的强取豪夺；贪污腐败的赃款；商品和货币走私。要抑制境外"洗钱"，需要在消除"黑钱"生成基础上下功夫，即尽可能地从源头上消除非法收入。

第一，需要建立健全市场经济的法律法规体系，规范市场秩序，严厉打击黑社会性质的有组织的犯罪，建立繁荣市场经济的法律基础。

第二，加快公共行政管理体制改革，尽可能地将官员们手中掌管的人、财、物等资源的支配权、决策权交还给市场。凡是能用市场竞争机制解决的行政管理行为，都应严格遵照《行政许可法》的要求，通过市场手段和行业中介组织等渠道来解决。必须由政府或官员掌管和决策的公共资源，应制定出公开透明的管理法规和招标程序，从而在制度设计和制度创新上消除腐败生成的根基。

第三，建立产权明晰的所有制体系和独立法人的治理结构，使社会财富、公共资源在法律规定和实际支配二者的结合上实现其明晰化和股份化，通过产权明晰的体制避免公共资源的决策权、支配权过多地集中在少数人手中，避免掌握公共资源的官员，利用手中的权力建立个人的关系网络，谋取个人私利。

第四，在法律的规范下，允许民营股份制金融机构合法存在，变地下钱庄为地上的合法金融机构，消除黑钱境外转移的渠道。

第五，完善国内的投融资体系，营建公平、公正、公开、透明、高效的投资环境，使国内大小资金投融资渠道畅通。

第六，避免人民币币值高估和人民币被动升值，以合理的人民币汇率打击各种走私活动。当人民币高估①和被动升值②时，会产生国外商品价格相对便宜，国内商品价格相对上涨的效应，如果汇率不变，即人

---

① 货币高估是指在国际外汇市场上，该种货币的实际价值已经贬值，但在国际货币交换中的价格却高于实际价格。造成这种状况主要有两个方面的原因，一是货币交换中的投机行为造成的；二是固定汇率制度造成的。在固定汇率制度下，当两种货币所代表的实际价值量已经发生变化，但作为货币交换的价格不能变动时，必然出现货币的高估和低估，在两个相交换的货币中，一个货币的高估就是另一个货币的低估。

② 货币被动升值实际上是货币高估的另一种解释和表象，但其常常是钉住汇率制的产物。当被钉住的货币在外汇市场上升值时，采用钉住汇率制的货币会随之升值，若该国货币的实际价值并未变化，甚至出现贬值，则该国货币就处于被动升值的状况。例如，人民币钉住美元，当美元同其他货币的汇价升值，而人民币的实际价值并未上升时，人民币就处于随美元同其他货币升值而同美元外的其他货币被动升值的状态中。

民币不能及时贬值向下调整，走私就会变得有利可图，在利益的驱动下，走私便会猖獗起来。一般情况下，政府会加大打击走私的力度，但这种堵的效果并不理想，因为政府难以全面阻挡利益驱动下的行为，即便是政府能够做到对走私活动的全面打击，但政府必然要支付高昂的打击走私的成本。如果换一种疏导的思路，即用合理的人民币对外汇率来疏导，避免人民币币值的高估和被动升值，国内商品的市场价格低于或趋同于世界市场商品价格，走私活动会得到有效的抑制，同时还会刺激国民经济的增长，提升国际竞争力，而政府不需支付任何费用，从而达到无为而治——管理者的最高境界。从疏导的角度看，政府应学会和善于运用汇率政策打击走私活动。

附　录

附录1　欧元区 11 国与美国、日本经济比较（1998 年）

指标	单位	欧元区	美国	日本
人口	百万	292	270	127
GDP	10 亿欧元	5773	7592	3375
占世界 GDP 比重				
按现值	%	22.2	29.2	13.0
按 PPP	%	15.5	20.8	7.4
商品和劳务出口				
占国内 GDP 比重	%	17.8	10.9	11.5
占世界 GDP 比重	%	20.1	16.3	7.6
银行存款	10 亿欧元	7849	4128	4104
占国内 GDP 比重	%	84	54	122
国内贷款	10 亿欧元	5240	11787	4440
占国内 GDP 比重	%	91	155	132
私人部门发行	10 亿欧元	1997	5096	1229
政府部门发行	10 亿欧元	3243	6691	3221
股票市场股票市值	10 亿欧元	3655	13025	2091
占国内 GDP 比重	%	63	172	62

资料来源：《欧洲中央银行》月报，1999 年 8 月。转引自何泽荣：《入世与中国金融国际化研究》，西南财经大学出版社 2002 年。

附录 2　路径解 $v(t)$ 较为精确的图示

本附录旨在给出正文中：由（2.20）、（2.21）两式联合表示的最终路径解 $v(t)$ 较为精确的图示，从而以之取代较为粗略的图 2－5。

如图 2－5 所示，点 t_M 及其右方的函数图形描述已经较为精确。下面我们主要分析点 t_M 左方函数图形的精确图示（实质上就是描绘（2.20）式在 $t \in [0, t_M]$ 内的精确图形）。为便于讨论，先给出（2.20）的另一等价形式：

$$v(t) = -A \cdot e^{\rho \cdot t} + B \cdot t^2 + C \cdot t + D \tag{F2-1}$$

其中：$A = -c_1$；$B = \dfrac{n}{4ak}$；$C = \dfrac{l - b \cdot k + \dfrac{n}{\rho}}{2ak}$；$D = v(0) - c_1$

且 A、$B > 0$；C、D 的符号不确定

由（F2－1）得，$v(t)$ 的一阶、二阶导分别为：

$$v'(t) = -A \cdot \rho \cdot e^{\rho t} + 2B \cdot t + C \tag{F2-2}$$

$$v''(t) = -A \cdot \rho^2 \cdot e^{\rho t} + 2B \tag{F2-3}$$

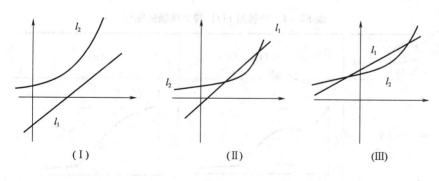

（Ⅰ）　　　　　　　（Ⅱ）　　　　　　　（Ⅲ）

图 F2－1

一、对 $v(t)$ 一阶导 $v'(t)$ 分析

令 $v(t)$ 的一阶导 $v'(t) = 0$，则该问题转化为：分析曲线 $l_1 = 2B \cdot t + C$ 与 $l_2 = A \cdot \rho \cdot e^{\rho t}$ 在 $t \in [0, t_M]$ 内的位置关系。经过分析，

其关系如图 F2 - 1 中的三个图所示：其中，（Ⅰ）表示 $v'(t)$ 始终为负的情形；（Ⅱ）表示 $v'(t)$ 先为负，再增大从而大于 0，然后最终又变为负；（Ⅲ）则表示 $v'(t)$ 先为正，然后又变为负的情形。

二、对 $v(t)$ 的二阶导 $v''(t)$ 分析

易得：

$$\text{当 } t' \leqslant \frac{1}{\rho} \cdot \left(\ln \frac{n}{-a \cdot k \cdot c_1 \cdot \rho^2} \right) \text{时}, \quad v''(t) \geqslant 0 \qquad (i)$$

$$\text{当 } t' > \frac{1}{\rho} \cdot \left(\ln \frac{n}{-a \cdot k \cdot c_1 \cdot \rho^2} \right) \text{时}, \quad v''(t) < 0 \qquad (ii)$$

由上面分析可知，一阶导分为三种情形，二阶导分为两种情形。我们将其进行组合，得到较为精确路径的六种情况（其中有一种不存在），如表 F2 - 1 所示。其中（Ⅰ）行所示的路径都是单调递减的情形，而（Ⅱ）行所示为先减后增直至再减的动态路径，最后（Ⅲ）行表示的是先增后减的动态路径。

而处于 (i) 列的路径都有这样一个特点：左段光滑曲线都是先凸后凹的；而属于 (ii) 列路径的左段光滑曲线则一直为凹。这些特点，其实分别暗示着所处各列路径增减速度的变化情况。

表 F2 - 1 路径解 $v(t)$ 较为精确的图示

续表

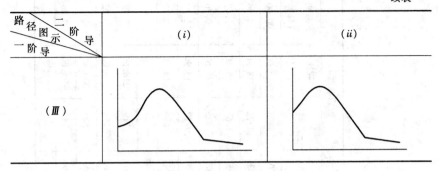

路径 二 阶 导 图 示 阶 导 一 阶 导	(i)	(ii)
(Ⅲ)		

　　我们看到，上表路径的各种情形与图 2–5 所示有一定的区别，所以在阶段的划分上有一些不同。不过这些路径变化的总体趋势与图 2–5 所示仍是一致的，所以根据图 2–5 所做的分析在大体上也基本适用于这些情况。

附录 3

表 F3－1　2002 年度云南省对东盟十国进出口统计表

（单位：万美元）

项目	进出口总额				出口总额				进口总额			
	累计	上年同期	同比增长(%)	占总额(%)	累计	上年同期	同比增长(%)	占总额(%)	累计	上年同期	同比增长(%)	占总额(%)
全省合计	222635	198906	12.00	100.00	142965	124412	14.90	100.00	79670	74494	7.00	100.00
十国合计	82368	70852	16.25	36.99	62486	56479	10.63	43.70	19882	14373	38.30	24.96
越南	16266	16099	1.04	7.30	13371	14232	-6.00	9.35	2895	1867	55.10	3.63
老挝	1655	1833	-9.70	0.74	1053	1408	-25.20	0.74	602	425	41.60	0.76
缅甸	40678	34873	16.65	18.27	29608	25151	17.70	20.70	11070	9722	13.90	13.89
泰国	4360	4327	0.76	1.96	3766	3639	3.50	2.64	594	688	-13.70	0.75
柬埔寨	121	254	-52.35	0.054	121	254	-52.40	0.054	—	—	—	—
新加坡	5913	3527	67.65	2.66	3622	2808	29.00	2.53	2291	719	218.60	2.87
马来西亚	1393	1347	3.41	0.63	1217	1181	3.00	0.85	176	166	6.00	0.22
印尼	9841	6429	53.07	4.42	7656	5926	29.20	5.35	2185	503	334.40	2.74
菲律宾	2134	2153	0.88	0.96	2065	1870	10.40	1.44	69	283	-75.60	0.087
文莱	7	10	-30.00	0.01	7	10	-30.00	0.01	—	—	—	—

资料来源：云南省商务厅同边处。

表 F3－2　2003 年度云南省对东盟十国进出口统计表

（单位：万美元）

项目	进出口总额				出口总额				进口总额			
	累计	上年同期	同比增长（%）	占总额（%）	累计	上年同期	同比增长（%）	占总额（%）	累计	上年同期	同比增长（%）	占总额（%）
全省合计	266767	222595	19.84	100.00	167658	142890	17.33	100.00	99109	79705	24.34	100.00
十国合计	101271	82295	23.06	37.96	77130	62413	23.58	46.00	24141	19882	21.42	24.36
缅甸	49279	40672	21.16	18.47	35683	29602	20.54	21.28	13596	11070	22.82	13.72
老挝	2111	1655	27.55	0.79	1458	1053	38.46	0.87	653	602	8.47	0.67
越南	22114	16199	36.51	8.29	19299	13304	45.06	11.51	2815	2895	-2.76	2.84
泰国	8729	4360	100.21	3.27	7711	3766	104.75	4.60	1018	594	71.38	1.03
柬埔寨	59	121	-51.24	0.02	59	121	-51.24	0.035	—	—	—	—
印尼	10540	9841	7.10	3.95	5904	7656	-22.88	3.52	4636	2185	112.17	4.68
马来西亚	1107	1393	-20.53	0.42	1037	1217	-14.79	0.62	70	176	-60.23	0.07
新加坡	4361	5913	-26.25	1.63	3014	3622	-16.79	1.80	1347	2291	-41.20	1.36
菲律宾	2968	2134	39.08	1.11	2962	2065	43.44	1.77	6	69	-91.30	0.01
文莱	3	7	-57.14	0.00	3	7	-57.14	0.00	—	—	—	—

资料来源：云南省商务厅周边处。

表 F3－3 2003 年云南省各地州边境贸易进出口总值表

（单位：万美元）

项目	进出口总额	上年同期	同比增长（%）	出口	上年同期	同比增长（%）	进口	上年同期	同比增长（%）
边贸总值	41977	36804	14.1	25320	23095	9.6	16657	13709	21.5
红河	7895	6876	14.8	5405	5079	6.4	2490	1797	38.6
文山	496	1626	-69.5	313	227	37.9	183	1399	-86.9
思茅	2488	1960	26.9	324	869	-62.7	2164	1091	98.4
西双版纳	6231	4584	35.9	4096	3026	35.4	2135	1558	37.0
保山	3734	1918	94.7	1514	289	423.9	2220	1629	36.3
德宏	19151	18060	6.0	13185	12998	1.4	5966	5062	17.9
怒江	418	242	72.7	19	0	—	399	242	64.9
临沧	1563	1539	1.6	464	607	-23.6	1099	932	17.9

资料来源：云南省商务厅网边处。

表 F3 - 4　云南省 2002 年度边境贸易国别、地州进出口统计表

（单位：万美元）

项目	进出口总额				出　口				进　口			
	累计	上年同期	同比增长(%)	占总额(%)	累计	上年同期	同比增长(%)	占总额(%)	累计	上年同期	同比增长(%)	占总额(%)
全省合计	37142	34549	7.40	100.00	23153	23010	0.6	100.00	13989	11584	20.8	100.00
越南	8318	8286	0.40	22.39	5649	6480	-12.8	24.39	2669	1806	47.8	19.08
老挝	844	790	6.80	2.28	248	371	-33.2	1.07	596	419	42.2	4.26
缅甸	27981	25517	9.65	75.33	17257	16158	608.0	74.53	10724	9359	14.6	76.70
红河	6929	7018	1.27	18.65	5128	5560	-7.8	22.15	1801	1458	23.5	12.87
文山	1672	605	186.90	4.38	228	389	-41.4	0.98	1399	216	547.7	10.00
思茅	2097	1507	39.20	6.55	869	702	23.8	3.75	1228	805	52.5	8.78
西双版纳	4727	5000	-5.46	12.73	3033	3244	-6.5	13.10	1694	1756	-3.5	12.10
保山	1918	2105	-8.90	5.16	289	589	-50.9	1.25	1629	1516	7.5	12.09
德宏	18063	16335	10.60	48.63	12999	11622	11.9	56.14	5064	4713	7.4	36.10
怒江	242	206	17.50	0.65	—	—	—	—	242	206	17.5	1.47
临沧	1539	1818	-15.30	4.14	607	904	-32.9	2.62	932	914	2.0	6.66

资料来源：云南省外经贸厅周边处。

表 F3-5　2001 年昆明关区对缅、老、越三国贸易方式及人民币结算金额表

（单位：万美元）

项　目		总　额		其中以人民币结算	
代码	名称	出口	进口	出口	进口
00	合计	44159	11894	7402	5516
106	缅甸	26263	9564	4220	4743
106_0110	一般贸易	9622	22	0	13
106_0214	来料加工	83	—	—	—
106_0615	进料对口	332	76	—	—
106_1233	保税仓库货物	—	—	—	31
106_1523	租赁贸易	—	—	—	3
106_4019	边境小额贸易	16202	9359	4220	4697
119	老挝	4483	425	256	232
119_0110	一般贸易	3905	—	2	0
119_3422	进料对口	71	—	—	—
119_1523	租赁贸易	36	—	—	—
119_3422	对外承包出口	98	—	3	—
119_4019	边境小额贸易	371	419	251	232
141	越南	13413	1906	2926	540
141_0110	一般贸易	6180	23	6	—
141_0615	进料对口	720	52	—	—
141_4019	边境小额贸易	6498	1806	2920	538

数据来源：昆明海关综合统计处。

表 F3-6　2002 年昆明关区对缅、老、越三国贸易方式及人民币结算金额表

（单位：万美元）

项　目		总　额		其中以人民币结算	
代码	名称	出口	进口	出口	进口
00	合计	55270	14580	6303	8220
106	缅甸	35842	10814	4403	6476
106_0110	一般贸易	17843	278	74	208

续表

项　目		总　　额		其中以人民币结算	
代码	名称	出口	进口	出口	进口
106_0214	来料加工	175	21	—	—
106_0615	进料对口	387	29	—	—
106_0130	易货贸易	24		—	—
106_1233	保税仓库货物	—	—	—	—
106_3422	对外承包出口	112	—	5	—
106_1523	租赁贸易		—		
106_3511	援助物资		—	9	
106_4019	边境小额贸易	17247	10486	4314	6269
119	老挝	4738	604	166	226
119_0110	一般贸易	4164	45	—	—
119_3422	进料对口		—		
119_1523	租赁贸易	—	—		—
119_3422	对外承包出口	241			
	援助物资	51	—	51	
119_4019	边境小额贸易	248	558	114	215
141	越南	14690	3163	1735	1518
141_0110	一般贸易	7544	263	12	36
141_0615	进料对口	1555	223	—	—
141_4019	边境小额贸易	5586	2665	1724	1481

数据来源：昆明海关综合统计处。

表 F3 - 7　2003 年昆明关区对缅、老、越三国贸易方式及人民币结算金额表

（单位：万美元）

项　目		总　　额		其中以人民币结算	
代码	名称	出口	进口	出口	进口
00	合计	69160	17044	6974	12283
106	缅甸	44611	13469	4772	10594
106_0110	一般贸易	24973	145	269	117

续表

项　目		总　额		其中以人民币结算	
代码	名称	出口	进口	出口	进口
106_0214	来料加工	282	—	—	—
106_0615	进料对口	200	61	—	—
106_0130	易货贸易	28	—	—	—
106_1233	保税仓库货物	—	—	—	—
106_3422	对外承包出口	130	—	6	—
106_1523	租赁贸易	—	—	—	—
106_3511	援助物资	—	—	6	—
106_4019	边境小额贸易	18716	13257	4491	10477
119	老挝	8385	683	518	199
119_0110	一般贸易	7460	34	8	4
119_3422	进料对口	—	—	—	—
119_1523	租赁贸易	—	—	—	—
119_3422	对外承包出口	81	—	—	—
119_3511	援助物资	92	—	92	—
119_4019	边境小额贸易	659	649	418	195
141	越南	16163	2892	1684	1490
141_0110	一般贸易	10154	115	11	1
141_0615	进料对口	87	—	—	—
141_3422	对外承包出口	—	—	6	—
141_4019	边境小额贸易	5918	2750	1668	1487

数据来源：昆明海关综合统计处。

表F3-8　2000年度云南口岸流量统计表

序号	口岸名称	人员(人次) 合计	出境	入境	交通工具(辆、架、列、艘) 合计	出境	入境	货物(吨) 合计	出口	进口	货值(万元) 合计	出口	进口
1	昆明	607522	308013	299509	7212	2452	4670	4313	3376	937	144806	81303	63503
2	瑞丽	4789925	2408776	2381149	664558	315615	348943	280271	251483	28788	152072	142064	10008
3	畹町	763832	376336	387496	146099	72516	73583	54297	41976	12321	22865	20763	2102
4	河口	1225885	612942	612943	10228	5114	5114	518465	389061	129404	76558	67164	9394
5	磨憨	184204	92482	91722	30289	15706	14583	57720	20665	37055	49872	12468	37404
6	金水河	61009	30504	30505	2356	1178	1178	172173	93927	78246	594	215	279
7	天保	354699	171907	182792	6823	3412	3411	20388	17669	2719	15240	14629	611
8	思茅港	762	381	381	545	273	272	41275	10154	31121	7317	2527	4709
9	景洪港	25559	11248	14311	4062	2032	2030	36494	32426	4068	29732	24913	4819
10	版纳机场	8724	4213	4511	110	55	55	—	—	—	—	—	—
11	腾冲	88718	68018	20700	46015	8688	8688	240630	7118	233512	22351	6611	15740
12	片马	310000	170000	140000	47000	5000	42000	255000	25000	230000	11358	1125	10233
13	盈江	41818	20710	21108	10204	5050	5154	231954	8438	223516	15953	566	15387
14	章凤	93588	46794	46794	14046	7023	7023	43994	8630	35364	22967	20275	2692
15	南伞	350495	172523	177972	21219	17917	19179	18745	18529	216	182	142	40
16	孟定	243225	128764	114461	48271	25672	25372	50908	32900	18008	536	500	36
17	孟连	251954	146080	105874	46464	25556	25556	58687	45738	12949	942	713	229
18	打洛	927185	463593	463592	137851	68926	68926	94405	17937	76468	10636	9546	1090
19	沧源	114563	55353	59210	52991	26901	26901	48000	16800	31200	314	141	173
20	田蓬	7913	3321	4592	3560	1780	1780	11731	6361	5370	7892	4865	3027
	合计	10451580	5291958	5159622	1318265	640557	677708	2239450	1048188	1191262	592187	410630	181557

（序号1～10为一类口岸，序号11～20为二类口岸）

备注：昆明、版纳机场为空港；河口为铁路、公路口岸；景洪、思茅为水港，其余全为公路口岸。
数据来源：云南省经贸委口岸办。

表 F3－9　2001 年度云南口岸流量统计表

序号		口岸名称	人员（人次）			交通工具（辆、架、列、艘）			货物（吨）			货值（万元）		
			合计	出境	入境	合计	出境	入境	合计	出口	进口	合计	出口	进口
1	一类口岸	昆明	575018	290546	284472	4609	2304	2305	35162	17652	17510	229553	35142	194411
2		瑞丽	4360455	2198842	2161613	386127	189802	196325	474550	378571	95979	143240	129397	13843
3		畹町	556690	278108	278582	134856	84462	50394	28903	11408	17495	11633	7394	4239
4		河口	1357988	687183	670805	17843	8922	8921	669774	497077	172697	128544	115247	13297
5		磨憨	194819	99690	95129	37402	18938	18464	109165	41827	67338	54448	46181	8267
6		金水河	185059	92529	92530	3493	1746	1747	1399	584	815	497	208	289
7		天保	146331	73361	72970	13102	6557	6545	26827	20476	6351	28472	21097	7375
8		思茅港	986	602	384	551	325	226	43383	25556	17827	9103	6359	2744
9		景洪港	7312	3917	3395	6918	3450	3468	171920	41221	130699	20650	14923	5727
10		版纳机场	14908	6799	8109	156	78	78	7444	4751	2693	219933	88511	131422
11	二类口岸	腾冲	223492	127540	95952	99812	58906	40906	202395	199755	2640	14815	1643	13172
12		片马	321500	264000	57500	74800	70784	4016	350000	30200	319800	15750	1359	14391
13		盈江	38514	14110	24404	9766	5166	4600	999207	1465	997742	25090	2035	23055
14		章凤	136146	59549	76597	12272	6093	6179	18703	10362	8341	14288	11072	3216
15		南伞	448112	231203	216909	248869	216939	31930	70100	38080	32020	4745	3443	1302
16		孟定	258500	121020	137480	59400	31930	27470	69800	38179	31621	29500	27823	1677
17		孟连	247444	145463	101981	41527	21083	20444	74167	44450	29717	11700	4982	6718
18		打洛	1536479	768290	768189	137412	129617	7795	82527	37968	44559	9354	7085	2269
19		沧源	180000	92310	87690	20075	10075	10000	82056	31971	50085	4035	2763	1272
20		田蓬	42679	25572	17107	8128	3434	4694	5432	2777	2655	9045	4678	4367
合计			10832432	5580634	5251798	1317118	870611	446587	3969421	1474330	2048584	984395	531342	453053

备注：昆明、版纳为空港；河口为铁路、公路口岸；景洪、思茅为水港；其余全为公路口岸。

数据来源：云南省经贸委口岸办。

表 F3－10　2002 年度云南口岸流量统计表

序号	口岸名称	人员(人次)			交通工具(辆、架、列、艘)			货物(吨)			货值(万元)		
		合计	出境	入境	合计	出境	入境	合计	出口	进口	合计	出口	进口
1	昆明	575018	290546	284472	4609	2304	2305	35162	17652	17510	229553	35142	194411
2	瑞丽	4360455	2198842	2161613	386127	189802	196325	474550	378571	95979	143240	129397	13843
3	畹町	556690	278108	278582	134856	84462	50394	28903	11408	17495	11633	7394	4239
4	河口	1357988	687183	670805	17843	8922	8921	669774	497077	172697	128544	115247	13297
5	磨憨	194819	99690	95129	37402	18938	18464	109165	41827	67338	54448	46181	8267
6	金水河	185059	92529	92530	3493	1746	1747	1399	584	815	497	208	289
7	天保	146331	73361	72970	13102	6557	6545	26827	20476	6351	28472	21097	7375
8	思茅港	986	602	384	551	325	226	43383	25556	17827	9103	6359	2744
9	景洪港	7312	3917	3395	6918	3450	3468	171920	41221	130699	20650	14923	5727
10	版纳机场	14908	6799	8109	156	78	78	7444	4751	2693	219933	88511	131422
11	腾冲	223492	127540	95952	99812	58906	40906	202395	199755	2640	14815	1643	13172
12	片马	600009	328860	271149	129615	65388	64227	511116	53366	457750	23623	1758	21865
13	盈江	35984	12850	23134	9168	4807	4361	247351	4336	243016	31265	5181	26084
14	章凤	268007	155954	112053	43822	30803	13019	27612	8851	18762	23658	22557	1119
15	南伞	878537	427497	451040	38158	18826	19332	181663	19798	161865	5014	3069	1945
16	孟定	799978	493145	306833	128358	26379	101979	71095	49373	21722	51809	49603	2206
17	孟连	448491	246539	201952	45968	23319	22649	101434	23105	78329	15242	3022	12220
18	打洛	1727604	1687675	39929	126707	115060	11647	186647	42705	143942	13304	9910	3394
19	沧源	104965	59650	45315	27167	14319	12848	36995	12135	24860	4123	874	3249
20	田蓬	42204	24120	18084	2190	1018	1172	6613	3828	2785	9486	4050	5436
	合计	13714369	7803173	5911196	1273279	647121	626156	3152827	854702	2297827	817852	516224	297597

（口岸分类：一类口岸；二类口岸）

备注：昆明、版纳为空港；河口为铁路、公路口岸；景洪、思茅为水港；其余全为公路口岸。
数据来源：云南省经贸委口岸办。

附录 4 无条件缺口估计结果评价的相关说明

由于我们对香港货币供给总量（$\dot{M}_s$）的真实值无法获得，因此难以对其 P_2 期的估计情况直接做出评价；但我们可以来验证该 VECM 模型中其他变量的估计情况，以此作为一种侧面评价的手段。因为该模型系统中，对 lnm1 的估计在很大程度上依赖于对其他变量预测的准确程度；并且其他变量的真实值具有可得性，我们对这些变量的估计进行评价是可能的。为此，在 Eviews 软件中，使用 Gauss-Seidel 算法[①]对该 VECM 系统做 1000 次的动态随机模拟（Dynamic-Stochastic Simulation）估计，结果显示 1000 次模拟全部成功。估计结果如附图 F4－1 所示。

图（a）中，实线表示 LNCPI 的实际值，而 P_2 期出现的三条虚线：中间的划线表示 LNCPI 在模拟估计中得到的均值，另外两条虚线则表示其两个标准误宽度构成的估计置信区间。可以看到，1998 年 2 季度及以前，LNCPI 的实际值落入了置信区间，且比较接近估计值。但在此之后，LNCPI 的实际值运行偏离了置信区间，且偏离程度越来越大。(d) 图中 LNR3M 的模拟结果也有类似的表现，即：向前估计的短期效果较好，但长期表现与真实值严重偏离。

图（b）中的实际值与真实值比较接近，呈现出交叉波动的形态。因此该变量的估计效果较理想。另外，图（c）比较特殊，其中的 LNRY 真实值在 1997 年 2、3 季度与估计值比较接近，但从 4 季度开始就落到了置信区间之外，从 1999 年 2 季度才回到置信区间中，但其一直低于估计值的均值。

从图中我们可以看出，这四个变量中只有 LNEA（汇率的对数）的估计值在整个 P_2 期都比较接近真实值。而其他三个变量的估计值，都是在短期内（2 至 5 个季度的长度）接近真实值；但从长期来看，各变量的估计值与真实值相差很大，甚至置信区间都没有将真实值包括进

---

① Gauss－Seidel 是一种重复算法，在每一次重复中：我们分别解出模型中与各个方程联系的内生变量，同时假定其他内生变量不变。这种算法节约计算量，但要求方程系统具有稳定收敛的性质。虽然构建的方程系统在理论上有可能并不满足该性质，但在实践中的绝大部分计量模型中，这种算法一般都表现很好。

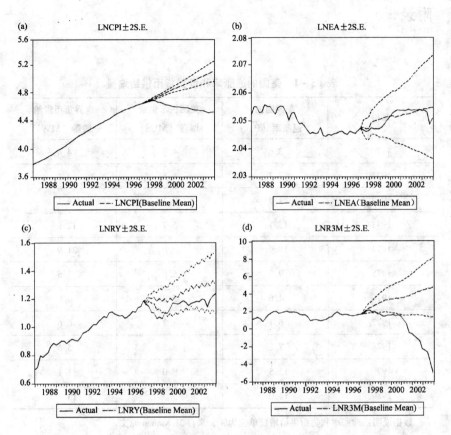

图 F4 – 1　LNCPI, LNEA, LNRY, LNR3M 的动态随机模拟估计结果

来。究其原因，一方面可能是由于估计区间过长，因此其在短期内虽然有效，但在长期中失效；另一方面则可能是由于外部冲击的信息并没有在其中得到反映，从而使某些内生变量值与实际值偏离很大。

　　在对这四个变量的估计情况进行分析的基础上，我们对 LNM1 在 VECM 系统中的估计环境已经有所了解。在这样一个方程系统中，其他方程的估计误差会影响到 LNM1 的估计，并且该误差会因为累积而被放大。因此得到正文中不甚理想的估计结果也是可以理解的了。

附录 5

表 F5 – 1　美国的通胀率和世界货币供给增量

年份	美国国内 通胀率（P）	美国货币供给 增量（MUS）	世界货币供给 增量（MW）
1970	3.6	4.3	4.4
1971	3.3	6.5	3.1
1972	4.5	9.1	4.1
1973	13.1	5.7	12.9
1974	18.9	3.0	21.9
1975	9.2	5.5	7.5
1976	4.6	5.9	6.6
1977	6.1	8.2	6.6
1978	7.8	8.2	5.6
1979	12.5	8.0	11.1
1980	14.0	5.3	13.5

数据说明：通胀率和货币供给增量单位为%，来自 McKinnon 原文。

表 F5 – 2　IMF 成员国官方持有外汇储备的各种货币份额　（单位:%）

	1973	1980	1984	1987	1991	1993	1996	1998
美元	84.6	68.6	65.1	67.1	55.6	56.1	58.9	62.6
英镑	7.0	2.9	2.9	2.6	3.6	3.1	3.4	3.5
马克	5.8	14.9	12.0	14.7	18.3	14.2	13.6	13.1
法国法郎	1.0	1.7	1.1	1.2	3.3	2.2	1.6	1.7
日元	—	4.3	5.2	7.0	10.4	7.7	6.0	5.4
其他	—	—	—	—	—	—	—	—

资料来源：1973～1991 年数据来自《国际货币基金组织年报》1988 年和《国际清算银行第 62 届年报》1992 年；1993～1996 年数据来自《国际货币基金组织年报》1997 年；1998 年数据来自《国际货币基金组织年报》2003 年。以上为各年末数据。

表 F5 -3 其他国家通胀率对美国的格兰杰因果关系检验：
其他国家通胀率为平稳的情况

国家		$CPI_{us} - CPI_i$ （lag = 1）		$CPI_{us} - CPI_i$ （lag = 2）	
阿根廷	←	0.39729	——	0.79613	——
	→	0.92132	——	0.82688	——
加拿大	←	0.89623	——	0.33889	——
	→	0.04631	* *	0.20821	——
印尼	←	0.24687	——	0.13148	——
	→	0.55283	——	0.84336	——
马来西亚	←	0.62518	——	0.77705	——
	→	0.79339	——	0.77692	——
新加坡	←	0.21678	——	0.41272	——
	→	0.40521	——	0.85536	——
瑞士	←	0.53206	——	0.59508	——
	→	0.93176	——	0.70601	——
泰国	←	0.84095	——	0.65690	——
	→	0.14488	——	0.45612	——
卢森堡	←	0.22161	——	0.40303	——
	→	0.00481	* * *	0.11313	——
瑞典	←	0.05002	*	0.42064	——
	→	0.03919	* *	0.19663	——
总结		* * *	0	* * *	0
	←	* *	0	* *	0
		*	1	*	0
		* * *	1	* * *	0
	→	* *	2	* *	0
		——	0	*	0

说明：——：代表没有通过检验；＊：代表在 10% 的显著水平上成立；＊＊：代表在 5%的显著水平上成立；＊＊＊：代表在 1% 的显著水平上成立。

表 F5 – 4　其他国家通胀率对美国的格兰杰因果关系检验（lag = 1）：

其他国家通胀率为 I（1）

国家		A（1）：$\Delta CPI_{us} - \Delta CPI_i$		B（1）：$CPI_{us} - \Delta CPI_i$	
英国	←	0.01686	——	0.54039	——
	→	0.00192	＊＊＊	0.76184	——
法国	←	0.06888	＊	0.27364	——
	→	0.09432	＊	0.59444	——
荷兰	←	0.10835	——	0.42199	——
	→	0.00769	＊＊＊	0.71170	——
日本	←	0.72218		0.39292	——
	→	0.75116		0.16184	
意大利	←	0.23792		0.43922	——
	→	0.25395		0.76570	
爱尔兰	←	0.02326	＊＊	0.84229	——
	→	0.00392	＊＊＊	0.97186	——
韩国	←	0.03490	＊＊	0.90808	——
	→	0.00000	＊＊＊	0.57408	——
墨西哥	←	0.91988	——	0.89891	——
	→	0.27860	——	0.63377	——
总结	←	＊＊＊	0	＊＊＊	0
		＊＊	2	＊＊	0
		＊	1	＊	0
	→	＊＊＊	4	＊＊＊	0
		＊＊	0	＊＊	0
		＊	1	＊	0

说明：——：代表没有通过检验；＊：代表在 10% 的显著水平上成立；＊＊：代表在 5% 的显著水平上成立；＊＊＊：代表在 1% 的显著水平上成立。

表 F5-5　其他国家通胀率对美国的格兰杰因果关系检验（lags=2）：
　　　　　其他国家通胀率为 I（1）

国家		A（2）：$\Delta CPI_{us} - \Delta CPI_i$		B（2）：$CPI_{us} - \Delta CPI_i$	
英国	←	0.33225	——	0.07056	*
	→	0.01815	* *	0.00791	* * *
法国	←	0.37240	——	0.68462	——
	→	0.16185	——	0.25858	——
荷兰	←	0.49160	——	0.15394	——
	→	0.04584	* *	0.03145	* *
日本	←	0.23148	——	0.03936	* *
	→	0.68678		0.32835	
意大利	←	0.59761	——	0.54273	——
	→	0.56319	——	0.61092	——
爱尔兰	←	0.36699	——	0.33072	——
	→	0.04509	* *	0.11237	——
韩国	←	0.71571	——	0.18450	——
	→	0.00010	* * *	0.00003	* * *
墨西哥	←	0.89426	——	0.90770	——
	→	0.52121	——	0.31467	——
总结	←	* * *	0	* * *	0
		* *	0	* *	1
		*	0	*	1
	→	* * *	1	* * *	2
		* *	3	* *	1
		*	0	*	0

说明：——：代表没有通过检验；*：代表在10%的显著水平上成立；* *：代表在5%的显著水平上成立；* * *：代表在1%的显著水平上成立。

主要参考文献

[1] Allan Drazen, Elhanan Helpma: "Inflationary Consequences of Anticipated Macroeconomic Policies", *Review of Economic Studies*, 57 (1), 1990, 147 – 164.

[2] Augustine C. Arize: "Currency Substitution in Korea", *American Economist*, 35 (2), 1991.

[3] David Romer: *Advanced Macroeconomics*, McGraw-Hill Education (Asia) Co. and Shanghai University of Finance & Economics Press 2001, 510 – 514.

[4] E. Victor, Morgon: *History of Money*, Penguin Books 1965, 71 – 73.

[5] Edwards: *Capital Controls, Exchange Rate and Monetary Policy in the World Economy*, Cambridge University Press1995.

[6] Emerson, M.: *One Market One Money*, Oxford University, 1992.

[7] Frank R. Gumer: "Capital Flight From the People's Republic of China: 1984—1994", *China Economic Review*, Vol. 7 (1), 1996: 55 – 61.

[8] Hong Liang: "Do Hong Kong SAR and China Constitute An Optimal Currency? An Empirical test of the Generalized Purchasing Power Parity Hypothesis", *IMF Working Paper*, June 1999.

[9] Kuroda, Haruhiko: "The 'Nixon Shock' and 'Plaza Agreement': Lessons from Two Seemingly Failed Cases of Japan's Exchange Rate Policy", *China & World Economy*, 12 (1), 2004, 3 – 10.

[10] Lance Girton, Don Roper: Theory and Implication of Currency Substitution, *Journal of Money*, Credit and Banking 1981, 1 (13): 12 – 30.

[11] M. Hashem Pesaran, Hossein Samiei: "Forecasting Ultimate Resource Recovery", *International Journal of Forecasting*, 11 (4), 1995.

[12] Mudell. R.: "A Theory of Optimum Currency Areas", *American*

Economic Review, 53 (4), 1963.

[13] Nerlove M. : "Distributed Lags and Demand Analysis for Agricultural and other Commodities", *United States Department of Agriculture*, *Handbook* No. 141, Xerox University Microfilms, Ann Arbor, Michigan, USA, July 1958.

[14] Paul Krugman: "The Return of Depression Economics", *Foreign Affairs*, 78 (1), 1999, 56 – 74.

[15] Paul Krugman: *Currencies and Cries*, The MIT Press 1992, 59 – 63.

[16] Peng, Wensheng and Shi, Joanna YL: External demand for Hong Kong Dollar Currency, Hong Kong Monetary Authority Quarterly Bulletin, March 2003, 11 – 21.

[17] Philipp H. : *Currency Competition and Foreign Exchange Market*: *the Dollar, the Yen and the Euro*, Cambridge University Press 1998: 88.

[18] Phillip Cagan: The Monetary Dynamics of Hyperinflation, In: Milton Friedman, eds. , *Studies in the Quantity Theory of Money*, *Chicago*, University of Chicago Press, 1956, 101 – 104.

[19] R. Dornbusch, J. Frenkel: "Inflation and Growth: Alternative Approaches", *Journal of Money, Credit and Banking*, 15 (1), 1973, 141 – 156.

[20] Ronald I. Mckinnon: "After the Crisis, the East Asia Dollars Standard Resurrected: An Interpretation of the High – Frequency Exchange Rate Pegging", *lecture given in Shanghai*, Nov. , 2000.

[21] Ronald I. McKinnon: "Currency Substitution and Instability in the World Dollar Standard", *The American Economic Review*, 1 (3), 1982, 320 – 333.

[22] Stanley Fischer: "The Asian Crisis: Return of Growth", International Monetary Fund, paper presented to the Asia Society, Hong Kong, June 17 1999, 45 – 50.

[23] T. Sargent, N. Wallace: "Some Unpleasant Monetarist Arithmetic", *Federal Reserve Bank of Minneapolis Quarterly Review*, http://minneapolisfed. org/research/qr/qr531. html, 5 (3), 1981.

［24］Toru Iwami：“The Internationization of Yen and Key Currency Questions”，*IMF Working Paper*，April 1994，14.

［25］Xu qiyuan，Liu lizhen and Shi guifen：The Cooperation of International Policies during the Changing of International Monetary System：An Analysis Based upon Money Supply，Proceedings of 2005 International Conference on Management Science & Engineering.

［26］Wong·Soon Teck，Ong Lai Heng：“First World per Capita Income but Third World Income Structure? Wage Share and Productivity Improvement in Singapore”，*Statistics Singapore Newsletter*，http：//www.singstat.gov.sg/，Sep. 2000.

［27］Yin－Wong Cheung，Jude Yuen：“The Suitability of Greater China Currency Union”，*CESIFO Working Paper* NO. 1192，May 2004.

［28］巴曙松、黄少明：“市场需求推动下的自发过程——香港离岸人民币市场发展路径及影响”，《国际贸易》2003 年第 9 期。

［29］巴曙松：“把香港打造为人民币离岸金融中心?”，《经济月刊》2002 第 4 期。

［30］白鹤祥：“中国—东盟自由贸易区建立与我国金融应对策略研究”，《金融研究》2003 年第 12 期。

［31］曹凤歧、林敏仪：“论人民币资本和金融项目可兑换”，《管理世界》2004 年第 2 期。

［32］曹勇：“论人民币的国际化”，《特区经济》2003 年第 12 期。

［33］陈锋、董旭操：“建立人民币离岸中心：沪港两地的比较”，《海南金融》2004 年第 5 期。

［34］陈虹：“日元国际化之路”，《世界经济与政治》2004 年第 5 期。

［35］陈全功、程蹊：“人民币国际化的条件和前景”，《华中科技大学学报（社会科学版）》2003 年第 1 期。

［36］陈亚温、胡勇：“论欧元现金正式流通以来的货币效应”，《中国经济问题》2003 年第 2 期。

［37］陈雨露：“东亚货币合作中的货币竞争问题”，《国际金融研究》2003 年第 11 期。

［38］程恩富、周肇光："关于人民币区域化和国际化可能性探讨"，《山东财政学院学报》2003 年第 3 期。

［39］戴国强：《货币银行学》，高等教育出版社 2000 年版。

［40］迪博尔德：《经济预测》，中信出版社 2003 年版。

［41］丁剑平、谌卫学："关于香港联系汇率制度可持续性的研究"，《财经研究》2002 年第 5 期。

［42］丁剑平："港币与人民币的协整：一个实证研究"，《世界经济文汇》2002 年第 2 期。

［43］丁剑平："关于现行的人民币汇率机制的可持续性研究"，《国际金融研究》2003 年第 5 期。

［44］丁剑平："汇率波动与亚洲的经济增长"，《世界经济》2003 年第 7 期。

［45］丁剑平："人民币汇率制度的选择与调整空间的思考"，《国际金融研究》2002 年第 2 期。

［46］范从来、卞志村："中国货币替代影响因素的实证研究"，《国际金融研究》2002 年第 8 期。

［47］冯用富：《汇率制度：理论架构与中国金融进一步开放中的选择》，西南财经大学出版社 2001 年 3 月版。

［48］冯肇伯："西德马克 40 年：经验启示借鉴"，《经济学家》1989 年第 1 期。

［49］傅亚明、张学萍："论人民币国际化"，《南京金融高等专科学校学报》1994 年第 3 期。

［50］郭楚："亚洲货币合作呼唤内地、香港、台湾金融协调"，《广东社会科学》2002 年第 1 期。

［51］郭恩才、薛强："人民币国际化的几个问题"，《大连海事大学学报（社会科学版)》2002 年第 9 期。

［52］何帆、李婧："美元国际化的路径、经验和教训"，《社会科学战线》2005 年第 1 期。

［53］何帆、覃东海："东亚建立货币联盟的成本与收益分析"，《世界经济》2005 年第 1 期。

［54］何帆："FDI 规模过大威胁国际收支平衡"，《中国经营报》

2005 年 1 月 24 日。

[55] 何帆："全球化中的国家利益的冲突和协调"，《中国外汇管理》2004 年第 1 期。

[56] 何泽荣：《入世与人民币国际化》，西南财经大学出版社 2002 年版。

[57] 何泽荣：《入世与中国金融国际化研究》，西南财经大学出版社 2002 年版。

[58] 赫伯特·斯坦：《美国总统经济史》，金清、郝黎莉译，吉林人民出版社 1997 年版。

[59] 胡定核、程海泳："人民币国际化的条件"，《发展论坛》1996 年。

[60] 胡颖尧："自由兑换后货币替代的短期影响"，《复旦大学学报》（社会科学版）1996 年第 6 期。

[61] 胡智、文启湘："人民币国际化模式探讨"，《河北经贸大学学报》2002 年第 5 期。

[62] 荒木信義：《日元的知识》，中国财政经济出版社 1982 年版。

[63] 黄梅波："货币国际化及其决定因素——欧元与美元的比较"，《复旦大学学报（哲学社会科学版）》2001 年第 2 期。

[64] 黄梅波：《国际货币合作的理论与实证分析》，厦门大学出版社 2002 年版。

[65] 黄少明："香港人民币业务及其前景"，《粤港澳价格》2004 年第 1 期。

[66] 黄燕君、赵生仙："港币—人民币一体化：顺序、模式和努力途径"，《世界经济与政治论坛》2003 年第 3 期。

[67] 黄燕君、赵生仙："香港与澳门货币一体化问题初探"，《财贸经济》2001 年第 11 期。

[68] 黄燕君：《港币—人民币一体化：意义、条件、前景》，中国社会科学出版社 2003 年版。

[69] 加里·贝克、吉蒂·贝克：《生活中的经济学》，华夏出版社 2000 年版。

[70] 姜波克、李心丹："货币替代的理论分析"，《中国社会科学》

1998 年第 3 期。

　　［71］姜波克、罗得志："最优货币区理论综述兼述欧元、亚元问题"，《世界经济文汇》2002 年第 1 期。

　　［72］姜波克、杨槐：《货币替代研究》，复旦大学出版社 1999年版。

　　［73］姜波克、朱云高："资本账户开放研究：一种基于内外均衡的框架"，《国际金融研究》2004 年第 4 期。

　　［74］姜波克："关于人民币兑换的几个问题"，《中国社会科学》1994 年第 3 期。

　　［75］姜波克："论外汇管制的长期性"，《经济研究》1994 年第3 期。

　　［76］姜波克：《开放经济下的货币市场调控》，复旦大学出版社1999 年版。

　　［77］姜波克：《人民币自由兑换论》，立信会计出版社 1994 年版。

　　［78］姜凌："人民币国际化——跨入新世纪中国金融行将面临的机遇和挑战"，《金融与经济》1999 年 3 期。

　　［79］杰弗里·萨克斯、费利普·拉雷恩：《全球视角的宏观经济学》，费方域等译，上海人民出版社 1997 年版。

　　［80］金德尔伯格：《世界经济霸权 1500—1990》，商务印书馆 2003年版。

　　［81］景学成：《亚太经济发展与中国周边金融》，中国金融出版社1996 年版。

　　［82］莱维奇：《国际金融市场：价格与政策》，中国人民大学出版社 2002 年版。

　　［83］李长江：《人民币迈向国际化的道路》，中国物资出版社 1998年版。

　　［84］李华民："基于人民币性质的中国货币国际化战略安排"，《信阳师范学院学报》（哲学社会科学版）2003 年第 1 期。

　　［85］李建军、田光宁："三大货币国际化的路径比较与启示"，《上海金融》2003 年第 9 期。

　　［86］李婧、管涛、何帆："人民币跨境流通的现状及对中国经济的

影响"，《管理世界》2004 年第 9 期。

[87] 李婧："人民币汇率制度选择：文献综述"，《世界经济》2002 年第 3 期。

[88] 李婧："中国对亚洲货币和金融合作的需求与供给"，《经济与管理研究》2005 年第 2 期。

[89] 李军：《中国货币政策的金融传导》，复旦大学出版社 1998 年版。

[90] 李巧云："大陆、香港、澳门货币制度及金融机构体系比较"，《理论导刊》2000 年 5 期。

[91] 李心丹、傅浩：《人民币—港币汇率联动机制研究》，中国商业出版社 2000 年版。

[92] 李心丹、张进："论人民币与港币的相互关系"，《现代管理科学》2002 年第 7 期。

[93] 李扬、黄金老："美元化问题研究"，《金融研究》1999 年第 9 期。

[94] 李扬：《中国金融理论前言Ⅱ》，社会科学文献出版社 2001 年版。

[95] 李瑶："非国际货币、货币国际化与资本项目可兑换"，《金融研究》2003 年第 8 期。

[96] 李裕："论人民币在我国周边地区流通的影响和国际化前景"，《经济纵横》2003 年第 2 期。

[97] 梁勤星："对人民币国际化问题的思考"，《西南金融》2003 年第 3 期。

[98] 梁伟娥、曾爱民："在港建立人民币离岸中心必要性和可能性刍议"，《理论纵横》2004 年第 5 期。

[99] 刘力臻："论开放条件下一国货币内外价格的背离"，《中国社会科学》1997 年第 6 期。

[100] 刘力臻、李爽："论东亚货币基金的创建"，《东北亚论坛》2004 年第 3 期。

[101] 刘力臻、谢朝阳："东亚货币合作与人民币汇率制度选择"，《管理世界》2003 年第 3 期。

[102] 刘力臻："论国际区域货币合作"，《税务与经济》2003 年第 3 期。

[103] 刘力臻："人民币区域化成因透析"，《管理现代化》2005 年第 1 期。

[104] 刘力臻：《市场经济"现代体制"与"东亚模式"》，商务印书馆 2000 年版。

[105] 刘树成：《现代经济辞典》，江苏人民出版社 2005 年版。

[106] 刘晓红："浅析人民币国际化"，《辽宁经济》2003 年第 3 期。

[107] 刘颖："对边境结算人民币流出流入的思考"，《中国外汇管理》2001 年第 11 期。

[108] 刘宗华、魏海港、徐芳："人民币境外流通问题研究"，《河南金融管理干部学院学报》2003 年第 3 期。

[109] 马克思：《资本论：第一卷》，经济科学出版社 1987 年版。

[110] 马勇、高翔："现行汇率制度对我国货币政策的制约"，《国际金融研究》2003 年第 9 期。

[111] 麦金农、大野健一：《美元与日元》，上海远东出版社 1999 年版。

[112] 蒙代尔：《蒙代尔经济学文集：第六卷》，中国金融出版社 2003 年版。

[113] 欧阳宏建："论金融开放格局下试行双币特区的构想"，《亚太经济》2000 年。

[114] 潘理权："国际货币体系改革与人民币国际化"，《华东经济管理》2000 年第 4 期。

[115] 潘英丽："中国国际金融中心的崛起：沪港的目标定位与分工"，《世界经济》2003 年第 8 期。

[116] 钱小安：《货币政策规则》，商务印书馆 2002 年版。

[117] 任兆璋、李治国："港币汇率的波动干扰与联系汇率的稳定机理研究"，《广西大学学报》1999 年。

[118] 沈国兵、王元颖："论'中元'共同货币区的构想与实现路径"，《财经研究》2003 年第 6 期。

[119] 施峰："单一货币：中国和平崛起新思路——关于主导推动两岸四地和亚洲逐步实现单一货币的考析"，《经济研究参考》2004 年第 5 期。

[120] 石建勋："洗钱和资本外逃的经济制度原因分析与对策"，《财经问题研究》2003 年第 6 期。

[121] 史焕平："加入 WTO 与人民币国际化问题的思考"，《江西社会科学》2002 年第 12 期。

[122] 孙景兵："欧元与中国货币一体化改革"，《新疆大学学报》2000 年第 6 期。

[123] 孙晓青："欧元的国际化于欧美地缘经济之争"，《现代国际关系》2000 年第 6 期。

[124] 孙兆康："人民币国际化的一种理论解释"，《金融教学与研究》1998 年第 1 期。

[125] 孙志毅："日元升值奏响日本经济国际化进行曲"，《经济论坛》2003 年第 15 期。

[126] 谈世中：《影响世界的货币——港币、澳门元》，西安出版社 2000 年版。

[127] 谈世中：《中国金融开放的战略选择》，社会科学文献出版社 2002 年。

[128] 陶士贵："人民币区域化的初步构想"，《管理现代化》2002 年第 5 期。

[129] 万解秋、徐涛："货币供给的内生性与货币政策的效率—兼评我国当前货币政策的有效性"，《经济研究》2001 年第 3 期。

[130] 汪洋："中国的资本流动：1982～2002"，《管理世界》2004 年第 7 期。

[131] 王春新："CEPA：香港地区经济转型的新契机"，《国际金融研究》2003 年第 10 期。

[132] 王鹤：《欧洲经济货币联盟》，社会科学文献出版社 2002 年。

[133] 王建华："谈谈货币国际化问题"，见景学成主编：《亚太经济发展与中国周边金融》，中国金融出版社 1996 年版。

[134] 王少平：《宏观计量的若干前沿理论与应用》，南开大学出

版社 2003 年版。

[135] 王信、彭松:"人民币怎样国际化?",《银行家》2002 年第 9 期。

[136] 王兴斌:《中国旅游客源国概况》,旅游教育出版社 2000 年第 8 期。

[137] 韦伟、方卫东:"美元化的定义、形成机制及成本和收益:一个文献综述",《世界经济文汇》2003 年第 1 期。

[138] 纬恩:"人民币如何走向国际化",《中国改革》2002 年第 3 期。

[139] 吴念鲁:《欧洲美元与欧洲货币市场》,中国财政出版社 1981 年。

[140] 夏南新:"我国资本外逃及其规模估测研究",《中山大学学报(社科版)》,2004 年第 3 期。

[141] 谢冰、邹伟:"铸币税与金融风险相关性的理论与实证分析",《财经理论与实践》2003 年第 6 期。

[142] 谢冰、王烜:"关于铸币税的理论研究进展",《经济学动态》2002 年第 9 期。

[143] 谢育新:《日元美元欧元大"会战"》,山西人民出版社 1999 年版。

[144] 徐进前:"香港联系汇率制度的特征分析及前景展望",《财贸经济》1999 年第 12 期。

[145] 徐奇渊、刘力臻:"货币国际化扩张中的政策行为——基于最优铸币收入的动态分析",《数量经济技术经济研究》2006 年第 1 期。

[146] 徐奇渊、刘力臻:"中国参与区域经济一体化:文献综述",《开发研究》2006 年第 1 期。

[147] 徐奇渊、刘力臻:"香港人民币存量估计:M_1 口径的考察",《世界经济》2006 年第 9 期。

[148] 许少强:《货币一体化概论》,复旦大学出版社 2004 年。

[149] 杨帆:"人民币与港币的关系",《财贸经济》1998 年第 5 期。

[150] 杨胜刚、黄文青:"全球货币制度的历史变迁与亚洲区域货

币整合前景",《财经理论与实践》2002 年第 5 期。

[151] 杨伟国:《欧元生成理论》,社会科学文献出版社 2002 年版。

[152] 姚枝仲、何帆:"外国直接投资是否会带来国际收支危机?",《经济研究》2004 年第 11 期。

[153] 伊特韦尔:《新帕尔格雷夫经济学大辞典:第二卷》,经济科学出版社 1996 年版。

[154] 于中琴:"试论中国人民币走向国际化的必要条件",《当代经济研究》2002 年第 10 期。

[155] 余永定、何帆、李婧:"亚洲金融合作:背景、最新进展与发展前景",《国际金融研究》2002 年第 2 期。

[156] 虞群娥:"论区域货币一体化与人民币国际化",《浙江社会科学》2002 年第 4 期。

[157] 袁宜:"货币国际化进程规律的分析——对人民币国际化进程的启示",《武汉金融》2002 年第 6 期。

[158] 张斌、何帆:"如何调整人民币汇率政策:目标、方案和时机",《国际经济评论》,2005 年第 2 期。

[159] 张丽娟、孙春广:"人民币在香港流通、使用情况考察",《改革》2003 第 5 期。

[160] 张书、刘欣:《新加坡金融制度》,中国金融出版社 1998 年版。

[161] 张晓峒:《计量经济分析》,北京,经济科学出版社 2000 年版。

[162] 张宇燕:"美元化:现实、理论及政策含义",《世界经济》1999 年第 9 期。

[163] 张志超:"港币汇率是否高估:一个经验分析",《世界经济》2001 年第 1 期。

[164] 赵春明、杨丽花:"大陆与台湾入世对两岸经济关系的影响",《世界经济研究》2002 年第 5 期。

[165] 赵海宽:"人民币可能发展成为世界货币之一",《经济研究》2003 年第 3 期。

[166] 赵秀臣、汤传锋:《欧元解析》,对外经贸大学出版社

2000 年。

［167］郑木清："论人民币国际化的道路"，《复旦大学学报（社会科学版)》1995 年第 2 期。

［168］中国人民银行厦门市中心支行课题组："人民币在台湾地区流通问题初探"，《福建金融》2004 年第 2 期。

［169］钟伟、张庆："美元危机和人民币面临的挑战"，《国际金融研究》2003 年第 4 期。

［170］钟伟："略论人民币的国际化进程"，《世界经济》2002 年第 3 期。

［171］钟伟："略论香港作为人民币离岸金融中心的构想"，《管理世界》2002 年第 10 期。

［172］周林、温小郑：《货币国际化》，上海财经大学出版社 2001 年版。

［173］周小川、谢平：《走向人民币可兑换》，经济管理出版社 1993 年版。

［174］周晓明、朱光键："资本流动对我国货币供给的影响与对策"，《国际金融研究》2002 年第 9 期。

［175］周正庆：《中国货币政策研究》，中国金融出版社 1993 年版。

后　记

作为货币国际化的又一独特案例——人民币的国际化尚处于起步阶段，本书对人民币国际化的分析只是一个初步的探索。已有的研究还不够深入，有些领域尚未涉及，新的问题又不断涌现，因此人民币国际化问题有待于进一步深入探索，并且我们的研究既要借鉴和遵循已经国际化的货币的发展经验和规律，又要随着人民币国际化的进展，发现新问题、总结出作为发展中的大国经济和从计划向市场过渡的转型经济的货币国际化的新经验和新规律。

本书由刘力臻教授提出基本思路和研究框架，经过集体讨论和分工完成初稿。最后由刘力臻、徐奇渊统稿完成本书。

初稿的撰写分工如下：

导论和第十四章由刘力臻撰写；第一章由刘力臻和杜辉合作撰写，杜辉的工作内容也有部分安排在第四章；第二、九、十二、十三章由徐奇渊撰写；安烨、曹菊华撰写了第三、七章；肖学军和方芳在实地调研的基础上完成了第五章；第六章由魏宇婕完成，另外第四章也有部分内容是由她完成的；肖学军和王益明还分别完成了第十、十一章的工作。

关于本书的研究和写作，得到了国家科技部软科学项目以及东北师范大学经济学院的支持；人民出版社郑海燕女士在编辑过程中的不辞繁冗，使本书在形式和内容方面都较原稿更为令人赏心悦目。在此一并致以诚挚的谢意。

为了获得站在巨人肩膀上的高远视野，我们在研究过程中借鉴和参考了国内外已有的研究成果，并悉列于参考文献之中。为此，对于前人在这方面所做出的努力探求致以深深的敬意。

本书中的若干章节，作为相对独立的学术论文，或曾面临内部讨论者的质疑，或曾陷入匿名审稿人的严厉拷问，或曾遭到学术会议上的众人盘问。一些建议的提出者——他们是：首都经贸大学李婧博士、上海财经大学丁剑平教授、中山大学陈平教授、日本一桥大学滕建洲博士、东北师范大学史桂芬博士以及东北师范大学郑捷同学和南开大学田岗同学等等——使本书的一些粗鄙之处无缘再见到读者，减少了作者日后愧对读者的可能性。因此，能够聆听到他们的有益评价，我们深感荣幸。

　　尽管四面支持、八方援手，但由于我们的水平和时间所限，只有惶恐地将此书献给读者，希望"愚者千虑，终有一得"。